»Das ganze Leben ist ein Spiel. Man muss nicht in ein Casino gehen, um daran teilzunehmen. Ich spiele volles Risiko, mit höchstem Einsatz. Aber was kann ich gewinnen?«

Das war knapp: Seine Enttarnung in Ostfriesland, die Trennung von Beate und seine anschließende Flucht nach Gelsenkirchen haben Spuren bei Dr. Sommerfeldt hinterlassen. Ganz auf sich selbst gestellt, sinnt er auf Rache. An seiner Familie in Bamberg, die ihn in diese Lage brachte. Aber die Sehnsucht nach Ostfriesland lässt ihn nicht los. Also fährt er noch einmal an den Ort, an dem es für ihn am gefährlichsten ist. Denn dort fahndet noch immer Ann Kathrin Klaasen nach Dr. Bernhard Sommerfeldt.

»… genau die Mischung aus Bekanntem und Originalität, aus Anspruch und Unterhaltung, die gute Bestseller haben.« *Stefan Keim, WDR*

Klaus-Peter Wolf, 1954 in Gelsenkirchen geboren, lebt als freier Schriftsteller in der ostfriesischen Stadt Norden, im selben Viertel wie seine Kommissarin Ann Kathrin Klaasen. Wie sie ist er nach langen Jahren im Ruhrgebiet, im Westerwald und in Köln, an die Küste gezogen und Wahl-Ostfriese geworden. Seine Bücher und Filme wurden mit zahlreichen Preisen ausgezeichnet. Bislang sind seine Bücher in 24 Sprachen übersetzt und über zehn Millionen Mal verkauft worden. Mehr als 60 seiner Drehbücher wurden verfilmt, darunter viele für »Tatort« und »Polizeiruf 110«. Mit Ann Kathrin Klaasen hat der Autor eine Kultfigur für Ostfriesland erschaffen, mehrere Bände der Serie werden derzeit prominent fürs ZDF verfilmt und begeistern Millionen von Zuschauern.

Weitere Informationen finden Sie auf www.fischerverlage.de

Klaus-Peter Wolf

TOTENTANZ
am Strand

Sommerfeldt kehrt zurück

Roman

FISCHER Taschenbuch

Originalausgabe

Erschienen bei FISCHER Taschenbuch
Frankfurt am Main, Juli 2018

© 2018 S. Fischer Verlag GmbH,
Hedderichstr. 114, D-60596 Frankfurt am Main

Satz: Dörlemann Satz, Lemförde
Druck und Bindung: CPI books GmbH, Leck
Printed in Germany
ISBN 978-3-596-29919-5

1 Im Ruhrgebiet unterzutauchen ist ganz einfach. Im Grunde ist das eine einzige Stadt mit zig Millionen Einwohnern. Von wegen Kohlenpott! Hier ist es grün. Die alten Zechen sind Museen geworden oder Industrieruinen.

Hier leben viele, die verlorengegangen sind. Gestrandete. Vergessene. Gestrauchelte. Geflohene.

Wo es viele Entwurzelte gibt, da gedeiht der Wildwuchs besonders prächtig. Literatur und Kunst. Vielleicht wird das Ruhrgebiet einst das sein, was Paris in den Zwanzigern war. Ich spüre diese unbefriedigte Gier nach Freiheit und Glück. Sie kriecht aus den Gullys und frisst sich durch die Häuserschluchten.

Die Gier ist wie ein Monster. Es sucht seine Chance. Es durchstreift die Stadt nach Nahrung.

Hier muss man nicht mal die Sprache sprechen, um dazuzugehören. Wohnraum ist vielerorts billig. Es gibt Stadtteile, da traut sich die Polizei nur noch unter Polizeischutz rein. Schrottimmobilien. Eigentlich unbewohnbar und doch vollgestopft mit Menschen.

Ich will aber nicht in den sogenannten rechtsfreien Räumen untertauchen.

No-go-Areas wird der Staat nicht lange akzeptieren, dann räumen die da auf, und dabei könnte ich zwischen die Räder geraten.

Das Revier ist ein wunderbarer Ort für gescheiterte Künstler. Für

Schriftsteller, die nicht gedruckt, und Maler, die nicht ausgestellt werden. Oder für Schauspieler ohne Engagement. Hier kann sogar ich mich als Schriftsteller niederlassen.

Viele Menschen sind hier »eigentlich«.

Der Taxifahrer ist eigentlich Bildhauer.

Der Junge hinterm Dönerstand, der so klasse Locken hat, wäre eigentlich Staatspräsident in Kurdistan. Ja, wenn die Kurden denn einen eigenen Staat hätten …

Die Frau im Büdchen an der Ecke macht Sprachübungen mit dem *kleinen Hey*. Sie wäre eigentlich ein Popstar, wenn sie nicht so lispeln würde.

Hier wohnen zukünftige Nobelpreisträger und bekommen Hartz IV. Hier weiß jeder, dass wir eine gute Fußballmannschaft haben, aber eine verdammt bräsige Regierung. Die verwalten das Elend nur. Davon lässt man sich aber weder in Dortmund noch in Bochum, Bottrop oder Gelsenkirchen die Stimmung verderben.

Hier akzeptiert auch jeder den in sich gekehrten Schriftsteller, für den sich kein Verlag interessiert, der aber später ganz bestimmt einmal sehr berühmt werden wird, weil er fleißig in Cafés und Kneipen sitzt und schreibt. Geld hat hier eh keiner. Warum auch? Ist ja doch nur bedrucktes Papier.

Hier ist der ideale Rückzugsort für mich. Meine neue Operationsbasis.

Im *Weißen Riesen*, einem Hochhaus an der Overwegstraße in Gelsenkirchen, wurde eine Wohnung frei. Für mich ein wunderbarer Ort.

Ich habe einen weiten Blick über die Stadt und bin in Spuckweite von Theater, Volkshochschule und Stadtbibliothek.

Im Musiktheater im Revier schaue ich mir alles an, egal, ob *Die Fledermaus* oder *The Rocky Horror Picture Show*. Und ich muss nicht alle Bücher im eigenen Regal haben. Der Bestand der Stadtbibliothek reicht mir völlig aus.

In der Volkshochschule treten manchmal ganz interessante Schriftsteller auf. Theater, Autoren, eine Bibliothek, dazu jede Menge Kneipen ... Preiswert und gut essen kann man an vielen Orten. Wenn aus diesem Multikultisumpf irgendetwas Gutes entsteht, dann ein reichhaltiges Speisenangebot.

Ich habe hier alles, was ich brauche. Nein, das stimmt nicht. Ich vermisse die Nordsee. Den Wind in Ostfriesland. Den Wechsel der Gezeiten. Ebbe und Flut.

Und vor allen Dingen meine Beate.

2

Sie rechnen mir nicht alle Morde zu. Nur sechs. Da erkennen sie ein klares Tatmuster. Stich ins Herz mit einem Einhandmesser, geschwärzte 440er Stahlklinge.

Sie haben nicht herausgefunden, warum ich es getan habe. Oder sie spielen bewusst die Unwissenden.

Die Aufregung in der Presse hat sich längst gelegt.

Am Anfang nannten sie mich den *Schlitzer* oder den *Chirurgen*. Später nur noch *Dr. Sommerfeldt*. Sie sprachen im Fernsehen und Radio meinen Namen aus wie *Dr. Frankenstein*.

Mit einer Mischung aus Grusel, Unglauben und Grinsen.

Grusel, weil ich so schlimme Dinge getan habe.

Unglauben, weil es unfassbar ist, wie lange ich als falscher Arzt unentdeckt blieb.

Grinsen, weil sie genau wissen, hätte ich nicht nachts Menschen umgebracht, besäße ich heute noch eine gutlaufende Praxis in Norddeich.

Die Nachrichten sind jetzt voll mit anderen Gräueltaten. Amokläufer, die plötzlich zuschlagen, so viele Menschen wie möglich töten oder verletzen und sich selbst richten, beherrschen die Medien.

Verglichen mit diesen von Hass getriebenen Irren, die wahllos töten, bin ich doch ein Pfadfinder. Ich habe nicht nur ein Motiv, nein, ich habe handfeste Gründe, und ich töte sehr gezielt. Niemals einen Unschuldigen.

Es ist gut, dass Gras über die Geschichten wächst. Ich brauche es für mein Selbstbewusstsein nicht, dass mein Foto ständig gedruckt wird. Im Gegenteil. Ich habe kein Interesse daran, auf der Straße erkannt zu werden.

Diese Fahndungsfotos haben allerdings einen Vorteil. Sie prägen die Vorstellung der Menschen von mir. Es war dann ganz leicht für mich, einen völlig anderen Typ aus mir zu machen. Ich weiß ja, was die Leute erwarten. Ich versuche natürlich, diesen Vorstellungen genau nicht zu entsprechen.

Ich sehe jetzt aus wie der flämische Maler van Dyck, mit Spitzbärtchen und schulterlangen Haaren.

Ich bin noch jung. Ich habe noch gut das halbe Leben vor mir. Ich muss aus den Geschehnissen lernen. Ich will einen Neuanfang, und ich will nicht noch einmal so grauenhaft scheitern.

Ich habe Männer getötet, aber Frauen sind meine schwache Stelle. Ihnen kann ich nichts tun. Frauen gegenüber bin ich merkwürdig hilflos, ja, willenlos. Männer räume ich aus dem Weg, wenn sie mir auf den Keks gehen. Frauen gegenüber bin ich wehrlos.

Ich weiß, dass ich ein verkorkster Kerl bin, aber wo soll ich mir Hilfe holen?

Andere Männer stehen mit ihren Kumpels an der Theke, erzählen ihnen ihre Sorgen, oder sie sitzen beim Angeln zusammen und reden. Aber ich kann schlecht einer Kneipenbekanntschaft mit meinen Problemen ein Ohr abkauen, wie man hier im Kohlenpott sagt, wo schon lange keine Kohle mehr gefördert wird.

Freunde, denen ich mich wirklich anvertrauen kann, habe ich nicht. Werde ich auch vermutlich nie im Leben wieder bekommen, wenn ich in Freiheit bleiben will.

Neulich träumte ich, Kommissarin Ann Kathrin Klaasen hätte mich bei Kenkenberg an der Theke verhaftet. Es lief ganz unspektakulär ab. Sie kam rein, und ich sagte: »Ach du Scheiße.«

Sie korrigierte mich gleich: »Bei uns heißt das: *Moin*. Und hier wohl: *Tach*. Oder: *Schön, dich zu sehen.*«

Ich fragte brav, ob ich mein Bier noch austrinken dürfe. Sie war gnädig einverstanden.

Ich zog mir den Rest rein, und sie sagte: »Genieß es. Es könnte das letzte Bier in deinem Leben gewesen sein.«

Ich trank aus, knallte mein Glas auf die Theke, nickte der Wirtin zu und ging mit der Kommissarin nach draußen auf die Gildenstraße.

Gegenüber der Kneipe standen zwei Polizeifahrzeuge. In eins stieg ich mit Ann Kathrin Klaasen ein. Sie hat mir im Traum nicht einmal Handschellen angelegt. Der Killer war zum Schoßhündchen mutiert.

Ich sah mich dann sogar im Knast. Erinnerungen aus der Lektüre von Hans Falladas Roman *Wer einmal aus dem Blechnapf frisst* mischten sich in meinem Traum mit meinen Ängsten. Ich wurde zu Willi Kufalt. Der traurigen Fallada-Figur, der es unmöglich gemacht wird, sich wieder in die bürgerliche Gesellschaft zu integrieren. Er ist ausgestoßen. Dreck. Gebrandmarkt. Und so fühle ich mich auch. Die Gesellschaft wird mir nie verzeihen, was ich getan habe. Nie.

Im Gefängnis fühlte ich mich im Traum auf verrückte Weise geborgen. Da alles raus war und ich jede Schandtat gestanden hatte, war ich frei. Konnte mit Mitgefangenen über alles sprechen, konnte schreiben, was ich wollte, ja, es sogar veröffentlichen. Warum sollte ich auch kein Buch über meine Sicht der Dinge herausbringen?

Ist einer wie ich nur noch im Gefängnis frei?

Vielleicht lese ich zu viel Fallada. Jedenfalls nenne ich mich, seit ich in Gelsenkirchen im *Weißen Riesen* wohne, Dietzen. Rudolf Dietzen. Rufname Rudi.

So hieß Hans Fallada wirklich. Aber wer weiß das schon?

Er hat ein paar Jahre in Gefängnissen, Entziehungskliniken und Psychiatrien verbracht. Er starb morphinsüchtig kurz nach Kriegsende. Er hat seinen literarischen Erfolg nicht genießen können. Erst Gefängnis, dann die Nazis und schließlich der Tod.

Mit seinen Romanen hat er Weltruhm erlangt, und er wird noch heute in vielen Sprachen gelesen. Ich fühle mich ihm tief verbunden. Ein Teil von mir, so spüre ich, ist wie er. Haltlos.

Nein, ich will nicht enden wie er. Ich will mich weder durch Drogen frei fühlen noch im Gefängnis heimisch.

Ich will in Freiheit frei sein, und das ist verdammt schwer …

Um ohne Drogen runterzukommen, habe ich einen Entspannungskurs gebucht. Klappt hervorragend. Autogenes Training.

Mein rechter Arm ist schwer …

Ja, tatsächlich – es funktioniert bei mir. Ich kann geistig durch meinen Körper reisen, kann ihn beeinflussen und Verkrampfungen lösen.

Die Entspannungstherapeutin hat eine sehr warme, beruhigende Stimme. Es tut schon gut, wenn sie nur »Guten Abend« sagt.

Während einer Rückenmassage hat meine Masseurin mir die Gruppe empfohlen. Einmal die Woche entspannt jetzt also der gesuchte Serienkiller auf einer Isomatte in der Volkshochschule. Wenn ich es aufschreibe, ist es zum Grinsen. Wenn ich es lebe, schnöde Wirklichkeit.

Die Entspannungstherapeutin heißt Bärbel. Nachnamen spielen für sie irgendwie keine Rolle.

Sie sieht aus wie Ende zwanzig, ist aber vermutlich Ende dreißig. Sie hat eine Praxis für Gesprächs-, Körper und Gestalttherapie. Sie ist als Therapeutin nicht für Krankenkassen zugelassen. Ihr scheint das irgendwie peinlich zu sein. Sie erwähnt es in jedem Gespräch wie einen Makel.

Mir gefällt das. Ich möchte nicht, dass Berichte über meine Fortschritte irgendwo eingereicht werden. Ich zahle lieber bar.

Heute habe ich meine erste Stunde bei ihr. Aber, verdammt, was soll ich ihr erzählen?

Kann man eine Therapie machen und der Therapeutin die Wahrheit über sich verschweigen?

Es wird ein Spagat werden.

Ich brauche Hilfe, um mit mir selbst besser klarzukommen. Ich muss begreifen, wie ich selbst funktioniere. Wie ich in Fallen tappe und mir selbst ein Bein stelle. Mich abhängig mache.

Ach … ich könnte die Liste endlos fortsetzen.

Ich kann es kaum sortieren, so viel ist es, das mich quält und drückt.

Das Schreiben hilft mir, mich zu verstehen. Ich frage mich: warum habe ich einige Männer umgebracht, weil sie anderen etwas angetan haben, meist ihren Frauen oder Kindern? Und warum habe ich das gesamte Dreckspack, das sich meine Familie nannte und mich von Anfang bis Ende betrogen, gegängelt und beschissen hat, am Leben gelassen?

Nun gut. Diese Frage kann ich meiner Therapeutin schlecht stellen. Ich bin unterwegs zu ihrer Praxis in der Bismarckstraße.

Das Radfahren kann ich nicht lassen. Seit ich in Norddeich meine Praxis hatte, brauche ich das. Es macht mich innerlich locker. Ich baue so Stress ab.

Unterwegs kommen mir Bedenken, und ich würde am liebsten wieder umkehren. Warum tue ich es nicht? Weil ich Angst habe, sie zu kränken oder sie zu enttäuschen? Damit bin ich wohl schon mitten drin in meiner Problematik.

3

Und nun bin ich in Bärbels Praxis. Sie sitzt locker, völlig entspannt, in einem Ohrensessel, der mich an meinen erinnert, den ich in Norddeich zurücklassen musste.

Sie hat lange, glatte schwarze Haare. Vielleicht ein bisschen nachgefärbt. Sie ist garantiert Vegetarierin, wenn sie nicht sogar vegan lebt. Sie macht viel Sport oder zumindest Yoga. Aber ihr fehlt dieser verkniffene Zug um die Lippen, der solchen Menschen sonst manchmal zu eigen ist. Stattdessen wirkt sie auf mich wie jemand, dem es Spaß macht, zu feiern und das Leben zu genießen. Nur eben anders als andere. Undenkbar, dass sie mit einem Kater wach wird.

Sie trägt eine bunte Strickjacke, darunter ein weißes T-Shirt und einen dunklen, knielangen Rock. Sie schlägt die Beine übereinander und lächelt mich an.

Ich habe ihr gegenüber im Sessel Platz genommen. Er ist ganz anders als ihrer, aber auch sehr bequem. Der Sessel ist alt. Bestimmt ein Erbstück. Klobig.

Darauf liegt – vielleicht, um die durchgesessenen Stellen zu verbergen – eine gehäkelte Decke, als hätte jemand viele Topflappen zusammengenäht.

Neben jedem der zwei Sessel steht ein Tischchen aus Kirschholz. Darauf ein Glas und eine Karaffe mit Wasser. In der Karaffe eine Glasphiole, in der bernsteinfarbene Steine liegen. Es sieht schön aus, originell, bunt. Aber ich glaube, es ist keine reine Dekoration, sondern möglicherweise irgendetwas Esoterisches, das das Wasser beeinflussen soll.

Auf meinem Tischchen eine geöffnete Packung Papiertaschentücher. Glaubt sie, dass ich gleich heule, oder was soll das?

Außer den genannten Möbelstücken ist der Raum leer. Die Wände in Sand- und Erdfarben gestrichen. Raufasertapete, vermutlich selbst angepinselt. Zwischen uns kein Schreibtisch, sondern nur ein kleiner, dicker Teppich mit Sonnen drauf, die wie Blumen aussehen.

Alles irgendwie voll die Achtziger, denke ich, aber gleichzeitig habe ich das Gefühl, auf diesem bequemen Sessel gegrillt zu werden wie eine Rostbratwurst.

»Wie geht es dir?«, fragt sie lächelnd.

In der Entspannungsgruppe haben sich alle von Anfang an geduzt. Überhaupt glaube ich, in Gelsenkirchen siezt man nur Leute, die man nicht leiden kann.

Warum macht mich die Frage, wie es mir geht, so nervös?

»Gut«, lüge ich.

Sie legt den Kopf schräg und schaut mich so an, dass ganz klar wird: Sie glaubt mir nicht.

Bevor Sie mich einer Lüge überführen kann, füge ich hinzu: »Das sagt man so …«

»Wen meinst du mit«, sie malt mit den Fingern Anführungsstriche in die Luft, »m a n?«

»Ja, schon klar. Also, es geht m i r nicht so gut. Sonst wäre ich ja wohl nicht hier.«

Sie lobt mich. »Herzlichen Glückwunsch. Die meisten Menschen leiden still vor sich hin und genieren sich für ihre Probleme. Sie würden sich lieber operieren lassen, als darüber zu reden. Sie nehmen lieber Medikamente, als therapeutische Hilfe zu suchen.«

»Ich nicht.«

Mein Satz lässt sie strahlen. »Also, worum geht es? Wir sollten in einem Erstgespräch die Ziele der Therapie festlegen.«

»Ziele festlegen?«

»Ja. Genau. Ich glaube nicht an diese Fragebogen-Psychologie. Ich rede lieber mit den Menschen. Wo stehst du jetzt? Wo willst du hin?«

Ich merke, dass ich, ganz gegen meine Gewohnheit, mit den Händen ringe und mit den Fingern knacke.

Ich denke an den jungen Mann, der in Norddeich mit einem schlimmen Sonnenbrand in meine Praxis kam. Er trug ein lockeres T-Shirt mit der Aufschrift: *Ich brauche keine Therapie, ich muss nur ans Meer.*

Ich sage einfach, was mir gerade durch den Kopf schießt, und erzähle von ihm.

Bärbel setzt sich anders hin. »Du wärst jetzt also lieber am Meer, als hier zu sitzen?«

»Ja«, sage ich, »ich glaube schon.«

»Was hindert dich? Warum bist du dann hier und nicht am Meer?«

Weil ich ein paar Leute umgelegt habe und rasch verschwinden musste, um keine gesiebte Luft zu atmen. Ich heiße auch nicht Dietzen, ja, nicht mal Sommerfeldt ist mein richtiger Name. Ich bin jemand, der ich nicht mehr sein will: Johannes Theissen. Und ich bin jemand, der ich nicht mehr sein kann: Dr. Bernhard Sommerfeldt. Ich möchte ein freier, besserer Mensch werden, und ich plane gleichzeitig einen mörderischen Rachefeldzug nach Oberfranken. Aber sonst geht es mir ausgezeichnet.

Das alles sage ich natürlich nicht. Ich hoffe, sie kann keine Gedanken lesen.

Wir schweigen eine Weile, dann sagt sie: »Ich kann deinen Leidensdruck spüren, Rudi. Es ist manchmal, als würde dich eine dunkle Wolke umgeben, und du sitzt mittendrin und grinst.«

»Ja«, sage ich, »damit kann ich etwas anfangen.«

»Du hast vom Meer gesprochen, als sei es für dich das Symbol einer großen, unterdrückten Sehnsucht.«

»Ja, verdammt, da ist etwas dran.«

»Ist es die Sehnsucht nach dem Meer, der Freiheit, der Weite oder nach einer Person?«

Ich schiele zu dem Wasser, nehme aber nichts.

»Alles. Es ist alles.«

Mein Hals wird trocken, als wäre ich durch die Wüste marschiert. Ich nehme jetzt doch einen Schluck Wasser.

»Hat sie dich verlassen?«

»Nein. Ich sie.«

»Warum?«

»Weil ich ... ich habe Scheiße gebaut.«

»Und statt um Verzeihung zu bitten, bist du geflohen?«

Schon während es passiert, tut es mir leid. Enorme Wut steigt hoch, und ich brause auf. »Um Verzeihung bitten kann man, wenn man Mist gebaut hat. Ich habe richtigen Bockmist gebaut!«

»Du hast etwas Unverzeihliches getan?«

»Hm.« Ich wische mit der Hand durch die Luft. »Ich will nicht darüber reden.«

»Warum nicht?«

Weil ich dich dann töten müsste, um mich selbst zu schützen.

Ich stehe auf. »Diese ganze Therapie ist keine gute Idee. Ich gehe jetzt besser.«

»Was berührt dich so stark? Habe ich etwas gesagt, das dich wütend macht?«

Meine Hände werden eiskalt. Meine Füße werden in den Schuhen zu Eisklumpen.

»Bitte nimm das jetzt nicht persönlich, Bärbel. Aber ich … Also, ich zahle selbstverständlich, was ich dir schuldig bin … Immerhin habe ich deine Zeit in Anspruch genommen …«

Sie sieht mich staunend an. »Du sprichst plötzlich wie ein kleiner Junge, Rudi.«

Ihre Aussage verwirrt mich schlagartig.

»Wie ein kleiner Junge?« Ich fühle mich ertappt.

»Ja, wie ein kleiner Junge, der Angst hat, dass seine Mama oder seine Lehrerin wütend auf ihn ist.«

Ihre Worte treffen mich wie eine heiße Nadel einen Luftballon. Ich beginne zu schrumpfen, sacke zusammen.

»Genauso fühle ich mich auch … Ich will dich nicht verletzen und nicht traurig machen …«

»Du versuchst«, erklärt sie, »in vorauseilendem Gehorsam alles zu tun, damit ich nicht böse auf dich werde?«

Ich nicke und kann mich nur mit Mühe daran hindern, an den Fingernägeln zu kauen.

»Woher kennst du dieses Gefühl, dich entschuldigen zu müssen und einem anderen alles recht machen zu wollen?«

Ich muss nicht nachdenken. Es platzt aus mir heraus: »Aus meiner Kindheit! Ich habe immer versucht, es meinen Eltern recht zu machen. Besonders meiner Mutter. Es ist, als wäre sie jetzt hier im Raum anwesend, und ich habe das Gefühl, zu schrumpfen und alles falsch zu machen.«

Bärbel schweigt eine Weile. Sie sieht mich sehr mitfühlend an. »Jetzt, während wir miteinander reden, ist also praktisch eine dritte Person mit im Raum? Deine Mutter?«

Es fällt mir schwer, es zu sagen. Es kommt mir vor wie Verrat, aber ich tue es trotzdem: »Ja, verdammt, genauso ist es!«

Der Rest der Stunde rauscht an mir vorbei. Eine Bilderflut aus meiner Kindheit steigt in mir auf.

Wie meine Mutter mich mit Blicken fertigmachen konnte … Da fiel kein böses Wort. Das war gar nicht nötig. Sie konnte ein Spielzimmer in eine Schlangengrube verwandeln. Einen Sommergarten in eine Raubtierhöhle.

Aus mir machte sie mühelos einen dressierten Tanzbären, der, sobald die Musik erklingt, herumhopst, aus Angst, die Tatzen könnten auf den glühenden Kohlen verbrennen.

Ich verlasse meine erste Therapiestunde mit dem Wissen, wie sehr ich meine Mutter immer noch hasse und dass ich mich genau deswegen schäme. Weil es ein Tabu ist. Man darf alles hassen. Politiker. Raucher. Fußballer. Lehrer. Dosenbier. Fastfood. Aber seine Eltern, die muss man lieben und ehren, egal was sie einem angetan haben.

Ich radle rasch zurück in den *Weißen Riesen*. Hier, in meiner Burg, meinem Aussichtsturm, fühle ich mich sicher.

Ich will das Erlebte sofort aufschreiben. Mit schwarzer Tinte und einem Kolbenfüller. Das ist für mich sehr stimmig. Die Tinte hat die Farbe meiner Seele, und dieses alte Schreibutensil ist mir näher als jeder Computer.

Natürlich benutze ich die moderne Technik. Aber nicht, um zu mir selbst zu finden und mich zu verstehen, sondern um zu sehen, was mit meinen Feinden los ist.

Meine Frau in Franken, von der ich nach meinem Wissen nie geschieden wurde, ist ja jetzt praktisch meine Exfrau. Ich vermute, sie hat mich für tot erklären lassen. Jedenfalls ist sie neu verheiratet. Sie heißt jetzt Miriam von Rosenberg. Nun ist sie nicht nur reich, sondern auch noch adlig.

Eigentlich müsste sie ja jetzt, da ich von der Polizei gejagt werde, als Bigamistin angeklagt werden, denn niemand zweifelt daran, dass ich lebe.

Ich denke mal, dass ich ohne mein Zutun geschieden wurde.

Vielleicht wurde unsere Ehe auch für null und nichtig erklärt. Keine Ahnung, wie sie das gedreht haben. Die Kontakte meiner Eltern waren schon immer großartig. Offensichtlich gelingt es meiner Exfrau immer noch, sich als mein Opfer darzustellen.

Ja, sie macht mich öffentlich zum Täter. Von meiner Mutter erhält sie dabei Unterstützung.

Die Modefirma, die ich angeblich ruiniert und um Millionen betrogen habe, ist gar nicht mehr pleite. Mein Schwiegervater, Karl-Heinz Lorenz, die intrigante Socke, hat den Namen ersteigert und damit auch die Kundenkartei. Er spielt den selbstlosen Retter von Hunderten Arbeitsplätzen im In- und Ausland. Auch die Nähfabrik in Marokko arbeitet wieder.

Eigentlich ist alles beim Alten geblieben, nur ich bin raus aus dem Laden, und mit mir sind die Millionen Schulden verschwunden.

Hinter mir ist nicht nur die Mordkommission her, sondern auch die Steuerfahndung und natürlich einige Gläubiger.

Ihr habt euch den ganzen Laden unter den Nagel gerissen, und ich war euer Bauernopfer.

Es ist niemand da, der mich verteidigt. Sollte ich jemals Freunde gehabt haben, so schweigen sie nun alle verbissen. Niemand ergreift Partei für mich.

Der neue Mann meiner Frau – mit dem sie seit Jahren ein Verhältnis hatte – sieht aus wie Karl Theodor zu Guttenberg, nur etwas feister. Aber genauso glatt. Ein fränkisches Urgestein wie er.

Er – beziehungsweise seine Familie – besitzt viel Wald und einen kleinen See im Landkreis Haßberge in Unterfranken, nicht zu verwechseln mit Haßbergen an der Weser. Vielleicht ist der See auch nur ein Teich, jedenfalls lässt er sich vor dem Hintergrund gern fotografieren. Hier züchtet er Forellen und Karpfen. Die Yellow Press ist voll mit Berichten darüber.

Meine Ex Miriam, die inzwischen Wert darauf legt, eine von Rosenberg zu sein, tritt mit ihrem neuen Gatten zusammen in Talkshows auf und spricht über ihr Leben an der Seite eines Serienkillers. Ich sehe sie bei *3nach9*. Mit in der Runde die Moderatorin Sandra Maischberger und der Fernsehkoch Horst Lichter mit seinem beeindruckenden Schnurrbart.

Judith Rakers hat die blonden Haare zum Zopf geflochten, der lässig auf ihrer rechten Schulter liegt. Sie wirkt fröhlich und locker. Das passt meiner Ex gar nicht, denn verglichen mit Judith wirkt sie steif, ja, verkrampft. Sie begibt sich sofort in Konkurrenz zu ihr. Ich sehe es an den Blicken.

Giovanni di Lorenzo fragt, ob sie denn nie gemerkt habe, dass ich ein Mann mit zwei Gesichtern sei. Sie unterstreicht ihr falsches Lachen mit großen, abwehrenden Gesten und sagt über mich: »Er ist kein Mann mit zwei Gesichtern. Er ist einer mit vier …« Dann macht sie eine Handbewegung, als müsse sie noch mal nachdenken. »Nein, fünf Gesichtern. Und wer weiß, wie viele Abgründe er noch hat, die wir nicht kennen. Ich habe immer gespürt, dass mit ihm etwas nicht stimmte. Man sagt, stille Wasser sind tief. Er hatte Monster in sich. Er ruiniert alles, was er anfasst. Er zerstört Menschen, Dinge, Beziehungen. Alles um sich herum. Sie müssen ihn sich vorstellen wie eine Abrissbirne, nur eben gebildet und charmant.«

Jetzt hak nach, Giovanni! Lass sie nicht so einfach davonkommen! Würg ihr ein paar kritische Fragen rein! Das kannst du doch, Mensch. Ich sehe es dir an, du durchschaust die falsche Schlange. Warum schonst du sie? Mach sie fertig!

Judith Rakers will wissen, wie die zwei sich kennengelernt haben. Moritz von Rosenberg nutzt die Gelegenheit, plustert sich auf und prahlt mit einem Museumsbesuch im Louvre, in Paris, so als könne irgendjemand vielleicht nicht wissen, wo der Louvre sei.

Sie hätten beide vor einem Bild von Dalí gestanden und es angesehen. Dabei sei dann die schöne Frau neben ihm wichtiger geworden als das Bild.

Paris? Verdammt, wann warst du in Paris? Das ist doch kurz nach unserer Hochzeit gewesen. Du bist angeblich mit deinem Vater hingefahren, du falsches Luder! Habt ihr da schon Pläne geschmiedet, mich kaltzustellen? Wie lange habt ihr mich an der Nase herumgeführt? Wart ihr schon vor unserer Ehe ein Paar? Folgte das, was dann geschah, eurem perfiden Plan?

Die Sendung ist auf YouTube. Ich habe sie mir immer wieder angeschaut. Ihre Worte und Bewegungen haben sich in mein Gehirn eingebrannt. Manchmal werde ich nachts wach, weil ich träume, dass ich im Studio dabeisitze, unerkannt im Zuschauerraum, und ich springe auf und schreie: »Nein! Nein, verdammt, das stimmt nicht!«

Dann holen Judith und Giovanni mich in die Gesprächsrunde.

Meine Ex protestiert dagegen, sie schreit, ich würde polizeilich gesucht und man könne doch hier keinen Verbrecher reden lassen. Judith Rakers erklärt ganz gelassen, das spiele für die Sendung erst mal keine Rolle. Manchmal müsse man auch ein Auge zudrücken.

Rosenberg hat nur Angst um sein Leben, glaubt, ich sei nur gekommen, um ihn zu holen.

Giovanni di Lorenzo bittet mich, Platz zu nehmen und meine Version der Geschichte zu erzählen.

Ich denke immer noch: *Ihr kommt mir nicht ungeschoren davon. Ihr Saubande!* Dann werde ich regelmäßig wach.

Ich stelle mir vor, wie ich Rosenberg zum Geständnis zwinge. Wie er um sein Leben winselnd alles zugibt. Wie er sich an meine Frau herangemacht hat. Wie er sie verführt hat. Wie der Plan reifte, Millionen abzuzweigen und mich dafür verantwortlich zu machen. Wahrscheinlich brauchte er die Kohle für seine Scheiß-Forellenzucht.

Und ich fühlte mich damals tatsächlich auch noch schuldig, so als hätte ich alles vergeigt. Wie blind bin ich gewesen! Wie hab ich mich reinlegen lassen!

Ich recherchiere im Netz alles über ihn. Er nennt sich Moritz von Rosenberg und betont auf seiner Website, dass es keine Beweise dafür gebe, dass seine Familie und Albrecht von Rosenberg miteinander verwandt seien. Ahnenforschung sei aber inzwischen sein Hobby, und es gebe deutliche Hinweise darauf, dass Kirchenbücher im 16. Jahrhundert gefälscht worden seien.

Angeblich starb Albrecht von Rosenberg in Wien in der Haft, und es gab keine Nachfolger, sprich Erben.

Albrecht von Rosenberg hatte dem Kaiser zur Flucht in die Niederlande verholfen, als der Kurfürst anrückte, um den Kaiser zu erledigen. Dafür war von Rosenberg mit reichlichen Ländereien beschenkt worden.

Meldet hier einer durch die Blume Erbrechte an?

Reicht euch meine Modefirma nicht?

Wollt ihr euch nun auch noch Schlösser, Burgen und Ländereien ergaunern?

Ihr Drecksbande!

Ich sitze hier in meiner Gelsenkirchener Operationsbasis und fühle mich zerrissen. Wie in der Mitte gespalten. Einerseits möchte ich zurück nach Ostfriesland. Ich will zu meiner Beate, und ich will ans Meer. Wenigstens einmal möchte ich nach dem Rechten sehen.

Wie geht es ihr? Leidet sie noch?

Der Gedanke an sie schmerzt mich. Was habe ich dieser guten Frau angetan?

Ja, verdammt, ich will zurück nach Ostfriesland, aber gleichzeitig zieht es mich nach Oberfranken. Nur zu gern würde ich dort aufräumen oder besser gesagt, wüten.

Komisch. Auch wenn ich an diese ganze Bande in Bamberg denke, kommt es mir nicht in den Sinn, mich an den Frauen zu rächen. Nein, ich will die Männer leiden und am liebsten sterben sehen. Sie sollen bezahlen. Mit ihrem Leben.

4

Da ich Beates Passwort kenne, lese ich ihre E-Mails mit. Das ist meine Art, Verbindung zu ihr zu halten. Ich weiß also über vieles Bescheid. Ich kenne ihre Sorgen und Nöte.

Der Stress in der Schule nimmt zu. Dieser Tido Lüpkes, der neue Elternsprecher, bombardiert meine Beate mit seinen religiösen Traktätchen. Er boykottiert im Grunde Beates Konzept der Leseförderung. Sie will Autoren an die Schule holen. Autorenbegegnungen zu organisieren ist ihr eine Herzensangelegenheit. Er ist vehement dagegen, dass Bettina Göschl, Simak Büchel oder Jens Schumacher in ihrer Grundschule »eine Plattform bekommen«.

Die Liedermacherin Bettina Göschl, die nur ein paar Straßen weiter in Norden wohnt und überall in Ostfriesland mit ihren Liedern und Geschichten auftritt, hat Songs über Hexen und Piraten geschrieben. Beides findet er pädagogisch völlig verantwortungslos. Die Hexen sind bei ihr auch noch witzig und lustig, und das geht für ihn gar nicht.

Piraten seien üble, gottlose Gesellen gewesen und keineswegs Helden, hat er geschrieben.

Der Autor Jens Schumacher, der viele Fantasy-Geschichten geschrieben hat, ist für ihn einfach nur ein Schwarzmagier, der die Seelen der Kinder verwirren will.

Simak Büchel fällt für ihn in die gleiche Kategorie.

Er hat diese E-Mails gleich an zig Leute weitergeleitet. Erstens an Mitglieder seiner Glaubensgemeinschaft nebst Schulleitung und Schulamt. Außerdem an verschiedene Eltern, die er für sich gewinnen will.

Am liebsten würde ich ihr schreiben, aber das könnte mich verraten. Ich lese einfach nur alles mit. Dieser Tido Lüpkes macht mich rasend. Er ist ein Albtraum für meine Beate! Sie schafft es nicht, sich von ihm hart abzugrenzen. Sie versucht, es ihm recht zu machen, was natürlich überhaupt nicht geht, und jeder kleine Schritt, den sie ihm entgegengeht, führt nur zu einer größeren Forderung seinerseits. Es ist, als wolle diese christliche Sekte die Schule komplett übernehmen, und dabei machen sie meine Beate zu ihrer nützlichen Idiotin.

Manchmal denke ich, sie ist einfach zu gut für diese Welt, glaubt, mit Freundlichkeit und Argumenten weiterzukommen. Sie sucht die Diskussion, das Gespräch, will überzeugen, aber hier hat sie es mit so verbohrten Menschen zu tun, die sind Argumenten nicht zugänglich.

Immer wieder schreibt sie ihrer Freundin Susanne Kaminski, der sie ihr Herz ausschüttet. Ich lese diese E-Mails fast wie Briefe an mich. Susanne gegenüber ist Beate offen. Da Susanne in Dinslaken wohnt, sehen die beiden sich zum Glück nicht oft. Sie tauschen sich per E-Mail aus. Wie gut für mich, so weiß ich wirklich, wie es ihr geht.

Susanne hat kapiert, dass Ratschläge oft auch nur Schläge sind, und deswegen hält sie sich mit so etwas zurück, ist aber als Gesprächspartnerin für meine Beate unersetzlich geworden. Wenn ihre E-Mails mit Sätzen enden wie *Lass uns lieber fonen* oder *Den Rest mündlich*, dann werde ich traurig, fühle mich ausgeschlossen. Mithören kann ich ja nicht …

Beate schreibt, zu den Elternabenden kämen immer weniger Leute. Es sei ja auch nicht zumutbar, sich ständig diese Vorträge von Lüpkes anzuhören, die immer mehr zu einer Predigt würden. Gleichzeitig könne sie ihm aber auch nicht den Mund verbieten. Sobald sie etwas dagegen sage oder ihn bitte, sich kurz zu fassen, werde sie attackiert, dass sie seine »religiösen Grundrechte« verletze und ihn in der freien Ausübung seiner Religion behindere.

Es ist unerträglich für mich. Meine Beate, dieser freie, fröhliche Geist, wird bedrängt und eingeengt.

Jedes Mal, wenn ich etwas von oder über Tido Lüpkes lese, wird in meinem Kopf ein nervtötendes Geräusch immer lauter, als würde eine Glasscherbe über eine Schiefertafel kratzen. Ich sehne mich dann nach der Stille im Watt und bekomme große Lust, diesem Tido Lüpkes seine Grenzen aufzuzeigen.

In meiner Phantasie habe ich ihn schon mehrfach besucht, habe ihm Angst gemacht und ihn ultimativ aufgefordert, Beate in Ruhe zu lassen. Ich habe ihm mit meinem Einhandmesser ein kleines Kreuz in den Hals geritzt, direkt über der Schlagader. In meinen Träumen schwört er dann, das nie wieder zu tun, sein Kind von der Schule abzumelden und in Zukunft Beate aus dem Weg zu gehen.

Ja, in meinen Träumen gelingt das.

Was mich genauso zornig macht – ja, ich gestehe es mir kaum zu – eigentlich macht es mich sogar noch wütender – ist ein junger Vater, der seine E-Mails nur mit »Lars« unterschreibt. Er unterstützt Beate, ist praktisch der Einzige aus der Elterngruppe, der sich hinter sie stellt. Er findet, dieser Lüpkes sei einfach nur »ein krankes Arschloch«, und er könne überhaupt nicht verstehen, warum die anderen Eltern ihn gewählt haben. Vielleicht, so orakelt er, weil sie hofften, dass er dann beschäftigt sei.

Ich weiß, eigentlich müsste ich froh sein, dass es jemanden gibt, der zu Beate steht. Aber es wurmt mich, dass er so viel über sein Privatleben erzählt. Mit seiner Ehe steht es nicht zum Besten. Er und seine Frau, so schreibt er, hätten sich im Laufe der Jahre auseinandergelebt. Im Grunde hätten sie sowieso nur geheiratet, weil sie schwanger geworden sei, und dann hätten sie eben dem Druck der Familie nicht länger standgehalten. Er fühlt sich unverstanden und – wieso schreibt er das meiner Beate? – hat angeblich seit zwei Jahren keinen Sex mehr mit seiner Frau gehabt.

Wollte Beate das so genau wissen?

Der Typ ist scharf auf meine Frau. Steht er nur deshalb zu ihr? Hofft er, dass sie sich in seine Arme flüchtet, wenn sie ihren Kopf mal anlehnen will?

Läuft da schon mehr zwischen den beiden, als ich ahne?

Vielleicht sollte ich mit meiner Therapeutin darüber reden. Kann ich das? Wieso ist meine Wut auf diesen Lars größer oder genauso groß wie die auf diesen Tido? Warum kümmere ich mich nicht um meine eigenen Sachen? Warum räume ich nicht in Bamberg auf? Warum schneide ich Miriam, meiner Ex, dieser Hexe, nicht den Hals durch? Und warum nicht ihrem neuen adeligen Macker oder dem Dreckskerl von Schwiegervater, den ich mal hatte? Warum scheue ich immer noch die Auseinandersetzung mit meiner Mutter?

Der Gedanke, dass sie vielleicht gar die planende Hand im Hintergrund war, würgt mich.

Es ist ganz merkwürdig. Es kommt mir so vor, als könne ich mich meinen ureigenen Problemen erst widmen, wenn ich Beate in Sicherheit weiß. Sie soll ihre Leseförderung machen können und in Ruhe als Lehrerin ihre Klasse unterrichten dürfen.

Sie kriegt das alleine nicht in den Griff, das ist mir klar. Der Lärm in meinem Kopf wird schlimmer. Wenn ich Ruhe finden will, muss ich hin. Ich will Meeresluft atmen, den Wind spüren und in Norddeich für Ordnung sorgen.

Nein, ich werde mir diesen Lars nicht vorknöpfen. Aber bevor er meine Beate zu liebevoll tröstet, schaffe ich lieber das Problem aus der Welt.

Ich höre die letzte Cohen-CD: *You want it darker*. Immer wieder spiele ich *Leaving the table:*

I'm leaving the table
I'm out of the game.

Ja, verdammt. Es kommt mir vor, als würde er über mich singen. Aber ich lebe, und ich habe vor, noch lange zu leben. Ja, ich habe den Tisch verlassen, aber ich bin noch lange nicht aus dem Spiel!

Ich komme, Beate! Das Spiel ist noch lange nicht zu Ende. Vielleicht kann ich dich nicht zurückbekommen. Aber ich werde dich beschützen. Immer!

5

Ich nehme mir einen Leihwagen. Ich brauche ein unauffälliges Fahrzeug. Ich könnte einen weißen Mercedes-Benz der C-Klasse für 240 Euro bekommen oder einen Porsche Macan für 358. Aber ich nehme einen Ford Transit für 78 Euro.

Nein, das Geld interessiert mich nicht. So einen Kleintransporter übersehen die Menschen, und genau das will ich.

Das Dieselfahrzeug hat hinten abgedunkelte Scheiben, ideal für meine Zwecke. Ich könnte da drin sitzend Leute beobachten. Ja, das ist genau die richtige Kiste für mich.

Die Liebe ist gerade viel stärker als der Hass in mir. Ich will nach Ostfriesland.

Ich versorge mich mit einer Thermoskanne Kaffee, und ich mache mir belegte Brötchen mit Höhlenkäse, Gurkenscheiben und dünn geschnittenen Tomaten. Dazu eine Fleischwurst, zwei Frikadellen und Senf aus der Fleischerei Ferdi Pütz.

Ich will vermeiden, unterwegs anzuhalten. Für einen gesuchten Serienmörder ist es nicht unbedingt ratsam, an Autobahnraststätten Kaffee zu trinken. Ich sehe zwar inzwischen völlig anders aus als der Typ, nach dem sie fahnden, aber warum soll ich das Schicksal herausfordern?

Mein Arztköfferchen lege ich auf den Rücksitz.

Ich fahre vorsichtig. Hundert Stundenkilometer, höchstens hundertzwanzig. Erst einmal raus aus dem Ruhrgebiet. Dann auf den

Ostfriesenspieß. Ein paar Baustellen auf der A31 verlangsamen die Tour. Mehr als sechzig geht nicht.

Unterwegs höre ich Tom Waits und Leonard Cohen. Ja, ich bin sentimental drauf. Die Stimmung der Cohen-Songs passt am besten zu meinen augenblicklichen Gefühlen.

The Partisan summe ich mit:

I have changed my name so often

I've lost my wife and children

But I have many friends

Nur stimmt es nicht, auch wenn es mich sehr bewegt. Auch wenn ich mich so gern identifizieren würde. Ich befinde mich wie er in einem Krieg, einem Krieg gegen mich selbst und gegen den Rest der Welt. Ich wäre so gerne ein Partisan, der für eine gerechte Sache kämpft. Der Freunde hat. Kampfesgefährten und die Gewissheit, für eine gute Sache einzustehen. Bin ich aber leider nicht.

Niemand versteckt mich. Niemand will für meine Freiheit etwas riskieren. Ich bin kein Partisan, der gegen die faschistischen Besatzer kämpft. Ich bin, verdammt nochmal, nur ein Mörder. Außer mir selbst glaubt niemand, dass ich das Richtige getan habe.

Zwischen Bunde und Weener halte ich an.

Einen Kaffee und ein Brötchen. Einmal austreten.

Als ich in Emden von der Autobahn fahre, rast mein Herz. Ich schalte die Musik aus. Ich schwanke zwischen Vollgas, um schnell da zu sein, und dem Impuls, einfach umzukehren. Aber ich fahre weiter.

Für die ganze Strecke brauche ich knapp dreieinhalb Stunden.

6

Beate wohnt nicht mehr in unserem Haus. Sie ist in den Rosenweg gezogen. Kann ich gut verstehen. Sie hat den Stress mit Reportern und Nachbarn vermutlich nicht länger ausgehalten.

Sie unterrichtet immer noch an der Grundschule, sonst wäre sie garantiert weiter weg gezogen. Aber ich weiß, wie viel ihr die Schüler bedeuten. Sie zu verlassen ist für sie so ähnlich, als sollte eine Mutter ihre Kinder im Stich lassen, um sich selbst zu retten. Für die meisten Mütter undenkbar! Außer für meine vermutlich. Die hat ihren Sohn für ein paar Euro ans Messer geliefert. Sie ist mehr ein Kühlschrank als eine Mutter.

Meine ehemalige Praxis in der Norddeicher Straße zieht mich trotzdem wie magisch an. Ich muss einfach daran vorbeifahren.

Vielleicht ist an der alten Polizeiweisheit wirklich etwas dran: Es zieht den Täter immer zum Tatort zurück.

Mich auch.

Hier war ich eine Weile – vielleicht zum ersten Mal im Leben – frei.

Ich hatte eine glückliche Zeit als geachteter Arzt. Sogar die Hausbesuche bei den ganz kranken, bettlägerigen Patienten haben mir Spaß gemacht.

Allein die Tatsache, dass sie mich in ihre Privatsphäre eindringen ließen, war elektrisierend für mich. Ich sah sie in ihren verschwitzten Betten.

Frauen, die sonst schon morgens herausgeputzt wie Diven zum Bäcker gingen, öffneten mir mit verwurstelten Haaren im Bademantel. Männer, die sonst Macht ausstrahlten, korrekt gebundene Krawatten trugen und versuchten, ihren Angestellten ein Vorbild zu sein, lagen jammernd und hustend vor mir. Mit fiebrigen Augen erwarteten sie meine Diagnose.

Insgeheim befürchteten sie ab einem gewissen Alter alle, es könne etwas Schlimmeres sein. Das böse Wort, das niemand hören will, heißt Krebs.

Einigen war die Erleichterung sofort anzusehen, wenn ich eine Grippe diagnostizierte. Hauptsache, kein Lungenkrebs! Was ist schon eine eitrige Entzündung gegen Hautkrebs?

All das rauscht durch mein Gehirn.

Ja, ich hatte hier eine gute Zeit. Ich war wirklich von Herzen gerne Arzt. Wenn mir diese verdammte Kommissarin Ann Kathrin Klaasen nicht draufgekommen wäre, hätte ich ewig so weitermachen können.

Die Praxis steht leer. Die Fenster sind schon lange nicht mehr geputzt worden. Der einst so gepflegte Garten verwildert. Vorm Haus auf den Parkplätzen im Fahrradständer baumelt windschief ein Vorderrad. Es ist mit einem Zahlenschloss am Fahrradständer befestigt. Der Dieb hat es wohl nicht knacken können und dann nur den Rest des Fahrrads geklaut. Oder – der Gedanke lässt mich grinsen – jemand hat die Zahlenkombination vergessen und um nicht alles zu verlieren, wenigstens noch die beweglichen Teile mitgenommen.

Unser Wohnhaus neben der Praxis hat neue Mieter gefunden. Dort hängen jetzt Gardinen, die vorher nicht da waren. Aber es ist niemand zu sehen.

Wenn dort jemand wohnt, warum kümmert der sich nicht um den Garten?

Eine Familie mit Kindern ist vermutlich nicht eingezogen. Im Garten liegt kein Spielzeug herum. An den Fenstern keine bunten Bilder.

Ich frage mich, warum ich so lange ums Haus schleiche, statt zu Beate zu fahren. Ich muss mir leider die Antwort geben: Weil ich Schiss habe, ihr zu begegnen.

Als mir das klar wird, steige ich sofort in den Kleintransporter. Da kommt mir die Nachbarin entgegengeradelt, die mir so gern heimlich beim Holzhacken zugesehen hat.

Ich umfasse das Lenkrad mit beiden Händen. Ich könnte starten, bevor sie bei mir ist, aber sie wird mein Gesicht ohnehin sehen. Ich habe keine Chance, rasch zu wenden.

Ich atme tief durch, lasse das Seitenfenster sogar herunter und lehne lässig einen Arm heraus wie jemand, der nichts zu verbergen hat, sondern einer schönen Frau beim Radfahren zusieht. Ich gebe ganz den Handwerker oder Berufsfahrer, der gleich Feierabend hat.

Sie grüßt mich freundlich: »Moin.«

Ich sage nichts, nicke aber.

Sie fährt an mir vorbei.

Ich bin mir sicher: Sie hat mich nicht erkannt. Meine Verkleidung ist perfekt.

Außerdem rechnet niemand damit, mich auf der Norddeicher Straße in einem Ford Transit zu sehen. Die Zeitungen haben Spekulationen gedruckt, ich hätte mich mit meinen ergaunerten Millionen ins Ausland abgesetzt. Von Lateinamerika war sogar die Rede.

Ihr Spinner! Was soll ich da? Ich gehöre so sehr zu diesem Land wie Goethe, Mülltrennung, Aldi und Volkswagen.

Ja, irgendwie bin ich genauso. Poetisch wie Goethe. Ich achte auf die Umwelt, hasse Plastiktüten. Bin gespalten wie Aldi Nord und Aldi Süd. Jeder kennt mich wie VW, aber leider hauptsächlich wegen meiner schlechten Taten, und Volkswagen ist ja inzwischen auch mehr wegen seiner Abgasbetrügereien in aller Munde als wegen gutem Fahrkomfort, was ich sehr bedaure. Da haben eitle Manager richtig abkassiert, und nun gefährden ihre Gaunereien Tausende Arbeitsplätze in der Region. Gute Familienpapis müssen jetzt ausbaden, was selbstsüchtige Gangster angerichtet haben. Die einen haben den Schaden, die anderen kassieren Boni und hohe Pensionsansprüche.

Vielleicht hätte ich dort mal aufräumen sollen … Aber ich habe schon genug mit meinem eigenen Leben zu tun.

Die VW-Mitarbeiter kämpfen immerhin noch um ihren guten Ruf. Ich habe das schon aufgegeben und mir wieder einen neuen Namen zugelegt. Aber zumindest bei Beate würde ich mich gern in ein besseres Licht rücken.

Ich bin mir nicht sicher, ob ich direkt vor ihrer neuen Wohnung im Rosenweg parken soll, oder ob es klüger ist, den Wagen am Bahnhof abzustellen und zu Fuß zu ihr zu gehen. Sie würde mich garantiert erkennen. Auf jeden Fall.

Und was dann? Fallen wir uns in die Arme? Oder läuft sie ängstlich weg? Wird sie vielleicht von der Polizei überwacht, weil die wissen, dass ich – sollte ich jemals wieder auftauchen – garantiert zu ihr kommen werde?

Nein, das alles ist so lange her. So viel Durchhaltevermögen haben die bei ihrer dünnen Personaldecke gar nicht. Vielleicht haben sie Beate fünf, sechs Wochen lang beobachtet. Danach nur noch sporadisch. Und inzwischen haben die längst etwas anderes zu tun und den Fall an Interpol abgegeben.

Ich fahre direkt vor die Haustür. Ich krieche hinten in den Wagen. Hier bin ich so gut wie unsichtbar.

Plötzlich will ich nur noch zum Smutje, einen Lammburger essen. Nein, ermahne ich mich, du hast genug zu essen mitgenommen. Die Frikadellen und die Fleischwurst sind noch unangetastet.

Ich beginne, mit mir selbst zu verhandeln:

Wenigstens ein Bier im Mittelhaus …

Nein!

Oder Apfelkuchen bei ten Cate und ein Tässchen Kaffee …

Da ist sowieso schon zu. – Verdammt, du suchst nur Ausreden. Hast du solche Angst vor Beate?

Nicht vor ihr, aber vor ihrer Reaktion vielleicht oder meiner eigenen …

Ich greife in meine Hosentasche. Es tut mir gut, das Einhandmesser zu berühren. Ja, ich trage das Messer immer bei mir.

Nein. Ich will damit niemanden töten. Und Beate schon mal gar nicht. Aber wenn ich es in der Faust halte, geht es mir besser. Ich atme dann tiefer. Ruhiger.

Ich lasse die Klinge herausschnappen. Die Klinge, mit der ich präzise getötet habe. Sie hat mir den Spitznamen *Der Chirurg* eingebracht oder *Der Schlitzer.*

Was würde meine Therapeutin Bärbel sagen, wenn ich ihr beichte, dass die Berührung dieses Messers eine Art kribbelnde Energie durch mich strömen lässt?

Sie schießt von der Hand durch den Arm in meine Schultern. Von dort in meinen Kopf. Ich spüre dann sogar meine Haarwurzeln. Es ist, als würden meine Haare zu empfindlichen Antennen. Von meinem Kopf und meinen Schultern tropft diese mörderische Energie in einem warmen Regen in meinen ganzen Körper. Jedes Organ wird berührt.

Ich werde ruhig. Stark. Ein Gefühl der Unsterblichkeit breitet sich aus.

Der Verstand wehrt sich: Alles ist sterblich. Auch du.

Scheiß auf den Verstand. Das Messer wird zu einer Verlängerung, ja zu einer Ergänzung meines Körpers. Es gehört jetzt zu mir. Wie angewachsen. Die Klinge hat meinen Feinden nicht einfach das Leben genommen. O nein. Es ist viel mehr geschehen. Ich habe ihnen damit ihre Kraft, ihre Energie, ihre Erfahrungen, ihr Wissen abgesaugt. Das alles entfaltet sich jetzt in mir. Es macht mich stark. Ich gewinne Lebenskraft.

Ich muss lachen. Bin ich wie ein Vampir im Kino? Nur dass ich keine Zähne benutze, sondern eine Klinge, und ich würde auch niemals Blut trinken. Ich doch nicht!

Trotzdem fühle ich mich wie ein Akku, der sich rasch auflädt an der Lebensenergie seiner Opfer. Meine Batterie war fast leer. Das merke ich erst jetzt. Dieses friedliche, zurückgezogene Leben in Gelsenkirchen hat mich geschwächt. Ich kann nicht lange als Einsiedlerkrebs überleben. Ich spüre mich nur in der Aktivität. Jetzt zum Beispiel.

Beate wohnt oben. In der unteren Etage ein pensioniertes Lehrerehepaar. Ich habe das alles im Internet recherchiert. Sie haben ein Wohnmobil, sind begeisterte Hobbyfotografen und fahren durch ganz Europa, um Tiere und Pflanzen zu fotografieren, die stillgelegte Bahngleise bevölkern. Sie haben eine eigene Homepage zu dem Thema. Bahntrassen seien für Tiere und Pflanzen ganz besondere Lebensadern, die sich quer durch Europa ziehen, behaupten sie.

Ich vermute mal, die beiden werden nicht oft zu Hause sein. Mögen sie ihr Leben genießen!

Oben brennt Licht. Es ist eine warme, indirekte Beleuchtung, wie Beate sie liebt. Kerzen. Stehlampen. Keine Neonröhren an der Decke.

Ich kann Beate nicht direkt sehen, wohl aber ein Schattenspiel. Sie ist nicht allein.

Ich sehe große Gesten. Oder lassen die Schatten an den Wänden nur die Bewegungen heftiger erscheinen, als sie in Wirklichkeit sind?

Ich phantasiere, was dort gesprochen wird. Ich stelle mir eine heftige Diskussion vor. Streiten sie etwa? Geht es um mich?

Ich rüge mich selbst: Nein, es geht nicht immer und überall um dich! Sie hat längst ein neues, eigenes Leben. Hauptsache, es geht ihr gut … Leider tut es das aber nicht.

Jetzt sehe ich am Fenster einen Rücken. Das ist ein Mann. Ja, ganz eindeutig ein Männerrücken! Ist das dieser Lars? Gehört ihm das alte Hollandrad vor der Tür? Ich hatte eher gedacht, der fährt ein Sportrad, nicht so ein Omagestell.

Habe ich noch das Recht, eifersüchtig zu sein?

Aber verdammt, ich bin es!

Das Flurlicht geht an. Durch die Milchglasscheiben der Haustür kann ich jemanden die Treppe herunterkommen sehen. Der Typ öffnet die Tür und kommt raus.

Er ist Mitte 40, vielleicht Anfang 50. Er hat ein glattrasiertes Gesicht, das fast bläulich schimmert. Er ist bleich und hat einen steifen Gang. Er trägt einen bräunlichen Straßenanzug und schwarze Lederschuhe. Er wirkt spießig.

In so einen Typen hat sich meine Beate verknallt? Nein, das will ich nicht glauben, und wie ein Polizist sieht er auch nicht aus.

Er macht keinen glücklichen Eindruck. Hat sie ihm eine Abfuhr verpasst?

Er löst das Schloss an seinem Rad. Es ist ein altes Hollandrad mit geschlossenem Kettenschutz. Er legt trotzdem Hosenklammern an. Merkwürdig, denn seine Hosenbeine können mit der Kette ja gar nicht in Berührung kommen. Es ist, als mache er das aus Prinzip, geradezu trotzig.

Und wieder spüre ich diese verdammte Zerrissenheit. Soll ich ihm folgen, um herauszufinden, wo er wohnt, wer er ist, oder bleibe ich in Beates Nähe, in der Hoffnung, sie doch noch einmal am Fenster zu sehen, und sei es nur als Schattenriss?

Traue ich mich zu klingeln? Ich würde so gerne mit ihr reden! So gerne!

Aber ich folge ihrem Besucher. Ich halte Abstand.

Er ist ohne Argwohn. Er radelt aufrecht. Typisch für diese Hollandradfahrer.

Ich könnte ihn einfach mit dem Kleintransporter von hinten überrollen oder neben ihm herfahren und ihn von der Straße drücken. Radfahrer sind so verletzlich. Bieten sich als Opfer praktisch an.

Aber ich bin keiner, der andere einfach nur überfährt. Ich töte mit dem Messer und schaue Leuten in die Augen, wenn ich sie ins Jenseits befördere.

Dieses scharfe Silberfischchen, klug geführt, das die Lücken zwischen den Rippenknochen findet und das pulsierende Herz trifft, ist meine Waffe. Ich steche ins Zentrum unseres Seins.

Für viele Menschen wohnt die Seele im Herzen. Verliebte schicken sich Herzen, ritzen sie in Bäume. Ich habe mal auf der Sandkerwa in Bamberg ein Lebkuchenherz bekommen. Es gefiel mir so sehr, dass ich es nicht gegessen habe. Es hing so lange in meinem Zimmer an der Wand, bis der Zuckerguss abbröckelte, und die Putzfrau hat es dann – vermutlich auf Anweisung meiner Mutter – weggeworfen.

Mein Vater nahm immer Geschäftsfreunde mit zur Sandkerwa. Dieses Volksfest lockte auch Einkäufer aus Hamburg und Bremen nach Oberfranken. Natürlich musste der Bamberger Dom besichtigt werden und die Neue Residenz. Mit den ganz Frommen fuhr mein Vater sogar zur Wallfahrtsbasilika Vierzehnheiligen. Dorthin begleitete meine Mutter ihn manchmal, und dann musste ich auch mit.

Zur Sandkerwa ging meine Mutter nicht mit. Dazu war sie eine viel zu feine Dame. Bratwürstchen und Bierseidel sind nichts für sie. So etwas passt nicht in ihr Weltbild.

In Gedanken spiele ich durch, wer dieser Typ auf dem Fahrrad sein könnte. Ich folge ihm bis zur Knyphausenstraße.

Ich habe diesen Tido Lüpkes, der meiner Beate solche Schwierigkeiten macht, nie gesehen, aber das könnte er sein. Altbacken und spießig genug sieht er aus. Er bewegt sich, als hätte er einen Besenstiel im Hintern, der ihm bis zwischen die Ohren reicht.

Hat er Beate zu Hause besucht und bedrängt? Geht er in seinem Wahn so weit?

Beate hat sich in ihren Antworten erklärt. Sie versuchte, sachlich zu bleiben, aber für mich lasen sich ihre E-Mails wie Rechtfertigungen. Entschuldigungsschreiben.

Sie verwies darauf, dass alle Künstler, die sie in die Schule einladen wolle, Mitglieder des Bödecker-Kreises seien, der seit mehr als 60 Jahren Autorenbegegnungen in ganz Deutschland unterstütze. Das Kultusministerium in Niedersachsen fördere die gemeinnützige Arbeit des Vereins, und daher seien die renommierten Autoren auf der Liste des Bödecker-Kreises anerkannte Künstler, die im ganzen Land in Schulen aufträten, um Leseförderung zu betreiben.

Ja, diese drei gehörten zu den besten Pferden im Leseförderungsstall. Ihre Bücher und Lieder seien pädagogisch wertvoll und bei den Kindern, auch ihrer Klasse, sehr beliebt.

Für diesen fanatischen Lüpkes wurde dadurch der ganze Bödecker-Kreis zu einer Art Ausgeburt der Hölle. Die Autoren, die er gut fand, tauchten jedenfalls in diesem verruchten Kreis nicht auf.

Resiliente Menschen hätten darüber wahrscheinlich gelacht und sich über den Spinner lustig gemacht. Nicht so meine Beate. Sie will das Beste für ihre Schüler, aber sie möchte auch von den

Eltern geliebt werden und von der Schulleitung, und das alles zusammen geht eben schlecht.

Er ist es tatsächlich: Tido Lüpkes. Ich weiß, wo er wohnt. Ahnt er, dass ich hinter ihm her bin? Er nimmt sein Rad mit in den Hausflur. In dieser teuflischen Welt weiß man ja nie …

Ich bleibe noch eine Weile im Auto. Der letzte Becher Kaffee vertreibt mir die Zeit.

Dann fahre ich zurück zu Beates Wohnung. Wieder sitze ich hinten im Laderaum und schaue zu ihr hoch.

Ich kann sehen, dass sie am Computer sitzt und schreibt. Auf meinem Handy kann ich jede E-Mail lesen, sobald sie sie abschickt.

Liebe Susanne,

ich fühle mich schrecklich. T. L. war heute Abend da. Er hat mir angedroht, dass wenn Bettina Göschl aufträte, drei Kinder unter Protest nicht erscheinen würden. Außerdem will er beantragen, mir das Misstrauen auszusprechen (als sei unsere Schule der Bundestag!). Ich sei sittlich für den Schuldienst nicht geeignet.

Ich weiß gar nicht, was ich machen soll. Die Veranstaltung ist doch schon morgen früh. Soll ich nachgeben und Bettina ausladen? Wie sage ich ihr das? Wie den anderen Schülern? Die freuen sich doch auf sie. Viele kennen sie aus dem Kinderkanal. Da darf sie singen, aber in unserer Schule nicht?

T. L. ist sehr laut und gemein geworden. Er hat mich als Handlangerin böser Mächte bezeichnet. Mein Gott, wenn solche Menschen wieder Macht hätten, die würden mich glatt als Hexe verbrennen! Mir ist angst und bange geworden. Er bekam so einen irren Blick. Da war so viel Hass.

Bei den Elternabenden redet er immer so salbungsvoll, mit sanfter Stimme. Aber in Wirklichkeit ist der eine tickende Bombe.

Während ich lese, beginnt in meinem Kopf ein Klirren und Kratzen, wie Metall auf Metall. Dazu zerbrechendes Glas.

Ich kenne das. O ja, ich kenne das nur zu gut. Dieser Lärm wird immer lauter, und er wird mich wahnsinnig machen, wenn ich nichts dagegen tue.

Die Vorstellung, dass dieser Mann meiner Beate so zusetzt, ist unerträglich für mich. Ich bebe innerlich vor Wut. Ich werde tun, was ich tun muss. Noch heute.

Ein leiser Nieselregen trommelt aufs Autodach.

Ich zögere nicht länger. Ich fahre zurück in die Knyphausen-straße.

Zunächst will ich einfach so, wie ich bin, hoch und ihm sein erbärmliches Leben nehmen. Aber dann erscheint mir der Gedanke, dem frommen Mann mit meiner Teufelsmaske zu begegnen, sehr verlockend.

Ich setze sie auf und klingle bei Lüpkes.

Im Hausflur flackert das Licht. Wackelkontakt. Dazu zirpt es noch laut – oder ist das Geräusch nur in meinem Kopf? Dieses Hämmern kann gar nicht real sein. Dann könnte niemand in dieser Straße schlafen, fernsehen oder sich unterhalten. Die Menschen würden ausziehen, alles tun, damit der Lärm aufhört.

Lüpkes öffnet selbst.

Dachte ich mir! Um diese unchristliche Zeit liegen die Kinder im Bett, und die Frau lässt er auch nicht mehr allein an die Tür.

Ich erwarte Kirchenmusik oder christliche Chöre, aber ich höre eine von RTL bekannte Stimme. Gucken die hier ernsthaft *Dschungelcamp*?

Tido Lüpkes sieht mich an, als hätte er immer schon gewusst, dass der Teufel ihn eines Tages holen würde. Für ihn ist der Satan eine real existierende Macht. Das Leben findet statt im Krieg zwischen Gott und Teufel. Er glaubt sich dabei auf der richtigen Seite.

Er erkennt nicht, dass ich eine Maske aus billigem Plastik trage.

Für ihn erfüllt sich hier etwas, und er sagt ruhig, fast sachlich: »Weiche von mir, Satan.«

Ich klappe die Klinge aus dem Messergriff. Das Geräusch lässt ihn kurz nach unten sehen. Dann beginnt er, laut zu beten. Es ist altlateinisch, glaube ich. Aber obwohl ich das große Latinum habe, verstehe ich ihn nicht. Es hört sich an wie ein Exorzismus.

Versucht der echt, einen Mann mit einem Messer durch lateinische Gebete zu besiegen?

Du mobbst meine Frau nicht länger, du Arsch!

Hinter ihm erscheint jetzt seine Frau. Sie hält sich kurz die Hände vors Gesicht, aber dann läuft sie nicht in die Wohnung zurück. Sie ruft nicht um Hilfe. Sie versucht nicht, sich zu bewaffnen oder die Nummer der Polizei zu wählen. Nein, sie fällt in seinen Singsang mit ein. Beide versuchen wohl eine Art Teufelsaustreibung oder Dämonenbeschwörung. Als hätten sie sich gemeinsam lange auf diesen Moment vorbereitet und wüssten jetzt genau, was zu tun ist.

Sie scheinen erschrocken und erleichtert zugleich, dass es endlich Wirklichkeit wird. Der Endkampf zwischen Gut und Böse. Gott und Teufel. Die Apokalypse.

Ich fürchte, es bringt nichts, dem ein bisschen Angst zu machen. Er wird versuchen, vor seiner Frau den Helden zu spielen oder vor Gott besser dazustehen, indem er mir Widerstand leistet. Nein, hier und jetzt muss ich einen endgültigen Schlussstrich ziehen.

Ich beende das Spiel, bevor die Kinder geweckt werden. Er ist nicht so ein feiger Hund, wie ich dachte. Er bleibt aufrecht stehen, als ich ihm die Klinge in die Brust ramme. Er breitet geradezu freudig die Arme aus. Ich vermute, so will er dem gekreuzigten Jesus ähnlich werden. Lediglich seine Frau stößt einen spitzen Schrei aus.

Er stirbt mit einem Lächeln auf den Lippen.

Ich ziehe das Messer zurück.

Er bleibt noch stehen. Sieht mich an. Sein Lächeln wird zu einem überheblichen Grinsen, als hätte er gewonnen. Und er schaut mir in die Augen.

»Dein Wille geschehe!«, ruft sie und fällt auf die Knie.

Er knickt jetzt ein und stürzt. Ich denke, er ist tot, bevor er auf dem Boden aufschlägt.

Langsam drehe ich mich um. Auch seine Frau erwartet den Tod. Sie reckt mir ihren Hals entgegen und betet.

Ich verschone sie. Die zuckenden Beine ihres Mannes tun mir gut. Der Lärm in meinem Kopf beruhigt sich. Schon als ich zustieß, war es, als würden Töpfe und Deckel von der Decke auf den Boden regnen. Jetzt ist es still. Nur das leise, jammrige Beten der Frau stört meine Ruhe noch.

Ich bücke mich und wische die Klinge am Hosenbein ihres Mannes ab. Dann ziehe ich mich zurück.

Es geht mir gut. Ich fühle mich durchtrieben, richtig und gesund. Manchmal, nach gutem Sex mit Beate, ging es mir so ähnlich. Wir lagen nebeneinander, und alles war gut.

7

Ruhe. Endlich Ruhe. Es ist still in meinem Kopf.

Ich weiß, ich müsste abhauen, so schnell wie möglich weg hier. Aber der Rosenweg zieht mich magisch an.

Eine Weile bleibe ich mit dem Leihwagen vor Beates neuer Wohnung stehen und sehe zu ihr hoch. Ich kann ihre Anwesenheit wie eine Berührung spüren. Es ist ein Kribbeln auf der Haut.

Ich merke hier im Rosenweg, ganz in ihrer Nähe, wie übermächtig meine Sehnsucht nach ihr noch ist. Am liebsten würde ich bleiben, aber in diesem Auto habe ich zu wenig Platz. Es ist zu eng. Ich kann mich nicht richtig bewegen. Nach so einer Tat, wenn ich einen Schandfleck wie diesen von der Erde radiert habe, brauche ich Bewegungsfreiheit, dann muss ich laufen können …

Als ich noch der beliebte Dr. Bernhard Sommerfeldt in Norddeich war, bin ich danach zum Deich gefahren. Ich habe mich oft nackt ausgezogen und bin bei Ebbe ins Watt gelaufen, bis zu der Stelle, wo die Stille und die Weite sich treffen.

Das erscheint mir jetzt zu riskant, obwohl ich in diesem Zustand eigentlich nichts fürchte. Es klingt übertrieben, ist es aber nicht. Ich fürchte dann wirklich nichts. Nichts!

Es ist noch gar nicht wirklich lange her, aber gefühlt eine Ewigkeit, da bin ich nach so einer Tat zu Beate unter die Bettdecke gekrochen und habe an ihren nussbraunen Haaren geschnuppert. Manchmal hat sie ein Shampoo benutzt, das nach Kokosnuss roch.

Aber am besten fand ich es immer, wenn sie nur nach sich selbst duftete. Der unvergessliche Beate-Geruch!

Die Ausdünstungen ihrer Haut! Welch ein Genuss …

Ja, ich weiß, woher der Ausdruck kommt: *Ich kann den nicht riechen.*

Manche Menschen sind mir wegen ihres aufdringlichen Parfüms oder Rasierwassers unangenehm. Ich kann sie im wahrsten Sinne des Wortes nicht riechen.

Bei Beate ist es genau andersherum. Ihr Duft betört mich.

Warum gehe ich nicht einfach hoch zu ihr? Aber kann ich sie wirklich bitten, mit mir zu kommen? Nach Gelsenkirchen in den *Weißen Riesen*? Wie lange hält die Liebe, wenn man gemeinsam ein Leben auf der Flucht führt? Eine Flucht, die nie endet …

Beate könnte nie wieder als Grundschullehrerin arbeiten, und sie ist Lehrerin aus Leidenschaft. Sie hat diesen Job bestimmt nicht ergriffen, weil es da viele Ferien gibt. Sie nicht.

Was bleibt von ihr übrig, wenn sie keine Schulklasse mehr hat? Wäre sie überhaupt noch sie selbst?

Ich muss mich bewegen. In diesem Wagen bin ich eingesperrt wie in einem Käfig. Wenn ich hier länger bleibe, könnte ich gleich freiwillig in den Knast gehen.

Ich steige wieder aus. Die Straße ist menschenleer.

Eine Wolke schiebt sich vor den Mond. Eine Katze schreit.

Ich steige über den Zaun und gehe in den Garten. Hier auf der Wiese hinter dem Haus bewege ich mich frei. Es sind höchstens zweihundert Quadratmeter, aber ich spüre den Wind vom Meer, und ich kann ein paar Schritte im Gras machen.

Ich breite die Arme aus. Der Luftzug bringt Kühlung unter meine Achseln. Es ist, als würde mein Kopf frei.

Da entdecke ich etwas über mir im Kastanienbaum. Ist das ein Baumhaus?

Ich überlege nicht lange. Ich packe den ersten dicken Ast und schwinge mich hoch.

Das Ding ist stabil. Ein Holzhaus für Kinder, aber gebaut von Erwachsenen, mit Dübeln und langen Nägeln. Die Bretter sind gut zwei Zentimeter dick. Einige lackiert.

Ich entdecke zwei alte Micky-Maus-Taschenbücher. Einen Indianer aus Plastik. Fingergroß.

Ich vermute, hier haben zwei Jungs eine gute Zeit verbracht. Ein Kinderzimmer mit Kletterleiter im Baum. Es ist aber schon eine Weile her. Dieses Versteck wird schon lange nicht mehr genutzt. Die Leiter ist abgerissen. Das Dach morsch. Hier haben inzwischen Tiere ein Zuhause gefunden. Ich ertaste ein verlassenes Wespennest.

Ein dichtes Netz Spinnweben durchzieht den Raum. Ein idealer Ort für mich. Von hier aus kann ich in Beates Wohnung schauen. Drei Fenster gehen zu dieser Seite.

Ich sehe eine Stehlampe, ihren Lesesessel und das Buchregal. Einige Titel kann ich von hier aus sogar erkennen.

Sie ist jetzt im Bad. Sie hängt Wäsche auf. Umweltbewusst, wie sie ist, benutzt sie keinen Wäschetrockner, obwohl ich sehe, dass sie einen besitzt. Sie hat unseren alten mitgenommen. Vielleicht aus Anhänglichkeit oder weil sie sparsam erzogen wurde und, im Gegensatz zu mir, einfach nichts wegwerfen kann.

Die Bluse da habe ich einmal für Beate gebügelt. Sie hatte eine Sehnenscheidenentzündung vom Tennis.

Meine Beine zittern vor Bewegungsdrang. Ich wippe mit den Füßen auf und ab, doch meine Blicke kleben an Beate fest. Ich kann – ich will – mich nicht lösen.

Ich werde bald an diesen Ort zurückkehren, verspreche ich mir selbst. Trotzdem gelingt es mir nicht, mich loszueisen.

Ich sehe unten einen Herrn, der mit seinem Hund Gassi geht. Er hebt den Dackel über den kurzen Zaun. Der Dackel erledigt sein Geschäft direkt in Beates Vorgarten.

Ich bin empört. Im Licht der Laterne erkenne ich das Herrchen. Jörg Benninga. Er ist Polizist von Beruf. Er war mal mein Patient. Fettleber und Bluthochdruck. Zwei, drei Weizenbier zu viel am Tag. Er ist tierlieb und sangesfreudig.

Das Teufelchen in mir fordert mich auf, ihm sofort eine Lektion zu erteilen. Immerhin scheißt sein Köter in den Vorgarten meiner Frau. So selbstverständlich wie das geschieht, ist es nicht das erste Mal. Er hat das Tier ganz einfach über den Gartenzaun gehoben, so als sei es ein oft geübtes Ritual

Aber für heute hat mein Messer schon genug gearbeitet. Ich beschließe, es Benninga noch einmal durchgehen zu lassen.

Wieso rennst du überhaupt hier rum, Benninga? Überwachst du Beate? Ist das dein Kontrollgang? Oder soll ich an einen Zufall glauben? Wohnst du hier in der Straße? Ich werde deine Adresse googeln. Wenn ich mich richtig erinnere, hast du doch immer im Sommer die Polizeikräfte auf Norderney verstärkt. Jetzt ist Sommer. Wieso bist du nicht auf der Insel?

Er steht da, glotzt zu Beates Fenstern hoch. Dann holt er seinen Hund zurück. Er geht einmal um meinen Leihwagen herum. Er schreibt sich die Nummer nicht auf, aber vielleicht kann er sie sich ja einfach so merken. Er hat sich den Verstand nicht weggesoffen. Lediglich seine Leber bräuchte mal eine Auszeit.

Er bewegt sich jetzt schwerfällig weiter. Der Dackel will bleiben.

Benninga zerrt an der Leine. Das kleine Tier hat gegen den bulligen Mann keine Chance.

Will der Köter jetzt auch noch an meine Reifen pinkeln? Reicht es ihm nicht, einen Haufen in Beates Garten gelegt zu haben?

Alarmsirenen von mehreren Polizeiautos sind in der Ferne zu hören. Ich bin mir nicht sicher, wie lange die brauchen, um eine

Ringfahndung auf die Reihe zu kriegen. Aber ich will vorher aus dem Ring raus sein.

Ich schaue auf die Uhr. Ich habe meine Arbeit in der Knyphausenstraße vor fast zwei Stunden erledigt.

Hat sie erst jetzt die Polizei gerufen? Stand die fromme Frau so sehr unter Schock? Denkt sie immer noch, der Teufel sei zu ihrem Mann gekommen?

Egal. Ich muss jetzt hier weg.

Kurz vor Emden begegnen mir noch zwei Polizeifahrzeuge mit Blaulicht, die in Richtung Norden düsen. Offensichtlich haben sie dort Verstärkung angefordert.

In Emden fahre ich auf die Autobahn und bin mir ziemlich sicher, entwischt zu sein.

Während der gesamten Rückreise beschäftigt mich nur eine Frage: Wird Beate wissen, dass ich wieder in ihrer Nähe war?

Und dann: Wird diese Ann Kathrin Klaasen nun ihre Schlüsse ziehen? Kann es irgendwie eng für mich werden? Werden sie nun wieder verstärkt nach mir fahnden?

War meine Aktion total doof? Habe ich mir damit schrecklich geschadet, weil jetzt alles wieder heiß wird?

Ich fürchte eigentlich nicht, dass sie mich jetzt noch intensiver suchen werden, sondern ein triumphales Gefühl macht sich in mir breit, so als hätte ich ihnen allen gezeigt, dass ich noch mitspiele. Dass man mit mir rechnen muss. Und ich will, dass meine Beate das alles als Liebesbeweis sieht. Denn genau das ist es gewesen.

8   Je näher ich Gelsenkirchen komme, je weiter ich mich also von Ostfriesland entferne, umso stolzer werde ich auf meine Tat. Ja, verdammt, ich habe es immer noch drauf! Es kommt mir so vor, als hätte ich es mir selbst beweisen müssen. Und ich habe es mir bewiesen!

Ja – ich bin immer noch der alte Sommerfeldt. Kurzentschlossen. Schnell. Todbringend.

Ich habe den Wagen wieder bei der Verleihfirma abgestellt und Schlüssel und Papiere in den Briefkasten geworfen. Ich will noch ein bisschen spazieren gehen. Ich muss meine Beine bewegen. Wenn ich schon nicht ins Watt kann, will ich wenigstens zwischen den Lichtern der Großstadt flanieren.

Dieser Ausflug nach Ostfriesland hat meinem Selbstbewusstsein sehr gut getan. Ich trete fester auf, als ich über die Bahnhofstraße gehe. Das Arztköfferchen schwingt an meinem rechten Arm. Ich will irgendwo noch ein Bier trinken, aber es ist kurz vor vier Uhr morgens.

Zwei Besoffene streiten lauthals. Sie rufen mir zu. Sie nennen mich Kumpel und wollen Zigaretten von mir. Ich weiß, dass diese Situation jeden Moment umschlagen kann. Aggression liegt in der Luft. Sie suchen jemanden, an dem sie Dampf ablassen können.

Ich sage den beiden, dass ich Nichtraucher bin und sie gefälligst abhauen sollen. Meine Worte schweißen die Streithähne zusammen. Sie machen Drohgebärden und wollen sich mit mir anlegen.

Mein lieber Freund, das scharfe Messer in meiner Tasche, freut sich schon darauf, schlitzen zu dürfen. Ja, es hat Gefühle, und es gibt ihnen Ausdruck.

Kleine Mädchen sprechen mit ihren Puppen. Gläubige mit Gott. Ich habe Männer kennengelernt, die reden mit ihrem Schwanz. Einsame Säufer unterhalten sich an der Theke mit einem Glas Bier, und ich, ich tausche Gedanken mit meinem Einhandmesser aus.

Ich pflege es. Ich schleife es. Ich öle es. Es hat mich noch nie im Stich gelassen. Es war immer da, wenn ich es gebraucht habe. Das kann nicht jeder von seinem besten Freund behaupten.

Jetzt hat es in Ostfriesland im wörtlichsten Sinne wieder Blut gekostet, und nun will es sich ein bisschen austoben und ein paar Wunden ritzen.

»Die Typen sind es nicht wert«, sage ich der Klinge, die nur zu gerne aus dem Griff herausschnappen würde. Nun, so ein Kampfmesser will halt kämpfen. Es ist sein Wesen.

Aber so gern ich den zwei Krawallbrüdern zu einem Rendezvous mit ihrem Schöpfer verhelfen würde, so gefährlich ist das Ganze auch für mich. Es könnte die Fahnder nach Gelsenkirchen locken. Ich will meine Operationsbasis hier nicht verlieren. Es fällt mir leicht, in Ostfriesland zuzuschlagen, oder in Franken. Genau das habe ich als Nächstes vor: Ich werde in Bamberg ein kleines Schlachtfest veranstalten. Aber ich brauche meinen Rückzugsort hier.

Nun, da die beiden meine Zurückhaltung spüren, sind sie gar nicht mehr zu bremsen. Sie glauben, dass ich Angst vor ihnen habe. Das macht sie mutig und mich für sie zum Opfer.

»Verzieht euch, ihr erbärmlichen Spinner!«, warne ich.

Der dickere von den beiden plustert sich auf. Er kommt auf mich zu wie ein kurzatmiger Sumo-Ringer. Er klemmt sich die selbstge-drehte Zigarette zwischen die Lippen und zieht seine Hose mit bei-den Händen höher über den Bierbauch. Dann hebt er die Fäuste zur klassischen Boxerhaltung. Er tänzelt unbeholfen herum.

»Der Atze war mal Stadtmeister im Boxen!«, ruft sein Kumpel, um mich einzuschüchtern oder um Atze mit einer Erinnerung an seine glorreiche Zeit aufzubauen.

So ganz traut Atze seinen eigenen Kampfkünsten aber wohl nicht mehr. Er tastet sich mit der linken Führhand vor und deckt sich mit der rechten Schlaghand nah am Gesicht.

Ich stelle den Arztkoffer zwischen meinen Beinen ab und ver-passe dem Typen einen Körpertreffer, der ihm sofort die Luft nimmt. Er stiert mich an.

Noch einmal nimmt Atze seinen Mut zusammen und hebt die Fäuste hoch. Er schießt tatsächlich eine ansatzlose linke Gerade ab.

Der andere bleibt stehen und schaut uns zu. Er hat aber gut fünf Meter Abstand zum Geschehen.

Ich weiche aus, stehe jetzt nah neben Atze und lande einen Cross über seinem Oberarm. Ich treffe sein vom Alkohol verquollenes Gesicht. Er ist eh nicht der Hellste, aber ich knipse ihm jetzt für kurze Zeit all seine Lampen aus.

Er fällt.

Jetzt rennt sein Kumpel in Richtung Bahnhof.

»Hey, du Flasche! Was ist? Willst du deinem Freund nicht hel-fen?«, rufe ich hinter ihm her.

Er dreht sich aber nicht einmal um.

Mein Messer würde zu gerne Atzes Herz schlitzen, aber ich dis-zipliniere mich und gehe mit raschen Schritten in Richtung Hans-Sachs-Haus. Von dort zum *Weißen Riesen*. Ich freue mich, dass ich mich so gut unter Kontrolle hatte, aber als ich das Hochhaus betrete, weiß ich gleich: Hier stimmt etwas nicht.

Es ist, als habe dieser Ort seine Unschuld verloren.

Ich nehme bewusst nicht den Fahrstuhl. Diese engen Kästen sind die reinsten Fallen. Man kann nicht wissen, was einen erwartet, wenn sich oben die Tür öffnet. In meiner Phantasie bereitet sich dort ein mobiles Einsatzkommando darauf vor, mich hoppzunehmen. Sie werden nicht damit rechnen, dass ich über die Treppe komme.

Mein Verstand arbeitet fieberhaft. Sie können mich genauso gut oben an der Treppe erwarten wie am Fahrstuhl.

Drehe ich durch? Hat sich die Angst meiner Feinde kurz vor ihrem Tod ebenfalls auf mich übertragen? Nicht nur ihre gute Lebensenergie? Geht nicht nur ihre Kraft in mich über, sondern nehme ich auch ihre Horrorvorstellungen auf?

Dann habe ich eine Idee. Ich werde sie verwirren.

Ich laufe ein paar Treppen hoch, und im dritten Stock verweile ich kurz. Ich lasse den Fahrstuhl dorthin kommen. Ohne jede Eile steige ich ein. Ich fahre aber nicht in mein Stockwerk und auch nicht runter zum Ausgang, sondern bis ganz nach oben.

Jetzt – so stelle ich mir vor – werden sie nicht denken, dass ich zurückgekommen bin, sondern dass ein Mieter aus dem dritten Stock ganz nach oben will.

Falls sie genau wissen, dass ich mich im Gebäude befinde, werden sie sich zumindest aufteilen. Einige werden hochrennen, andere runter. Ich setze sie also unter Stress.

Ich finde mich clever.

Ich schleiche dann von oben vorsichtig die Treppen runter. Es ist still im Haus. Auch in meinem Kopf ist kein Lärm.

Die Flure sind merkwürdig kahl. Ich habe sie anders in Erinnerung. In meiner Etage, vor den Eigentumswohnungen, liegen kleine Teppiche. Da hängen Bilder an den Wänden, und auf einem Sideboard steht eine Blumenvase. Da kommt das Feeling vom anonymen Hochhaus erst gar nicht auf.

Vielleicht war das in den anderen Etagen immer schon anders. Ich habe mich nie darum gekümmert. Hier kommen mir die Wände kahl vor, die Flure leer, so als hätten die Bewohner Angst, bestohlen zu werden oder kein Interesse daran, ihr Haus schön zu gestalten.

Die Stille beruhigt mich. Aber ich frage mich, ob sie trügerisch ist, und ich bin unzufrieden mit mir selbst. Ich weiß zu wenig über dieses Haus. Ich hätte mir längst die anderen Flure angucken müssen, um Fluchtwege zu planen und Verhaltensweisen auszubaldowern.

An die Wand gelehnt, bleibe ich ganz ruhig stehen und atme nur. Mit zwei Schritten wäre ich von hier aus in meinem Flur. Ich betaste mein Arztköfferchen. Soll ich mir die Teufelsmaske aufsetzen? Nein. Aber ich habe darin einen kleinen Spiegel, und den schiebe ich nun vor, um in den Flur gucken zu können.

Der Flur ist leer. Da lauert niemand auf mich.

Ich tänzle, bewusst auf spielerische Leichtigkeit setzend, um die Ecke. Will ich mich selbst beruhigen oder die Polizisten provozieren, falls sie doch auf mich warten?

Ich tänzle und schwinge dabei mein Arztköfferchen. Aber auch in meinem Flur fehlen die Teppiche und die Bilder an den Wänden. Was ist hier los?

Meine Wohnung betrete ich sehr vorsichtig. Sie kommt mir fremd vor. Da ist ein merkwürdiger Geruch, der nicht hierhingehört. Ein Hauch Patchouli und Vanille. Blumig und holzig zugleich. Schwarze Johannisbeere und Freesien. Irgendwie italienisch. Auf jeden Fall ein Damenparfüm, vielleicht sogar zwei verschiedene.

Jemand war in meiner Abwesenheit hier.

Das Schloss ist unbeschädigt. Hat der Hausmeister die Polizei hier reingelassen? War Ann Kathrin Klaasen mit einer Kollegin in meiner Wohnung?

Sie selbst benutzt dieses Parfüm nicht. Ich habe ihren Geruch noch in der Nase. Da war ein Spritzer Lavendel, Zitrone, und ihr Atem roch nach Pfefferminz.

Ich hatte ein Fenster über dem Sofa gekippt gelassen und eins im Schlafzimmer. Kann der Duft von draußen hier reingezogen sein? Unwahrscheinlich.

Ich schaue mich in meiner Operationsbasis genau um. Ich bewege mich nur sehr langsam, um alles auf mich wirken zu lassen. Meine Blicke streifen durch die Wohnung.

Hat jemand in dem Bücherstapel gewühlt? Der Stuhl am Frühstückstisch liegt voll. Romane, in denen ich gerne morgens lese. Aber ich bin mir sicher: ganz oben lagen zwei Bücher von Axel Petermann: *Im Angesicht des Bösen* und *Der Profiler – ein Spezialist für ungeklärte Morde.*

Petermann war einmal Leiter der Mordkommission in Bremen. Er ist Spezialist für »operative Fallanalyse«. Seine Bücher sind für mich spannend und aufschlussreich. *Der Profiler* liegt auf dem Boden unter dem Tisch. Ist das Buch vom Stapel gerutscht und einfach runtergefallen? Oder hat die Kripo meine Wohnung durchsucht?

Ich habe Axel Petermanns Lesung in der Volkshochschule besucht. Das Buch ist signiert. Weiß die Kripo jetzt, dass er mich kennt? Aber er weiß nichts über mich. Ich habe ihm lediglich das Buch zum Signieren hingehalten und ihm gesagt, wie sehr ich seine Arbeit bewundere.

Er hat über Täter berichtet, die sich im Augenblick der Tat selbst nicht wiedererkannt haben, als seien sie sich selbst gänzlich fremd. Auf einige Mörder trifft das bestimmt auch zu. Nicht aber auf mich.

Ich habe im Moment des Tötens das Gefühl, mich endlich zu erkennen, ganz in mir zu sein und völlig frei.

Wenn sie mich gefunden haben, warum verhaften sie mich dann nicht? Warum wartet hier kein bis an die Zähne bewaffnetes mobiles Einsatzkommando?

Es gab Spekulationen, ich hätte die Verbrechen nicht alleine begangen, sondern von Helfern und Helfershelfern war in einigen Blättern die Rede. Glauben die den Quatsch immer noch? Hoffen sie, dass ich sie zu meinen Komplizen oder Hintermännern führe? Haben sie hier Kameras eingebaut? Hören sie mich ab?

Wo könnten sie ihre Kameras versteckt haben? Diese Dinger sind inzwischen winzig klein. Stecknadelkopfgroß.

Ich lege mich auf den Boden und schaue unter den Möbeln nach. Das ist eine dumme Idee. Sie brauchen eine andere Perspektive. Die Kameras würden eher an der Decke angebracht sein. An Lampen und Gardinenstangen sehe ich nach. Nichts.

Ich lege mich ganz ruhig aufs Bett. Ich bin vollständig angezogen und versuche eine Meditation, wie ich sie in der Volkshochschule gelernt habe. Das Autogene Training funktioniert tatsächlich. Ich höre sogar Bärbels Stimme.

Ich spüre, wie erst meine Arme, dann meine Beine schwer werden. Schwer und warm. Dunkle Gedanken – ich wehre mich nicht dagegen, aber ich halte sie nicht fest. Ich grüble nicht, sondern lasse sie ziehen, wie ich die Regenwolken am Meer ziehen lasse, mit der Gewissheit, dass der Himmel wieder blau wird.

Die Zuversicht, dass ich gewinnen werde, breitet sich in mir aus. Ich sehe diesen Lüpkes sterben und fühle mich gut.

Hier sind gar keine Kameras, denke ich. Ich war nur übernervös. Das Buch ist einfach vom Stapel gerutscht.

Bleibt noch dieser italienische Damenduft. Kann er von draußen reingezogen sein? Vom Flur?

Meine Erschütterung, meine Unsicherheit habe ich doch schon beim Betreten des *Weißen Riesen* unten bei der Haustür gespürt.

Es kommt mir vor, als hätte ich Zugang zu ganz altem, archaischem Wissen. Kann man in ein Haus gehen und spüren, dass dort etwas nicht stimmt? Mache ich mich einfach nur selbst verrückt? Oder rede ich mir gerade eine bedrohliche Lage schön?

Mein Problem ist: Ich habe kein Gegenüber, mit dem ich mich austauschen kann. Das braucht aber jeder Mensch.

Wenn ich zu lange einsam bin, spüre ich mich selbst nicht mehr. Jede Verletzung, die mir im Laufe meines Lebens zugefügt wurde, entstand im Kontakt mit Menschen. Trotzdem, und so sehr ich die Stille und die Einsamkeit suche, ahne ich doch: Heilung seelischer Wunden findet auch nur im Kontakt mit Menschen statt. Neue, gute Erfahrungen können alte, schlechte überlagern, verdecken, vergessen machen.

Ja, im Zusammenleben mit Beate habe ich die Ehehölle, der ich entflohen war, vergessen. Ich musste ein paar Leute umlegen, um mein Paradies in Norddeich nicht von ihnen platt trampeln und verdrecken zu lassen. Ich wollte die Gegend sauber halten. Dabei habe ich mein Glück im Grunde selbst zerstört. Ich finde das rechte Maß nicht, falls es so etwas überhaupt gibt.

Ich muss auf dem Bett liegend eingenickt sein. In meinem Traum höre ich Stiefellärm im Hausflur. Ich erspähe durch den Spion in der Tür vermummte SEK-ler. Sie bringen eine Sprengladung an meiner Tür an. Ich fliehe zum Fenster und fliege hinaus. Ja! Ich kann im Traum fliegen.

Ich schwebe vor dem Fenster, als sie das Türschloss sprengen und in meine Wohnung stürmen.

Ich kann nicht nur fliegen, ich muss wohl auch unsichtbar sein, denn sie sehen mich nicht.

Sie suchen in ihrer martialisch-kugelsicheren Verkleidung die

Räume ab. Sie decken sich gegenseitig. Sie scheinen Angst zu haben, vom Messermann aus dem Hinterhalt angegriffen zu werden.

Aber dann erkenne ich das Geräusch und kann es genau zuordnen. Es sind die leicht schiefen Stöckelabsätze von Sibille Lang, kurz Bille genannt. Das nervtötende Tack Tack hat mich schon oft geweckt. Bille wohnt mit ihrem Freund Hanno Fischbach am Ende des Flurs. Er will sie nicht heiraten, und sie weiß noch nicht, dass das ihr Glück ist.

Sie muss morgens immer früh raus. Sie verkauft Brötchen und Kuchen. Mit ihrem gewinnenden Lächeln gibt sie dabei jedem Kunden das Gefühl, ein ganz besonderer Mensch zu sein.

Sie spricht Stammkunden mit Namen an. Mich auch. Sie sagt Rudi zu mir, nicht Herr Dietzen. Hier im Pott nennt man die Leute gern beim Vornamen oder beim Spitznamen.

Ihr Typ hängt den ganzen Tag in der Wohnung rum, aber er vertreibt sich die Zeit nicht an der Playstation, wie sie glaubt. O nein! Er empfängt gern junge Mädchen. Das geht so kurz vor zehn los.

Ich sehe sie oft mit ihren Schultaschen. Ich vermute, dass er ihnen nicht gerade bei den Hausaufgaben hilft. Sie schwänzen jedenfalls die Schule, und er gewährt ihnen gerne Unterschlupf.

Bille tut mir leid. Sie hat ein sonniges Gemüt und hätte einen Besseren verdient, finde ich.

Ich bin schon auf den Beinen und gehe mit ihr zum Fahrstuhl. Ich kämme mit den Fingern durch meine Haare. Ich weiß, dass ich unausgeschlafen aussehe.

Sie lächelt mich nur kurz an und blickt dann auf ihre Schuhe.

»Na, schon wach?«

Ich brumme: »Hab die halbe Nacht geschrieben, und ich liebe den Morgen. Ich stehe gerne früh auf, wenn die halbe Stadt noch schläft.«

»Ich bin eigentlich eine Langschläferin«, lacht sie.

»Eigentlich«, wiederhole ich.

Bevor der Fahrstuhl bei uns ist, kann ich meine Frage noch loswerden: »Habe ich etwas verpasst? Oder gibt es hier neuerdings keine Bilder mehr in den Fluren und keine Teppiche und so …«

Sie schaut mir von unten ins Gesicht. Sie heißt zwar Lang, ist aber klein und stämmig. Sie erinnert mich ein bisschen an meine ostfriesische Sprechstundenhilfe Cordula Baumann.

Was mag aus ihr geworden sein, denke ich. Ich fühle mich mies, weil ich ahne, dass sie wegen mir einige Probleme gehabt haben wird. Zumindest hat sie erst mal ihren Arbeitsplatz verloren. Wurde sie schnell von einem meiner Kollegen engagiert? Ich meine, einem richtigen Arzt. Oder gilt sie für die als verbrannt, weil sie bei einem falschen Arzt gearbeitet hat, ohne es zu merken?

Ich habe ihr die ganze Zeit den doppelten Tariflohn gezahlt. Spricht das jetzt gegen sie? Zeigt es, dass sie meine Komplizin gewesen ist? Sie hatte keine Ahnung von meinen Taten. Sie war einfach nur ziemlich gut, und ich bezahle die Leute gern vernünftig, die für mich arbeiten.

Bille steigt in den Fahrstuhl. Ich mit ihr.

»Hast du denn gar nichts davon mitbekommen?«, fragt sie, als könne sie es nicht glauben. Sie erklärt es mit großen Gesten: »Hier war ein Riesenterz. Wir mussten den Flur frei machen. Der Hausmeister war da. Irgend so ein Willi Wichtig von der Stadt, Leute vom Brandschutz, von der Feuerwehr und … ach«, sie winkt ab. »Brandschutz!« Sie tippt sich gegen die Stirn. »Die haben doch einen am Appel, haben die. Brandschutz?! Als könnte ein Poster von Jimi Hendrix an der Wand die Löscharbeiten gefährden! Und die Läufer und Teppiche, das ging auch gar nicht. Reine Schikane is dat. Ich wohne gerne hier. Ich hab die Wohnung von meinen Eltern übernommen. Wir haben hier mitten in der Stadt unser kleines

Paradies. Kein Stress mit den Nachbarn. Kein Gesocks. Von wegen anonym!

Scheiß-Hochhaus, dat denken die Penner nur, wenn sie den *Weißen Riesen* von außen sehen. Wir fallen da voll aus dem Bild. Gestern Nachmittag war dann hier Tabula rasa. Und jetzt sieht es hier aus wie in jedem Scheiß-Plattenbau. Aber ich sach mir immer: Hauptsache, wir bleiben die Alten. Woanders is auch scheiße.«

Sie schlägt sich gegen die Brust.

Ich zeige mich empört über so viel Behördenwillkür. »Typisch Männer«, sage ich. »Keinen Blick für Schönheit, Farben oder Wohnlichkeit. Alles muss funktional sein.«

Damit erreiche ich genau, was ich will. Sie schüttelt den Kopf und kontert: »Von wegen, typisch Männer! Da war auch 'ne Tussi dabei. Roch wie 'n doppelstöckiger Puff, aber will dann hier für Ordnung sorgen!«

Ihre Antwort beruhigt mich. Kam der Geruch in meiner Wohnung daher? Aber wieso habe ich ihn dann nicht auch im Flur wahrgenommen?

War hier alles überlagert von den Alltagsausdünstungen? Kaffee. Tee. Pizza. All das, was Menschen so in ihrer Duftaura tragen. Oder hat sich eine Frau in meiner Wohnung ein paar Tropfen Parfüm hinter die Ohren getupft?

Ich denke an die Szene in *Schweigen der Lämmer*, als Crawford, bevor er sich mit der gehäuteten Wasserleiche beschäftigt, eine stark riechende Creme unter die Nase schmiert.

Heißt das, es riecht bei mir unangenehm, frage ich mich und erwische mich dabei, dass mir das peinlich ist. Es macht mir wenig aus, als Mörder identifiziert zu werden, aber ich möchte nicht für einen Messie gehalten werden, in dessen Wohnung es schlecht riecht.

Ich beschäftige keine Putzfrau. So nah will ich niemanden an mich heranlassen. Ich mache alles selbst. So banale Tätigkeiten sind gut für mich. Ich muss spüren, dass ich Dinge, Situationen, beeinflussen kann. Zum Beispiel, indem ich sie säubere.

Mein Bad ist blitzblank. Ich benutze zwei verschiedene scharfe Reinigungsmittel. Die Toilette wird mit einer Bürste geschrubbt.

Aufräumen ist nicht so sehr mein Ding. Zwar brauche ich eine gewisse Ordnung um mich herum, aber es ist eine kreative Ordnung. Andere würden es vielleicht Unordnung nennen.

Bücher liegen bei mir an allen strategisch wichtigen Punkten. Natürlich auch auf der Fensterbank neben der Toilette. Auf Stühlen, Sesseln und den Tischen. Ich kann es nicht lassen, Bücher zu kaufen, obwohl ich praktisch in der Stadtbibliothek wohne. Aber bei Junius und der Mayerschen auf der Bahnhofstraße bin ich trotzdem Stammkunde.

Arbeiten in Buchhandlungen besonders attraktive Frauen, oder finde ich nur Frauen besonders sexy, die viel mit Büchern zu tun haben und sich gern über Literatur unterhalten?

Diese ganze bekloppte Brandschutzaktion war vielleicht nur ein Vorwand der Kripo, sich das Haus genauer anzuschauen.

Sind Zielfahnder hinter mir her?

Ich würde Bille am liebsten fragen, ob sie auch bei mir drin waren oder sich nach mir erkundigt haben. Aber damit würde ich mich zu weit aus dem Fenster hängen. Sie soll ja nicht misstrauisch werden.

Unten verabschieden wir uns. Ich gebe vor, noch einen Spaziergang machen zu wollen. Später werde ich bei ihr Brötchen holen.

Sie sagt mit gespielter Hochachtung: »Tschüs dann, Herr Dichter.«

Hier hat mich noch nie einer gefragt, was ich eigentlich schreibe. Es wundert mich, aber ich kann die Leute ja schlecht fragen, warum sie mich nicht fragen …

Ich stelle mir Antworten vor wie:

Wenn ich von jemandem wissen will, ob er Raucher ist, dann reicht mir ein Ja oder ein Nein. Wenn er ja sagt, frage ich ihn nicht: »Welche Sorte denn?« Ich bitte ihn, beim Rauchen einfach nach draußen zu gehen.

Bin ich schon so einsam, dass ich mir vorstellen muss, was Leute antworten würden, wenn ich mich trauen könnte, sie zu fragen?

Mir fehlt echt ein Gegenüber. Für ein Leben im Smalltalk-Modus bin ich nicht gemacht.

Vielleicht gehe ich deshalb zu meiner Therapeutin Bärbel. Ich brauche jemanden zum Reden. Aber eigentlich brauche ich jemanden, dem ich alles sagen kann, ohne Rücksicht auf mich selbst. Ohne Risiko, verraten zu werden.

Ich mag die Stadt, wenn sie aus ihrem Schlaf erwacht. Wenn die ersten Geschäfte öffnen. Das alles hat so etwas von Neuanfang.

Der Sonnenaufgang am Meer ist vergleichbar damit, wenn hier die Gitter vor den Eingangstüren der Kaufhäuser hochgefahren werden.

Ich gehe zu Graziella II, um einen Espresso zu trinken. Die Trattoria macht eigentlich erst um halb neun auf, aber ich sehe Nino schon im Laden. Er bereitet die Mittagskarte vor.

Ich finde es witzig, dass er gut italienisch kocht, es aber nie Pizza gibt. Ich esse hier ganz gerne.

Ich winke ihm. Er macht auf, und ich bekomme schon um acht den ersten Espresso des Tages.

Ich schlendere durch die Straßen, als würde ich am Deich spazieren gehen. Ich flaniere in Richtung Maritim, dahinter liegt der Stadtgarten. Ich mag das Vogelgezwitscher und Entengeschnatter. Mir gefallen die Kanadagänse dort. Es sind beeindruckende Tiere mit langen, schwarzen Hälsen und weißen Kinnbändern. Sie sind die eigentlichen Herrscher des Parks. Sie betteln nicht um

Futter. Sie fordern. Manchmal laufen Kinder schreiend vor ihnen weg.

Die Kanadagänse können aggressiv sein und haben eine mächtige Flügelspannweite. Obwohl sie heftig damit flattern, glaube ich nicht, dass sie ernsthaft fliegen können. Dafür sind sie zu fett und zu faul. Aber ich kann ihnen stundenlang zusehen. Mit einem guten Roman auf einer Bank im Park zu sitzen, mit einem poetischen Satz im Kopf, den Gänsen zuzusehen – was gibt es Schöneres?

Die Pärchen im Park machen mich eher traurig. Wenn ich sie knutschen und Händchen halten sehe, denke ich an Beate, und die Entfernung schmerzt mich.

Trotzdem ist dieser Stadtgarten, der so gerne von Pärchen aufgesucht wird, mein grüner Ruhepunkt. Er übt eine große Anziehungskraft auf mich aus.

Immer wieder ziehen mich Orte geradezu magnetisch an. Orte, die mich zu mir selbst bringen. Die mir erlauben, ich zu sein, herauszutreten aus dem Wahnsinn dieser Welt.

In Ostfriesland war es immer das Watt. Schon wenn ich auf der Deichkrone stand und zur Meerseite runter sah, bekam ich dieses Gefühl innerer Freiheit.

Jetzt also der Stadtgarten! Noch bin ich nicht da, aber ich habe Glück. Ein frischer Wind pfeift durch die Gassen. Auch er erinnert mich an Ostfriesland.

Was wird meine Tat auslösen? Was wird Beate denken, was diese Kommissarin Klaasen? Habe ich die Suche nach mir nun neu befeuert? War das Ganze idiotisch? Warum fühle ich mich dann so gut damit?

Ein Teil von mir ist ein logisch denkender, rational planender Mensch. Aber ein anderer, sehr archaischer Teil ist wild, nachtragend, rachsüchtig, ja mordlüstern.

Fassungslos stehe ich vor der Werbewand. Auf einem Großplakat wirbt ein Tabakhersteller für seine Zigarettenmarke mit den Worten: *Fünf Minuten Freiheit!*

Wie miserabel muss es um eine menschliche Gesellschaft bestellt sein, wenn es nicht mehr um vierundzwanzig Stunden Freiheit geht, sondern nur noch um fünf Minuten, und um die zu erlangen, muss man etwas kaufen …

Verblöden wir alle? Ist das niemandem peinlich? Haben diese Werbefachleute nicht irgendetwas studiert? Oder haben sie nicht wenigstens Freunde, Verwandte, die sie beraten könnten?

Dieses Plakat ärgert mich so sehr, dass es einen Strudel von Gedanken in mir auslöst. Erlebe ich Freiheit nur, wenn ich töte? »Nein!«, brülle ich laut.

Leute drehen sich nach mir um. Eine türkische Mutter mit Kopftuch zieht ihr Kind zu sich und wechselt die Straßenseite. Zwei jugendliche Schulschwänzer lachen über mich und zeigen mir Doof. Zum Glück hält gerade eine Straßenbahn. Ich steige rasch ein, um Land zu gewinnen.

Bin ich mal wieder auf der Flucht, weil ich mich so unmöglich verhalten habe? Jetzt schon mit der Straßenbahn? Zu allem Überfluss läuft hier gerade eine Fahrkartenkontrolle, und der Typ hat mich sofort im Visier. Sieht der mir an, dass ich keinen Fahrschein habe? Verhalte ich mich verdächtig? Er steuert jedenfalls direkt auf mich zu.

Er stellt sich als Mitarbeiter der BOGESTRA vor.

Ich tue so, als hätte ich keine Ahnung, wovon er redet. Er erklärt sich nicht weiter, sondern will meinen Fahrschein sehen.

»BOGESTRA?«, frage ich. »Soll das eine Abkürzung sein? Sind unsere schönen Städte jetzt nur noch Buchstaben? BO für Bochum, GE für Gelsenkirchen? Ich will nicht in GE wohnen, ich mag den Namen Gelsenkirchen. Eine Abkürzung kann doch nie eine Heimat werden, oder? Fühlen Sie sich als Bürger der BRD?«

Er lässt sich nicht ablenken: »Kann ich jetzt mal Ihren Fahrschein sehen oder nicht?«

»Ich wollte mir gerade einen kaufen.«

Er grinst. »Tja. Zu spät. Dann bekomme ich von Ihnen sechzig Euro, und ich würde gerne Ihre Papiere sehen.«

Das Einhandmesser in meiner Tasche wird heiß. Es beginnt, auf meiner Haut zu brennen.

Würdest du auch so mit mir reden, wenn du wüsstest, wen du wirklich vor dir hast? Oder würdest du schreiend vor Angst weglaufen? Wärst du bereit, mit vollem Einsatz für deine sechzig Euro zu kämpfen? Würdest du dein Leben riskieren, um meine Papiere zu kriegen? Ich glaube kaum, dass du so engagiert in deinem Job bist.

Der Umgang mit ihm fällt mir leicht. Ich kann meinen Zorn in Grenzen halten. Der Mann kommt mir harmlos, unwissend vor. Ich finde es geradezu rührend, wie er versucht, für seinen Arbeitgeber das Geld einzutreiben.

Ich fische in meiner Tasche nach Geldscheinen. Ich halte ihm einen Fünfziger und einen Zwanziger hin. »Stimmt so«, sage ich.

Er freut sich nicht über das Trinkgeld, sondern ist beleidigt. Er kramt nach Wechselgeld.

»Sie sind es wohl nicht gewohnt, Trinkgelder zu kriegen, was?«, frage ich.

Er schaut mich zornig an.

Das ist ein Friedensangebot von mir. Ich würde es an deiner Stelle annehmen. Wir können auch zusammen aussteigen. Ich zieh dich in einen Hausflur und stech dich ab. Es würde mir nicht sonderlich leidtun, das ist für mich nicht mehr, als wenn ich eine Mücke erschlage, deren Brummen mich nachts nervt. Aber du hast Glück, mein Freund. Ich will in Gelsenkirchen keine Leichen rumliegen lassen. Ich habe kein Interesse daran, die Polizei hier auf meine Spur zu locken. Es reicht mir schon, wenn sie mich in Ostfriesland suchen.

Hier bin ich nicht Doktor Sommerfeldt, sondern der brave Rudolf
Dietzen, genannt Rudi. Ein erfolgloser Schriftsteller.

Er hält mir zwei Fünf-Euro-Scheine hin. Ich nehme nur einen.

»Halbe-halbe?«, schlage ich vor.

Aber er besteht darauf, dass ich alles nehme.

Ich lobe ihn: »Unbestechliche Beamte, das finde ich wirklich toll.
Ich dachte, diese Spezies sei ausgestorben. Dabei könnte ich wetten, dass Sie nicht mal Beamter sind, stimmt's? Zahlt man Ihnen
für diesen Job hier den Mindestlohn?«

Er schaut mir gerade in die Augen. Ich sehe da ein Flackern. Der
Mann hat Mühe, sich unter Kontrolle zu halten. Ein Teil von ihm
ist wie ich.

»An Ihrer Stelle wäre ich vorsichtig, sonst geraten Sie mal an den
Falschen. Wenn ich keine Uniform anhätte und hier nicht offiziell im Dienst wäre, würde ich Ihnen zu gerne was auf die Fresse
hauen. Aber so halte ich mich an die Spielregeln.«

Die Bahn hält, und ich steige aus. Jetzt nur schnell zum Stadtpark, bevor hier noch ein Unglück passiert, das die Polizei auf mich
aufmerksam macht.

Ich wette, in den sozialen Medien, in Radio und Fernsehen
wird der Mord in Ostfriesland bereits groß diskutiert. Ich verspüre
durchaus Lust, mich damit auseinanderzusetzen, mir die Folgen
meiner Tat anzuschauen, aber bevor ich mich an den Computer
setze, will ich ein paar Meter laufen. Meinen Körper spüren.

Immer wieder kehren meine Gedanken zu Beate zurück. Wird
sie den Mord an Tido Lüpkes als Liebeserklärung verstehen? Als
Zeichen, dass Dr. Sommerfeldt da ist und sie beschützt?

Auf Facebook informiere ich mich über das Geschehen in Norddeutschland gern auf der Seite *Wi sünd Ostfreesen un dat mit Stolt*
und *Du bist norddeichverrückt, wenn …* In beiden geschlossenen
Gruppen bin ich Mitglied, allerdings nicht als Dr. Sommerfeldt,

sondern als Dietzen. Dort werden viele Fotos gepostet. Bilder, die mein Herz erwärmen und doch gleichzeitig die Sehnsucht schüren. Und durch die *Norder News* werde ich rasch informiert.

Meine ehemalige Sprechstundenhilfe Cordula hat eine Facebook-Gruppe gegründet: *Die Wahrheit über Dr. Sommerfeldt*. Man kann nur lesen, wenn man selber zur Gruppe gehört. Ich habe mich als T. A. Zahn problemlos anmelden können und schaue nun ein Video, das sie hochgeladen hat.

Cordula steht vor meiner alten Praxis und hält eine flammende Rede: »Das sind alles nur Lügen. Dr. Bernhard Sommerfeldt war ein wunderbarer Arzt und Chef. Jetzt versucht man ihn fertigzumachen. Niemand, der ihn wirklich kennt, glaubt diesen Müll. Ich hab diese Gruppe gegründet, damit Fakten zusammengetragen werden können, die ihn entlasten. Die Kriminalpolizei interessiert sich ja offensichtlich nicht für so etwas.«

Die wackelige Handykamera schwenkt ein Stück zur Seite. Neben Cordula steht Susanne Ricklef.

Cordula sagt: »Neben mir steht Frau Ricklef, eine ehemalige Patientin von Dr. Sommerfeldt. Sie hat uns etwas zu sagen.«

»Ja, ich war seine Patientin, und mein Sohn war auch Patient bei ihm. Dr. Sommerfeldt hat uns sehr geholfen. Ich habe der Polizei mitgeteilt, dass er den Mord in Norddeich gar nicht begangen haben kann, weil er an dem Abend zur fraglichen Zeit bei mir war.«

»Sie haben ihm also ein Alibi geben können?«

»Ja, natürlich! Mit bestem Gewissen. Aber das interessiert Kommissarin Klaasen irgendwie nicht. Für sie steht längst fest, dass er der Mörder ist. Hier soll etwas verdeckt oder verschoben werden.«

Es geht endlos so weiter. Cordula hat noch mehr Leute dazu veranlasst, mir öffentlich Alibis zu geben. Nichts davon stimmt. Warum tun die Menschen das? Bilden sie sich das wirklich ein, oder wollen sie mir einfach nur helfen?

Vielleicht, denke ich, ist ihnen selber irgendwann mal Unrecht geschehen, niemand ist für sie eingetreten, und nun versuchen sie, auch an sich selbst etwas wiedergutzumachen. Ich weiß es nicht.

Cordula kann ich verstehen. Bei unserem letzten Treffen hat sie mir ihre Liebe gestanden. Sie hat einige Dinge falsch gedeutet, zum Beispiel, dass ich ihr vierzehn Monatsgehälter gezahlt habe und den doppelten Tariflohn. Das hat sie wohl nicht als Anerkennung für ihre gute Arbeit gesehen, sondern … Ach ja, die Welt ist voller Irrtümer.

Trotzdem rührt es mich sehr an, was sie hier tut. Sie hat allen Grund, sauer auf mich zu sein. Sie hat ihren Job verloren, und ich habe sie abgewiesen …

Es schmerzt mich auch, Cordula zu sehen und ihr und Frau Ricklef zuzuhören. Solche Worte hätte ich mir von Beate erhofft. Und in der Tiefe meiner Seele auch von meiner Mutter, meinen Verwandten, von irgendwem, der mir nahesteht.

Habe ich in Bamberg denn überhaupt keine Freunde gehabt? Setzt sich niemand aus meiner Family für mich ein?

Was wäre ich ohne meine Sprechstundenhilfe und ohne meine Patienten? Hat es mich vorher überhaupt nicht gegeben?

Im Stadtpark füttert eine alte Dame, vornübergebeugt, viel zu warm angezogen mit einem zu dicken Mantel, die Enten. Zwei Dutzend schnatternde Tiere umflattern sie. Sie hat zwei prallvolle Plastiktüten dabei. Brot- und Kuchenreste.

Ich schaue ihr zu. Sie sieht aus, als sei sie arm und einsam. Sie strahlt, während sie die Enten füttert. Es macht ihr Freude, zu teilen, obwohl sie nicht viel hat. Sie holt sich hier Zuneigung, Aufmerksamkeit und hat bestimmt auch das Gefühl, etwas Gutes zu tun. Wen kümmert's, dass es verboten ist? Wäre es erlaubt, würde es vielleicht gar keinen Spaß machen.

Die Ostfriesen können ja ziemlich sauer werden, wenn jemand

die Möwen füttert, weil die Vögel dadurch immer angriffslustiger werden, und Kinder, die ihre Pommes selber essen wollen, nicht von Kindern unterscheiden können, die ihre Pommes gerne an Möwen verteilen.

Ich muss mir zugestehen, dass ich mich hier nur ablenke und mich vor der Auseinandersetzung mit der eigenen Tat scheue.

Ich beschließe, zurück in den *Weißen Riesen* zu gehen und mir anzugucken, was ich angerichtet habe. Ich stelle mir vor, wie ich den Fernseher einschalte und gleichzeitig am Computerbildschirm in die Suchmaske *Mord in Norden* eingebe oder *Dr. Sommerfeldt*.

Ich fühle eine Beklemmung. Ich gehe nicht auf das Gebäude zu wie ein freier Mensch auf sein Zuhause, sondern wie ein Angeklagter zum Gerichtssaal. Ich bin in Erwartung einer Verurteilung. Es ist hoch über mir wie eine Bedrohung.

Ich muss an meine niedliche Therapeutin Bärbel denken, mit diesem wissenden, vielsagenden Blick und diesem Lächeln, das einem sagt: *Ich weiß eh schon alles. Erzähl es ruhig. Es ändert nichts mehr. Ich verurteile dich nicht. Den Job machen andere.*

Sie hatte von meiner Mutter gesprochen, als sei sie eine im Raum anwesende Person. Obwohl wir beide vom Verstand her genau wussten, dass sie keineswegs in Gelsenkirchen in der Bismarckstraße war, stimmte diese Aussage auf eine verwirrende Art. Nachdem Bärbel mich darauf aufmerksam gemacht hatte, entdeckte ich erschrocken, dass sich diese Geschichte wie ein roter Faden durch mein Leben zog. Es war, als wäre meine Mutter ständig bei mir gewesen. Selbst jetzt, auf der Straße, kann ich ihre Kälte in meinem Nacken spüren. Ich beschleunige meine Schritte. Sinnlos. Sie sitzt praktisch auf meiner Schulter.

Hat sie auch mit im Ehebett gelegen?, frage ich mich. Hat sie dieses taube Gefühl zwischen Miriam, der jetzigen Frau Rosenberg, und mir zu verantworten? Hat ihre Kühlschrankenergie unsere Liebe erkalten lassen?

In mir keimt eine mörderische Wut auf.

Komisch. Wenn ich bei Beate war, dann war keine dritte Person mit dabei. Oder war ich nur zu verliebt, um die Anwesenheit zu spüren? Hielt sie sich schlau zurück und wartete auf eine Gelegenheit, sich mit ihrer zerstörerischen Art in unsere Beziehung einzumischen?

Ich sehe sie jetzt vor mir in unserem Schlafzimmer in Norddeich stehen. Im Halbschatten am Buchregal, die Arme vor der Brust verschränkt, den Rücken durchgedrückt. Dieser spöttisch-verachtende Blick …

Verdammt, sie sitzt in meinem Nacken und in meinem Kopf! Ich laufe auf der Feldmarkstraße herum, kampfbereit, als müsse ich mich vor einem Überfall schützen. Ich komme mir blöd vor. Hinter mir ist niemand. Nicht einmal meine Mutter.

Jetzt ist der *Weiße Riese* ein Fluchtpunkt für mich. Die letzten Meter renne ich. Endlich bin ich da.

Ein junges Mädchen mit sehr traurigen Augen steigt aus dem Fahrstuhl. Sie ordnet noch ihre Sachen. Sie stopft ihr Hemd in die Hose und streicht den viel zu kurzen Rock glatt. Sie trägt hochhackige Schuhe, kann aber nicht wirklich darin laufen. Ich schätze sie auf höchstens fünfzehn.

Es ist ihr peinlich, dass ich sie so sehe. Sie hat es nicht geschafft, sich im Fahrstuhl wieder komplett zurechtzumachen.

Ich wette, sie hatte ein Rendezvous mit Sibille Langs schrecklichem Typen. Hat er ihr Nachhilfestunden gegeben und ist dabei aufdringlich geworden? Oder gehört sie bereits zu seinem Harem? Hat er eine letzte Abschiedsnummer mit ihr geschoben und sie dann an die Luft gesetzt?

Ich will etwas Nettes, Verbindliches sagen, sie aufmuntern. Mir rutscht ein »Moin« raus. Ich ärgere mich sofort über mich selbst. Hier sagt man nicht »Moin«, sondern »Tach«. Oder in ihrem Alter wahrscheinlich nur »Hi«.

Ich bin froh, im Fahrstuhl allein zu sein. Die Tür schließt sich, als würde sie mir Schutz gewähren und löst gleichzeitig die Phantasie in mir aus, bald könnten sich Gefängnistüren vor meinen Augen schließen. Werde ich demnächst für ewig eingesperrt sein? Kommt meine Mutter dann auch mit ins Gefängnis, damit ich nicht so einsam bin? Bei dem Gedanken schüttelt es mich.

9

In meiner Wohnung trinke ich ein großes Glas Leitungswasser. Wie wird meine Therapeutin Bärbel reagieren, wenn ich ihr erzähle, dass ich mich auf der Straße nach meiner Mutter umgedreht habe, weil ich ihre Kälte in meinem Nacken spürte? Wird sie wissend lächeln? Werde ich es ihr überhaupt erzählen?

Ja, am liebsten täte ich es sogar sofort. Aber jetzt muss ich mich erst der schnöden Realität widmen. Ich habe in Ostfriesland diesen Sektenheini Lüpkes erstochen.

Ich schalte den Fernseher ein und suche gleichzeitig im Internet. Ich bin in einigen geschlossenen Gruppen angemeldet. So erfahre ich immer, was los ist, ohne den Ostfriesischen Kurier abonnieren zu müssen. Das wäre wirklich zu verräterisch. Aber die Seiten *Wi sünd Ostfreesen un dat mit Stolt* oder *Du bist norddeichverrückt, wenn …* bieten nicht nur ständig schöne neue Bilder, sondern dort werden auch Tipps und Neuigkeiten ausgetauscht. In den *Norder News* wird auch schon mal gern der Finger in eine Wunde gelegt. Wer immer sie macht, stellt gern kritische Fragen. Mir gefällt das.

Na bitte – die Pressekonferenz ist schon hochgeladen. Es ist, als wäre ich live dabei. Dieser Journalist Holger Bloem wie immer ganz in der Nähe von Kommissarin Ann Kathrin Klaasen. Sie verständigen sich mit Blicken. Ob ihren Mann Frank Weller dieses innige Verhältnis nicht stört? Ich wäre an seiner Stelle eifersüchtig. Aber entweder ist Weller ein Volltrottel, oder er steht auf freie Liebe und all diesen Hippiekram.

Ich spüre, wie wütend ich auf diesen Bloem bin. Was hat der Sauhund nicht alles über mich geschrieben! Er arbeitet sich richtig an mir ab. In Wirklichkeit ist er nur sauer, weil ich als Hausarzt seine Ann Kathrin nackt gesehen habe. Sie war krank und verschwitzt, und da ahnte sie noch nicht, dass ihr Doktor der Killer war, den sie vergeblich jagte.

Vielleicht ist sie deswegen so heiß darauf, mich zu kriegen. Da schwingt etwas Persönliches mit …

Ann Kathrin Klaasen bezeichnet diesen Tido Lüpkes als »anerkanntes Mitglied seiner Kirchengemeinde«. Sie redet von Trauer und Schock für ganz Ostfriesland. Die Kamera nimmt sie ganz groß. Ihr Gesicht füllt praktisch den Bildschirm aus, als sie mit dramatischer Stimme sagt: »Wir müssen davon ausgehen, dass Doktor Bernhard Sommerfeldt zurück ist.«

Kripochef Martin Büscher verpasst ihr einen Dämpfer. Er schlägt vor, keine vorschnellen Schlüsse zu ziehen, obwohl vieles für den als Dr. Bernhard Sommerfeldt bekannten Serienkiller spräche, könnten sie es auch mit einem Nachahmungstäter zu tun haben, der den Mord nach bekanntem Muster inszeniert hätte, um von sich selbst abzulenken. Der Täter habe laut Aussage der Witwe eine Teufelsmaske getragen.

Büscher sagt es und schielt zu Ann Kathrin. Ich wette, sie weiß, dass seine Vision nicht ganz der Wahrheit entspricht. Frau Lüpkes hat garantiert nichts von einer Teufelsmaske gesagt. Sie glaubt nämlich, dass der Teufel persönlich sie heimgesucht habe.

Die Ehefrau des Ermordeten werde von Psychologen betreut, fügt Büscher mit brüchiger Stimme hinzu. Er nimmt einen Schluck Wasser.

Ann Kathrin Klaasen sieht Holger Bloem auffordernd an, und

der stellt sofort eine Frage: »Gibt es denn irgendeinen konkreten Hinweis darauf, dass Dr. Sommerfeldt wieder sein Unwesen in Ostfriesland treibt? Stimmt es, dass der Ermordete und Sommerfeldts Lebensgefährtin einander kannten?«

Ist das eine Inszenierung? Spielen dieser Journalist und Ann Kathrin Klaasen irgendein Spiel in dieser Pressekonferenz? Worauf wollen sie hinaus, und warum wiegelt der Polizeichef alles ab?

Ann Kathrin antwortet: »Ja, Herr Bloem, Tido Lüpkes war Elternsprecher an der Schule, an der die Partnerin des gesuchten Dr. Sommerfeldt unterrichtet.«

Büscher mischt sich mit bedeutsamen Handbewegungen ein. Er sieht nervös aus. Das hier läuft nicht so, wie er gehofft hatte. »Es ist zu früh, um daraus Rückschlüsse zu ziehen. Norden ist klein. Hier kennt letztendlich doch jeder jeden.«

Jetzt sieht es so aus, als würde Ann Kathrin für ihn einspringen, damit er sich nicht verrennt: »In den früheren Fällen war es oft nicht möglich, einen Zusammenhang zwischen den Opfern und Herrn Sommerfeldt auszumachen … Er sucht seine Opfer zufällig aus oder nach einem Prinzip, das wir noch nicht verstanden haben.«

Ich werde richtig wütend. Warum macht die das? Wollen die mich provozieren? Oder halten die bewusst Wissen zurück? Will mir hier einer meinen Mord wegnehmen?

»In seiner Gemeinde war Herr Lüpkes nicht ganz unumstritten«, sagt Holger Bloem. »Er gehört zu den – na, sagen wir mal – Hardlinern dort. Es hat deswegen schon eine Menge Anfeindungen gegeben. Kann es sein, dass der Mord auf interreligiöse Auseinandersetzungen zurückzuführen ist?«

Eine junge Reporterin von Radio Nordseewelle ruft: »Das würde auch die Teufelsmaske erklären!«

Ann Kathrin Klaasen antwortet ganz ruhig, so, als habe sie diesen Einwand erwartet: »Wir können im Moment nichts ausschließen.«

Ob die das alles vorher miteinander abgesprochen haben? Was wie eine Pressekonferenz aussieht, ist eine Inszenierung. Aber warum? Mit welchem Ziel?

»Herrn Lüpkes«, sagt Holger Bloem, der mal wieder mehr zu wissen scheint als die Polizei, »wurden mehrfach die Fahrradreifen zerstochen, und es wurden Beleidigungen an seine Hauswand gesprüht. Sehen Sie da keinen Zusammenhang?«

Ann Kathrin Klaasen nickt und senkt die Augen. Sie fixiert das Mikrophon. »Wir wissen davon. Wir gehen den Dingen nach.«

Rupert meldet sich und drängelt sich ins Bild. Der Kommissar gehörte zu meinen Patienten, als meine Praxis in Norddeich noch gut lief. Er hatte Probleme mit der Prostata und Versagensängste, weil seine Potenz nachlässt und er fürchtet, seiner jungen Geliebten nicht mehr geben zu können, was sie erwartet.

Erste Schweißtröpfchen auf seiner Glatze glitzern. Durch das grelle Kameralicht hat er jetzt einen Heiligenschein. Auch seine Stirn leuchtet. Erst durch sein Auftauchen sieht man deutlich, dass die anderen an der Pressekonferenz Beteiligten vorher abgepudert wurden, um in dem starken Licht nicht zu blöd auszusehen.

HDTV kann sehr grausam sein. Durch die hohe Bildauflösung entgeht dem Zuschauer nichts mehr. Mir gefielen die Bilder beim Röhrenfernsehen viel besser. HDTV ist mir zu hart. Zu unerbittlich. Es muss ja nicht immer alles voll ausgeleuchtet werden. Mir gehen da die Schatten verloren. Das Leben ist doch kein Operationssaal bei vollem Arbeitslicht.

Rupert ist, das ist deutlich zu sehen, nicht eingeplant. Er nutzt aber die Bühne, um sich zu profilieren.

»Die meisten Mörder kommen aus dem direkten Umfeld des Opfers. Die Wahrscheinlichkeit, von seiner Ehefrau vergiftet, seinem

Schwager erstochen oder von seinem besten Freund erschlagen zu werden, ist viel größer als die, von einem wildfremden Menschen auf der Straße ...«

Mit einem scharfen Blick bringt Kripochef Büscher Rupert zum Schweigen.

»Ich meine ja nur ... Das ist halt Statistik ...«, stöhnt Rupert und verschwindet aus dem Bild.

Die Übertragung wird durch Werbung unterbrochen. Offensichtlich ist dies genau der richtige Moment, um eine Lebensversicherung anzupreisen.

Etwas macht mich unfassbar wütend. Ich bin erschrocken über mich selbst. Ich würde am liebsten Möbel aus dem Fenster nach unten werfen. Ich tue es nicht, aber ich frage mich, was mit mir los ist. Was, verdammt, stimmt nicht mit mir?

Am liebsten würde ich sofort meine Therapeutin anrufen – ich glaube es nicht, ich nenne Bärbel in Gedanken schon meine Therapeutin?

Ich muss aus der Wohnung raus. Ich will Ann Kathrin Klaasen sprechen. Natürlich rufe ich sie nicht mit meinem Handy an, ich bin ja nicht verrückt.

Nein, ich nehme nicht den Fahrstuhl. Ich bin immer noch verdammt gut durchtrainiert, und mir machen acht, neun Stockwerke nichts aus.

Ich laufe bis zum *Topkapi Kebaphaus*. Leider verhalte ich mich viel zu auffällig. Nach Luft japsend trinke ich dort erst einen türkischen Tee aus einem schlanken Glas. Er erinnert mich an Ostfriesentee. Immerhin.

Ich brauche Energie, und ich muss nachdenken. Ich esse eine Dönertasche – ach, was heißt, esse? Ich hau mir das Ding rein. Ich zerfetze es richtig. Ein Essen aus der Hand, genau das brauche ich jetzt. Und Fleisch. Viel Fleisch.

Die scharfe rote Soße brennt und tut gut. Ich nehme noch einen Fleischspieß hinterher. Es kommt mir vor, als würde ich meine Feinde verschlingen.

Warum hat mich diese Pressekonferenz so unglaublich wütend gemacht? Es ist, als hätte man mich bestohlen. Ja, verdammt, ich fühle mich beklaut. Das ist mein Mord! Und mit den Federn soll sich kein anderer schmücken.

Bin ich blöd? Sollen sie doch jagen, wen sie wollen! Kann mir doch egal sein. Ich tue ja geradezu, als hätte man mir nach den Bundesjugendspielen meine Siegerurkunde verweigert.

Auch das kommt mir vor wie ein altes Gefühl. Ich sehe Bärbel vor mir sitzen, die lächelnd fragt: »Und? Woran erinnert dich das?«

Ja, verflucht, an meine gottverdammte Familie! An meine eiskalte Mutter. Meinen Vater. Meine Ex. Meinen Schwiegervater … An die ganze Scheißverwandtschaft, die mir die Firma gestohlen hat, die Ehre und letztendlich auch meine Identität und meine Freiheit.

An allem sind sie schuld. An allem. Diese verlogene Räuberbande!

Ich muss rülpsen. Es tut mir gut, aufzustoßen. Hier ist Gelsenkirchen. Hier darf man das.

Jemand lacht und kommentiert meinen Rülpser: »Das war der Landfunk. Es sprach die Sau persönlich.«

Bevor es Ärger gibt, und der übergewichtige Schmierlapp einen Dönerspieß im Bauch hat, zahle ich. Bedanke mich für das ausgesprochen gute Essen und die Gastfreundschaft und bewege mich in Richtung Bahnhof, ohne zu rennen. Ich werde die Kommissarin von dort aus anrufen. Ein Bahnhof ist unverdächtig. Selbst, wenn es ihnen gelingt, das Gespräch zurückzuverfolgen, werden sie nicht darauf kommen, dass ich mich in Gelsenkirchen verkrochen habe, hoffe ich. Sie werden lediglich daraus folgern, dass ich mich mit dem Zug durchs Land bewege. Welch Irrtum! Ich nutzte Leihwagen.

Es gibt nicht mehr viele Telefonzellen. Am Bahnhof kenne ich noch eine Gelegenheit, zu telefonieren. Die will ich nutzen. Aber kurz vorher überlege ich es mir anders. Ich steige in den ersten Zug. Er bringt mich nach Essen. Ich finde, das reicht.

Im Essener Hauptbahnhof suche ich ein Telefon.

Da. Endlich. Leider ist die Schnur durchgeschnitten. Der Hörer baumelt sinnlos in der Gabel. Jemand hat *Kurdistan* und *PKK* hingesprüht.

Ich bin ziemlich aufgeregt, dabei wäre ich so gerne cool.

Als ich endlich ein funktionsfähiges Telefon finde, muss ich ein paarmal durchatmen, um mich zu sammeln. So. Jetzt geht es.

Ich rufe Ann Kathrin Klaasen auf ihrem Handy an. Die berühmte Serienkillerfahnderin ist leicht zu erreichen.

Sie geht sofort ran.

»Moin …«

Welch vertraute Stimme.

Ich halte mich nicht mit langen Vorreden auf: »Sie wissen genau, dass ich es war. Warum tun Sie so, als sei ein Nachahmer am Werk?«

»Herr Doktor Sommerfeldt? Schön, von Ihnen zu hören.«

»Es war ein präziser Stich ins Herz. Das macht mir so leicht keiner nach.«

»Sind Sie stolz darauf?«

»Stolz ist vielleicht nicht das richtige Wort.«

»Sondern? Nennen Sie mir das richtige Wort.«

Will sie mich hinhalten? Läuft schon irgendwo ein Programm ab, mit dem sie mich orten können?

Vor meinem inneren Auge sehe ich sie inmitten ihres Teams. Sie dreht sich, tanzt geradezu Pirouetten kreuz und quer durchs Büro in der Polizeiinspektion und stupst mit der Linken ihre Leute an, hält mit der Rechten dabei das Handy an ihr Ohr und gibt mimisch Anweisungen. Ich höre im Hintergrund Gerede und ein Telefon, jedenfalls ist sie nicht allein.

»Ich wollte eine Botschaft senden.«

»Eine Botschaft? Was für eine Botschaft?«

»Ich bin noch da.«

Sie seufzt, und ihre Stimme wird eindringlich. »Das ist nur die Hälfte der Botschaft.«

Sie verwirrt mich. »Die Hälfte?«

»Ja. Die ganze Botschaft lautet …« Sie flüstert es geradezu erotisch, als würde sich hier zwischen uns ein Liebesspiel anbahnen. Sie haucht es ganz leise: »Ich bin noch da, und ich werde jeden umbringen, der meiner Beate etwas zuleide tut.«

Mein Gehirn ist wie leer. Ich suche die richtige Erwiderung, aber es ist, als habe alleine die Nennung des Namens Beate meine Festplatte im Kopf gelöscht.

Ann Kathrin spürt sofort meine Schwäche und fährt fort: »Haben Sie wirklich all diese Menschen getötet wegen …«, sie holt tief Luft, »wegen ein paar Fotos von Ihrer Freundin?«

Mir wird schwindlig. War alles umsonst?

»Das waren nicht einfach Fotos …«, höre ich mich sagen und ärgere mich. Warum rechtfertige ich mich hier vor dieser Frau?

Sie lacht.

Lacht sie mich aus?

»Die Bilder drohten, ihre ganze Existenz zu zerstören. Sie ist so gerne Lehrerin.«

»Und sie wird es auch bleiben.«

»Sie … Sie werden das nicht öffentlich machen?«

Jetzt ist die Stimme der Kommissarin wieder sachlich. Klar, aber nicht unterkühlt: »Warum sollte ich das tun? Ist nicht schon genug Unglück geschehen? Muss sie auch noch der Lächerlichkeit und dem Spott preisgegeben werden? Nein, es ist für Frau Herbst schon schlimm genug.«

Mir schießen Tränen in die Augen. Ich komme mir so verdammt dämlich vor. Ich stehe hier, presse den Hörer an mein Ohr und schirme mit der anderen Hand meine Lippen gegen Blicke ab. Ich kämpfe mit den Tränen.

Nur ein paar Meter von mir entfernt teilen sich drei Kinder eine Tüte Pommes. Sie essen mit den Fingern. Mayonnaise klatscht auf den Boden. Komischerweise schaue ich einer Taube nach, die quer über die Gleise fliegt.

»Ging es bei Lüpkes auch um Fotos?«, fragt die Kommissarin.

Ich beantworte die Frage nicht. Es wird Zeit, abzuhauen. Ich fürchte, hier kann jeden Moment ein Sondereinsatzkommando auftauchen, um mich einzukassieren.

»Danke«, sage ich, »danke, dass Sie auf Beate Rücksicht nehmen. Das ist sehr anständig von Ihnen, Frau Klaasen. Sehr anständig.«

Sie ahnt, dass ich das Gespräch beenden will und ruft: »Bitte legen Sie jetzt nicht auf, Herr Doktor Sommerfeldt! Bitte …«

Ich sage noch einmal: »Danke«. Dann hänge ich den Hörer auf die Gabel und schaue mich um. Die Jungs mit der Pommestüte sind weg. Der kleine Mayonnaiseberg wartet noch darauf, dass jemand hineintritt und ausrutscht.

Ich verlasse diese Ebene. Unten sehe ich zwei Polizisten. Sie machen einen recht entspannten Eindruck, als würden sie sich gerade vom Wochenende erzählen.

Wenn die wüssten, dass ich hier bin, würden die ihre Waffen überprüfen und um Verstärkung rufen, statt hinter dem Mädchen herzugucken, das so malerisch im gelben Minirock die Treppe zum Bahnsteig hochstöckelt, in jeder Hand eine Plastiktüte, über die Schulter eine Handtasche, die aussieht, als sei sie aus Fetzen zusammengenäht.

Obwohl ich mich im Kebaphaus fast überfressen habe, treibt mich schon wieder ein mörderischer Hunger. Ich kaufe mir eine Currywurst und eine Cola Zero.

Ich löse mehrere Fahrkarten erster Klasse am Automaten. Während ich ein paar Umwege nehme, um zurück zu meiner Operationsbasis zu fahren – erst nach Düsseldorf, dann von dort mit dem Norddeich-Express zurück nach Gelsenkirchen – stelle ich fest, dass ich nicht verfolgt werde.

Ich besuche mit meinem iPhone verschiedene Webseiten. Auf *Du bist norddeichverrückt, wenn …* und *Wi sünd Ostfreesen un dat mit Stolt* hat jemand ein Handyvideo mit Monika Tapper vom Café ten Cate gepostet.

Sie steht vor dem historischen Café und spricht direkt in die Kamera: »Ja, ich kannte Dr. Bernhard Sommerfeldt. Er hat oft bei uns im Café gesessen und Romane gelesen. Er mochte schwarzen Tee und Apfelkuchen mit Sahne, aber auch unseren Baumkuchen fand er unwiderstehlich.« Nach dem kurzen, durchaus sympathischen Werbeblock für ihr Café sagt sie nachdenklich: »Woher soll ich wissen, ob er nach Ostfriesland zurückgekehrt ist und diesen Tido Lüpkes umgebracht hat? Jedenfalls hat er unser Café nicht besucht. Das wäre mir aufgefallen.« Sie lächelt charmant. »Vielleicht war er es wirklich. Er hat ja Frauen nie etwas getan, sondern immer nur Männer umgebracht. Auch in diesem Fall wurde die Frau ja wohl verschont. Das könnte für ihn sprechen. Aber ich weiß auch nicht mehr, als in den Zeitungen steht und was die Leute sich so erzählen.«

Hinter ihr öffnet sich die Tür. Ihr Mann Jörg kommt heraus. Er nimmt seine Frau in den Arm, winkt ab und fordert freundlich, aber bestimmt: »Jetzt lasst es mal gut sein, Jungs.« Er zeigt nach links. »Die Polizeiinspektion ist dort. Fragt da mal besser nach, wer der Täter ist. Das ist deren Job. Wir führen ein Café.«

Der Kameramann protestiert: »Doktor Sommerfeldt war doch Stammkunde bei Ihnen. Das können Sie nicht leugnen!«

»Ja«, kontert Jörg Tapper, »Doktor Sommerfeldt weiß guten Kuchen zu schätzen! Wir haben nie geleugnet, dass er Stammgast bei uns war. Das hat er übrigens mit dem ehemaligen Polizeichef Ubbo Heide gemeinsam. Kommissar Weller, Ann Kathrin Klaasen, sie alle kommen gern hierher. Ich weiß, dass Doktor Sommerfeldt sechs Leute umgebracht haben soll, aber ich kann nichts Nachteiliges über ihn sagen. Er war immer ein angenehmer Gast.«

Monika Tapper bestätigt diese Aussage ihres Mannes gestisch.

Es kommt eine aufgeregte Frage aus dem Off: »Es kann also sein, dass die ostfriesische Polizeiführung hier in Ihrem Café zusammen mit Sommerfeldt in einem Raum gesessen hat?«

Jörg Tapper lächelt: »Das ist sogar sehr wahrscheinlich. Aber die kommen ja auch nicht hierhin, um Personenkontrollen durchzuführen, sondern um …«

Jörg und Monika Tapper stehen wie ein verliebtes Pärchen da, Arm in Arm.

»Außerdem«, gibt Monika Tapper zu bedenken, »war Doktor Sommerfeldt damals ja für uns kein gejagter Serienkiller, sondern ein angesehener Hausarzt aus Norddeich, der bei seinen Patienten sehr beliebt war.«

Das Video ist inzwischen fast zweihundertmal geteilt worden, und mehr als 12 000 Menschen haben es gesehen.

Mir wird ganz warm ums Herz. Ann Kathrin Klaasen hat die Informationen, mit denen sie Beate schaden könnte, vor der Presse zurückgehalten, und die Tappers verlieren kein böses Wort über mich. Ostfriesland ist ein merkwürdiges Pflaster. Die haben echt ihren eigenen Stil. Es ist, als würde es gegen ihre Ehre verstoßen, so etwas zu tun …

10

Im Bayerischen Fernsehen sehe ich Karl-Heinz Lorenz, meinen Ex-Schwiegervater – nein, ich sollte ihn nicht Schwiegervater nennen. Der falsche Hund ist eigentlich nie mein Schwiegervater gewesen, sondern nur der Vater meiner Frau. Ein Schwiegervater steht doch dem Schwiegersohn zur Seite, stützt ihn, diskutiert mit ihm Probleme ... Ich will nicht so weit gehen, dass er für ihn bei der Bank bürgen muss, aber, herrje, ausplündern sollte er ihn auch nicht. Und genau das hat diese miese Ratte getan.

Jetzt sitzt er da, noch feister als zu seinen besten Zeiten, und tönt groß herum. Er habe mir nie wirklich getraut. Da sei etwas Verschlagenes in meinem Blick gewesen. Ich sei ein hochgefährlicher Mann.

Wieder beginnt er diese alte Leier, ich hätte die Firma ausgeplündert, Geld zur Seite geschafft und sie skrupellos gegen die Wand gefahren.

Der alte Sack hätte auch Märchenerzähler werden können. Er hat ja nicht nur seine Tochter gerettet, sondern auch noch all die Arbeitsplätze.

Ich halte es vor dem Fernseher kaum aus. Vor mir auf dem Bildschirm sehe ich diesen Lügner, und gleichzeitig habe ich das Gefühl der immer heftigeren Anwesenheit meiner Mutter. Ich erwische mich dabei, dass ich ein Fenster öffne, um besser Luft zu bekommen. Ich würde mir gern ein Bier aus dem Kühlschrank holen, aber nichts erinnert mich so sehr an meine Mutter wie ein Kühlschrank.

Doch ein Kühlschrank hat ja wenigstens noch eine Funktion: Er sorgt dafür, dass die Speisen nicht zu schnell verderben und die Getränke im Sommer gut gekühlt sind. Meine Mutter war einfach nur eine kalte, verurteilende Kraft.

Meine Wut auf sie steigt ins Unermessliche, und gleichzeitig schäme ich mich dafür. Ich weiß, dass ich nach Franken zurück muss. Nach Bamberg. Alles andere sind nur Ablenkungsmanöver.

Ich muss erst mit mir selbst klarkommen. Dann kann ich mich den anderen Problemen widmen, mich wieder um Beate kümmern, mir diesen Holger Bloem vorknöpfen.

Ich habe erst morgen wieder einen Termin bei Bärbel, aber ich radle einfach in die Bismarckstraße. *Versuch macht kluch*, sagen sie hier. Es tut mir gut, fest in die Pedale zu treten.

Ein kleiner Schauer erfrischt mich und erinnert an Ostfriesland. Dieser Wetterwechsel alle zehn Minuten macht einem klar, wie relativ alles ist. Wie instabil. Gerade noch sitzt man in der Sonne, schon knallt der Regen runter, und bevor man sich abgetrocknet hat, scheint wieder die Sonne. Nordseewetter in Gelsenkirchen …

In Bärbels Hausflur begegnet mir eine Frau mit knielangem roten Rock, schwarzen Nylons und roten Schuhen mit recht hohen Pfennigabsätzen. Sie hat lockige schwarze Haare, ein kantiges Gesicht, und wenn mich nicht alles täuscht, erkenne ich deutlich schwarze Punkte, die auf kurzgehaltene Bartstoppeln hindeuten. Hier will ein Mann eine Frau sein.

Sie lächelt mich mit ihren rot geschminkten Lippen an, so, als sei ich ein Testkandidat für ihre neue Identität. Ich lächle freundlich zurück.

Schön, denke ich, dass es auch andere Menschen mit Problemen gibt. Dann fühle ich mich weniger einsam.

Bei Bärbel riecht es nach Yogi-Tee, nach Zimt, Kardamom und Nelken. Sie ist erstaunt über mein Kommen, wehrt aber keineswegs ab. Sie fragt, ob sie sich vertan hätte. Sie habe sich den Termin für morgen eingetragen.

Ich nicke. »Ja, ich weiß. Aber ich dachte, vielleicht kann ich ganz spontan …«

»Eigentlich geht das nicht«, lächelt sie. »Auch eine Therapie muss sich an Regeln halten. Aber mir ist eine Patientin ausgefallen. Du kannst gerne bleiben, wenn du willst. Möchtest du einen Tee?«

Ich nehme nur zu gern an. »War das«, frage ich und deute mit dem Kopf zur Tür, »eine Transe?«

Lernen Psychologen dieses freundlich-verbindliche Lächeln, das impliziert, dass alles auf der Welt normal ist, eigentlich in ihrer Ausbildung, oder ist es Bärbel zu eigen?

»Nicht jeder Mensch«, antwortet sie ruhig, »fühlt sich in der Familie wohl, in die er hineingeboren wurde. Und einige auch nicht in dem Körper. Heutzutage ist vieles möglich. Man muss nicht mehr ohne Ende leiden.«

Noch bevor wir in ihrem Therapieraum sind und uns gegenübersitzen, sage ich mit einem Becher Yogi-Tee in der Hand: »Meine Mutter verfolgt mich. Obwohl sie ein paar hundert Kilometer von mir entfernt ist. Gerade musste ich aus meiner Wohnung abhauen. Ich hatte Angst, zu ersticken. Ihre Präsenz war einfach zu groß.«

Und wieder dieses lächelnde Wissen, als würde ich ihr nichts Neues erzählen, sondern sie freut sich nur darüber, dass ich es endlich schaffe, die Wahrheit, die sie längst kennt, auszusprechen.

»Es irritiert dich«, sagt sie, »dass du das spürst. Dein Verstand schreit *Kann doch nicht sein, schließlich wohnt sie in einem ganz anderen Bundesland.* Aber deine Gefühle sprechen eine andere Sprache.«

Ich gebe ihr recht und trinke einen Schluck von dem Tee. Ich finde ihn sehr süß.

»Manche Menschen«, erklärt Bärbel, »machen diese Erfahrung sogar mit Toten.«

»Das hört nie auf?«, frage ich.

»Nein.« Sie legt ihre rechte Hand auf ihre Brust. »Das kannst du nur in dir selbst verändern. Durch äußere Ereignisse ist es kaum möglich. Nicht mal der Tod ändert da viel. Manchmal wird es danach sogar noch viel heftiger.«

»Glaubst du an Geister?«

»Das meine ich damit nicht. Wenn ein Mensch einen anderen tief geprägt, vielleicht tief verletzt hat, heilt diese Wunde nicht dadurch, dass der andere stirbt.«

Das erzählst du dem Richtigen. Ich habe ja gerade in letzter Zeit versucht, einige Probleme dadurch zu lösen, Leute vom Diesseits ins Jenseits zu befördern. Bitte erzähl mir jetzt nicht, das sei alles sinnlos gewesen.

Gestisch bittet sie mich in den Therapieraum. Ich setze mich in den Ohrensessel. Aber sie nimmt diesmal nicht gegenüber Platz, sondern geht nach nebenan. Sie holt einen Stuhl und stellt den zwischen uns.

»Was soll das?«, frage ich.

Bärbel setzt sich, schlägt die Beine übereinander, faltet überm rechten Knie die Hände und sieht mir gerade in die Augen. »Ich schaffe einen Platz für deine Mutter.«

»D… das will ich nicht.«

»Beginnst du zu stottern?«

Ich schüttle den Kopf, kriege aber kein Wort mehr heraus. Innerlich werde ich zu Johannes Theissen, dem Sohn meiner Mutter.

Von wegen Hans Fallada, von wegen Dr. Sommerfeldt – jetzt bin ich nur noch das kleine Würstchen Theissen.

»Sie macht dich fast stumm, was? Ich denke, es wird Zeit, dass du dich ihr stellst. Sie ist ja sowieso da.«

»J... jetzt will ich das nicht.«

»Du sitzt da wie ein kleiner Junge, der bitte-bitte macht und hofft, einer bösen Strafe zu entgehen.«

»So fühle ich mich auch.«

»Es gibt eine Möglichkeit, diesen ganzen Druck loszuwerden. Es gibt vieles, das du ihr immer schon mal sagen wolltest, aber dich nie getraut hast, stimmt's?«

Ich kann nicht mal antworten. Ich schlucke nur.

»Hier kannst du es loswerden. Sag es dem Stuhl, als sei er deine Mutter.«

Jetzt, da ich es niederschreibe, kommt es mir merkwürdig vor. Irreal. Aber das war es nicht.

Ich gebe es zu, ich war kaum in der Lage, mit dem Stuhl zu sprechen. Bärbel stand auf und setzte sich neben mich auf die Lehne. Sie legte eine Hand zwischen meine Schulterblätter, um mich zu unterstützen, aber ich war trotzdem nicht in der Lage, meine Gefühle dem leeren Stuhl gegenüber rauszulassen.

Wie viele Menschen muss ich noch umbringen, um das endlich hinzukriegen? Was macht mich, verdammt nochmal, so hilflos?

Ich habe keine Ahnung, wie viel Zeit vergangen ist. Ich sitze immer noch völlig verkrampft da und starre diesen dämlichen Stuhl an, sehe ihn aber gar nicht, sondern nur meine Mutter. Und sie guckt durch mich hindurch, als sei ich ihr peinlich.

Ja, genau so ist es – diese spöttisch verzogenen Mundwinkel wollen mir sagen: Nicht mal das kannst du. Was habe ich nur für einen Versager in die Welt gesetzt? Du willst ein gefürchteter Serienmörder sein? Sitzt aber bei deiner Therapeutin, ringst mit den

Tränen und redest mit leeren Stühlen – sofern du das überhaupt hinkriegst …

In meinem Körper baut sich immer mehr Spannung auf. Schließlich kann ich nicht mehr sitzen bleiben. Ich schieße hoch und stampfe wütend mit dem Fuß auf.

Bärbel steht schräg hinter mir. Ich spüre ihre Hand im unteren Bereich meines Rückens. Durch ihre Handfläche merke ich erst, wie sehr ich zittere.

Ich drehe mich um. Jetzt habe ich den Stuhl in meinem Rücken. Bärbel steht vor mir, und – ich schäme mich fast, es zu schreiben – sie nimmt mich in den Arm, und ich heule beinahe.

»So«, sagt sie, »wärst du als Kind gern in den Arm genommen worden. Erinnerst du dich?«

Jetzt fließen meine Tränen tatsächlich, denn mir wird klar, dass ich so eine mütterliche Umarmung nie erlebt habe, oder ich habe es vergessen.

Bärbel riecht nach Vanille und Kokos, wie mein Lieblingseis, als ich klein war.

»Wir haben«, sagt sie, »noch einen langen Weg vor uns. Aber wir werden ihn gemeinsam gehen.«

Ich frage gar nicht, was ich schuldig bin. Ich lasse hundert Euro da, viel mehr, als sie für so eine Sitzung verlangt, und ich fühle mich, als ich das Haus verlasse, wie ein Freier, der sich aus dem Bordell schleicht, in der Hoffnung, von niemandem gesehen zu werden.

11

Ich muss nach Franken. Ganz klar. Am liebsten würde ich die ganze Bande einfach kaltmachen! Mein Einhandmesser ist geradezu blutrünstig geworden.

Ich habe mir bei einem anderen Autoverleiher einen Bus gemietet. Ich werde nicht gerne irgendwo Stammkunde. Ich will keine Beziehungen aufbauen, keinem die Möglichkeit geben, zu viel zu erfahren. Ich muss verhindern, dass irgendein Autoverleiher am Ende eins und eins zusammenzählt.

»Immer wenn dieser langhaarige Künstlertyp sich bei mir einen Bus geliehen hat, gab es danach einen Toten, und wenn ich die Kilometer zusammenzähle, die er gefahren ist, dann passt das jedes Mal gut. Er kann mit dem Wagen genau einmal hin- und wieder zurückgefahren sein.«

Nein, solch kleine Detektive muss ich von mir fernhalten. Wenn man ein Auto mietet, braucht man fast immer eine Kreditkarte. Für Menschen wie mich ist es wichtig, Kreditkarten zu haben.

Es ist nicht schwer, eine zu bekommen. Sie drängen sie einem regelrecht auf. Und solange das Konto immer gedeckt ist, scheint es keinerlei ernsthafte Überprüfungen zu geben. Ich achte peinlich darauf, dass nie eins meiner Konten ins Minus gerät. Notfalls verkaufe ich Goldmünzen und überweise mir von einem Konto Geld aufs andere. Es entsteht ein Kreislauf. Aber ich weiß natürlich, wenn eine meiner Identitäten auffliegt, bricht der gesamte Kreislauf zusammen. Also muss ich mehrere, völlig voneinander unabhängig kursierende Geldkreisläufe in Fluss halten.

Ich könnte ein Handbuch für Kriminelle herausgeben: *Wie trickse ich den Staat am besten aus?*

Ich hatte es mir schwieriger vorgestellt. In Wirklichkeit ist es ganz einfach. Die Welt will beschissen werden. Vielleicht halten sich nur die Dummen an die Regeln. Die ganz Braven und Angepassten.

Am Gelsenkirchener Hauptbahnhof sah ich einen an die Wand gesprühten Spruch: *Kein Mensch ist illegal. Nirgendwo!*

Das gefällt mir. Aber egal, wie großzügig man alle Gesetze auslegt, einer wie ich wird immer illegal bleiben. Eine legale Existenz gibt es für mich höchstens im Knast.

Ich fahre nachmittags los, um abends in Franken zu sein. Aber je näher ich meiner Geburtsstadt komme, umso mulmiger wird mir. In Ostfriesland habe ich manchmal das flache Land, die Weite, als Freiheit empfunden. Jetzt geht es mir genau umgekehrt. Es wird hügelig und bergig, es geht nicht mehr geradeaus, sondern bergauf und bergab, und ich werde kurzatmig.

Ist das eine Panikattacke? Ich lasse links und rechts die Fenster herunter. Ich höre meinen Atem rasseln. Mein Herz rast. Ich fahre auf der rechten Spur mit hundertfünfunddreißig.

Ich höre Meat Loafs *Heaven can wait,* und sosehr ich diesen Song liebe, rebelliert etwas in mir. Am liebsten würde ich auf der Autobahn umdrehen, als Geisterfahrer die letzten Kilometer zurücklegen und die erste mögliche Ausfahrt nehmen. Das Fahren gegen den Verkehrsstrom scheint mir ungefährlicher zu sein, als der Autobahn nach Franken weiter zu folgen.

Ich habe mir vorsichtshalber kein Zimmer in Bamberg genommen, sondern in Hirschaid im Hotel Göller ein Doppelzimmer gebucht. Ich habe meinen schwedischen Aliasnamen genannt. Ein Doppelzimmer ist so schön unverdächtig. Die Polizei glaubt ja sicherlich nicht, dass ich mit einer Freundin unterwegs bin, sondern sie jagen einen Einzelgänger.

Ich habe es schon ziemlich weit geschafft. Bei der Ausfahrt Haßfurt bin ich in Schweiß gebadet und kurz davor, auf den Seitenstreifen zu fahren, um auszusteigen und Luft zu schnappen. Die Dunkelheit hilft mir. Das weiß ich. Aber noch ist es nicht dunkel genug. Ich werde eine Art Vampir, der das Tageslicht meidet und nachtaktiv ist.

Kurz vor Hirschaid muss ich doch rechts ran. Ich übergebe mich. Es tut gut, alles herauszukotzen.

Im Hotel Göller verleihen sie auch Fahrräder. Ich nehme gerne eins.

Ich dusche heiß und lege mich nackt aufs Bett. Ich sehe meine Haut dampfen. Ein paar Mücken im Raum wollen die Gelegenheit nutzen und sich an meinem Blut laben. Ich erschlage drei mit der Hand auf meinem Körper. Ich sehe sie als kleine Blutflecken mit zerquetschten Flügeln. Eine auf meinem Oberschenkel, eine nicht weit von meinem Bauchnabel entfernt und die andere auf meiner linken Schulter. Ihre toten Körper zu betrachten, tut mir gut. Es erleichtert mich irgendwie. Es ist wie eine Botschaft. Es gibt einen Ausweg.

Es sind noch mehr Mücken im Raum. Ich kann sie brummen hören, aber sie greifen mich nicht mehr an. Vielleicht sind sie intelligent genug, um die Nachricht zu verstehen: Vorsicht! Wenn man sich dem Typen nähert, wird es gefährlich.

Ich will mir alles ansehen. Mein ehemaliges Elternhaus in der Gärtnerstadt. Unsere Fabrik.

Ich will sehen, wie Miriam und ihr Moritz von Rosenberg jetzt leben.

Ich bin wohl sehr erschöpft. Auf dem Bett liegend nicke ich ein. Ich träume davon, meine ganze Familie auszurotten.

Nein, stimmt nicht ganz. Ich träume davon, zuerst meinen Schwiegervater zu erdolchen. Im Gegensatz zu meinen früheren Opfern schlitze ich ihn im Traum auch noch richtig auf. Dann nehme ich mir Miriams Neuen vor. Als er mich sieht, zittert er. Sein Speichel zieht lange Fäden. Er kriegt kein Wort heraus und wird vor Angst ohnmächtig. So macht es keinen Spaß, ihn zu töten. Ich piekse ihn mit dem Messer, damit er wach wird. Er soll mitkriegen, was geschieht …

Als ich erwache, bin ich wieder schweißgebadet. Ich müsste im Grunde gleich noch mal duschen.

Meiner Mutter und meiner Exfrau habe ich im Traum nichts getan. Oder bin ich nur zu früh wach geworden?

Aber direkt auf meiner Stirn sitzt jetzt eine frech gewordene Mücke und labt sich an meinem Blut. Ich klatsche gegen meine Stirn und zermatsche so den Blutsauger.

Ich will mir die Blutflecken mit einem Handtuch abwischen, aber ich verreibe sie nur. Die Mückenkörper zerbröseln zu feinem Staub. Mein eigenes Blut hinterlässt kleine Fäden. Vielleicht ist es nicht mal mein Blut, sondern sie haben sich vorher schon an anderen Hotelgästen vollgesogen …

Jetzt ist es dunkel genug. Ich beschließe, mit dem Rad nach Bamberg zu fahren. Über die Brücke und dann links am Kanal entlang. Es sind zehn, zwölf Kilometer. Es tut mir gut, fest zu strampeln. Wenn die Oberschenkel heiß werden, beginne ich mich zu spüren. Brauche ich große Anstrengungen, um meinen Körper überhaupt noch wahrzunehmen?

In der Altstadt stelle ich mein Rad ab und gehe zu Fuß weiter.

Im Ambräusianum esse ich Krusten-Schäuferla mit Wirsing und Kloß. In Ostfriesland einen guten Kloß zu bekommen, ist ja nicht ganz einfach. Das Essen hier ist urfränkisch und schmeckt mir. Auch das selbstgebraute Bier passt dazu.

Ich bin nicht weit vom Live-Club entfernt. Da war ich früher manchmal, um so richtig abzurocken. Ich sehe ein Plakat. Heute spielt *Generation Six*.

Als ich sie zum letzten Mal gesehen habe, war mein Leben noch ein anderes. Ich studierte Medizin, glaubte, dass meine Frau mich liebt, mein Vater hatte noch keinen Schlaganfall und war noch nicht dement geworden, sondern leitete eine erfolgreiche Modefirma. Es sah aus, als hätte ich ein schönes, privilegiertes Leben vor mir. Irgendwann würde ich meine eigene Arztpraxis in Bamberg eröffnen und nach dem Tod meiner Eltern die Firma verkaufen. Ein gesichertes Leben im Wohlstand erwartete mich.

Alles Schnee von gestern. Alles Lug und Trug. Die Schlösser waren Luftschlösser. Ich war längst eingewoben in ein Spinnennetz aus Intrigen und dunklen Machenschaften.

Meine Frau hatte längst einen Geliebten, und diese Firma würde mir niemals gehören, sondern, wenn überhaupt, dann würde ich der Firma gehören. So war es geplant.

Damals war Miriam mit mir im Live-Club, und als ich bei *Easy Livin'* so richtig abging, verließ sie geradezu empört die Tanzfläche. Die ganze Atmosphäre hier passte ihr nicht, und es gehörte sich auch nicht, dass jemand so ausflippte wie ich.

Ich glaubte damals, einen Fehler gemacht zu haben und lief hinter ihr her. Auf dem teilweise überdachten Hinterhof konnten wir die Band zwar noch hören, aber nicht mehr sehen. Ich versuchte, Miriam zu beruhigen.

Heute weiß ich, dass ich keine Chance hatte. Sie wollte abhauen und mich blöd stehenlassen. Sie wollte zu ihrem Lover.

Das Publikum im Live-Club ist gemischt. Es sind viele in meinem Alter da, die meisten so zwischen dreißig und fünfzig, aber auch eine Menge junge Metaller und Rocker. Sie tragen T-Shirts mit den Namen ihrer Lieblingsbands.

Mit meinem Van-Dyck-Bärtchen und meinen langen, zum Zopf gebundenen Haaren, passe ich gut hierhin. Ganz so lang wie die Haare des Sängers und des Keyboarders sind meine nicht, aber der Keyboarder Konstantin nickt mir zu. Sein Bruder Maximilian ist der Sänger. Ich habe die beiden Raab-Brüder mal in Straßgiech beim Giecher Bäck nach einem Konzert getroffen. Hinten in der Backstube wird bis zum frühen Morgen Leberkäs verkauft. Ich hab ein Quattro gegessen, genau wie Maximilian, Chili-Leberkäs mit drei Käsesorten im Brötchen.

Ich habe den beiden gesagt, wie geil ich die Mucke von *Generation Six* finde, obwohl ich sonst nicht auf Coverbands stehe, denn meistens ist das Original einfach viel besser. Coverbands, die versuchen, Note für Note nachzuspielen, einfach zu imitieren, sind oft seelenlos. Die Jungs von *Generation Six* hingegen leben das Ganze noch. Bei ihnen knallt es so richtig. Viel besser als auf den CDs, finde ich. Sie covern nämlich Liveversionen.

Ja, ich steh drauf, wenn junge Leute alte Songs spielen und denen damit ganz neues Leben einhauchen.

Es ist genau richtig für mich, heute Abend hier dabei zu sein, noch mal einzutauchen in meine alte Welt, zu spüren, wie es mir früher ging und wie heute. Danach kann ich sie mir immer noch holen, meine poplige Verwandtschaft, und einen nach dem anderen umlegen.

Das Einhandmesser in meiner Tasche scheint zu glühen. Wenn ich es berühre, jagt ein Energieschock zunächst in meine Fingerspitzen und dann durch meinen ganzen Körper. Ich spüre das Kribbeln bis unter die Fußsohlen.

Für einen wie mich, der in der Tiefe seines Herzens immer noch fürchtet, doch erkannt zu werden, ist es hier ideal. Wenig Licht, dunkles Holz ... Ich gehe zu den Sitzplätzen an der Bar und genehmige mir noch ein Bier.

Die Band spielt *Paranoid* von *Black Sabbath*. Zum ersten Mal haut mich dieser Text richtig um.

Finished with my woman
'cause she couldn't help me with my mind

Maximilian singt auf Englisch, aber ich kann nicht anders. Die Worte dringen auf Deutsch in mich ein. Ich übersetze sie mir, und es ist, als würde er sie für mich singen, als hätten *Black Sabbath* mein Leben in Lyrik gegossen.

Die Leute meinen, ich hätte sie nicht alle,
weil ich immer düster dreinschaue.
Den ganzen Tag denke ich über Dinge nach,
aber nichts scheint mich zu befriedigen.
Ich glaube, ich verliere den Verstand,
wenn ich nichts finde, das mich beruhigt.

Ich denke an meine Beate in Ostfriesland. In ihrer Nähe fühlte ich mich oft verstanden, auch wenn ich nicht wirklich sagen konnte, wer ich bin. Ähnlich geht es mir mit meiner Therapeutin Bärbel.

Ich brauche jemanden, der mir die Dinge zeigt,
die ich im Leben nicht finden kann.
Ich kann die Dinge nicht sehen,
die einen wirklich glücklich machen.
Ich muss blind bleiben.

Als ich das Bier zum Mund führen will, gieße ich mir versehentlich etwas übers Hemd, als sei ich zu dämlich zu trinken oder als würden meine Hände zittern.

In der ersten Reihe sehe ich eine Frau mit dunklen Haaren. Ich schätze sie auf knapp fünfzig. Sie tanzt mit und himmelt die Jungs auf der Bühne an, dabei hat sie die ganze Zeit Tränen in den Augen. Neben ihr ist vermutlich ihr Mann. Auch er rockt begeistert ab.

Diese Frau hat eine besondere Verbindung zur Band, das spüre ich deutlich. Und kurz danach erfahre ich auch schon, welche. Der Leadsänger Maximilian kündigt an, dass sie den nächsten Song für »unsere Mutter und unseren Stiefvater Ludwig« spielen. *Aqualung* von *Jethro Tull*.

Es haut mich fast vom Stuhl. Die Frau, die so begeistert mitmacht, ist also ihre Mutter. Beglückt, mit Tränen in den Augen, sieht sie ihren Jungs zu.

Das hätte sich der kleine Johannes Theissen auch gewünscht. Es führt mich zu einem tiefen Schmerz. Ich stelle mir vor, wie es wäre, wenn ich auf der Bühne gestanden hätte, mit langen Haaren, Hardrock spielend. Mich hätte nur der verachtende Blick meiner Mutter getroffen. Ach, nicht mal das. Sie würde so einen Club im Leben nicht besuchen. Das ist einfach meilenweit unter ihrem Niveau, findet sie.

In diesem Moment beneide ich Konstantin und Maximilian Raab so sehr. Am liebsten würde ich hingehen und ihre Mutter umarmen. Ja, ich habe den Impuls, Maximilian das Mikrophon abzunehmen und hineinzubrüllen: »So muss eine Mutter sein! So! Nicht wie meine kalte Ziege!«

Ich halte es nicht länger aus. Ich muss den Live-Club verlassen.

Ich gehe eine Weile draußen im Kreis herum. Ich mache nur sehr kleine Schritte, komme mir vor wie ein Gefangener, der im Innenhof der JVA Freigang hat. Meine Lunge rasselt.

Ich steige aufs Rad und fahre in die Gärtnerstadt zu meinem Elternhaus.

Bin ich wirklich dorthin unterwegs, um meine Mutter zur Rede zu stellen?

Während ich in die Pedale trete, stelle ich mir vor, an ihre Tür zu klopfen und ihr all das zu sagen, was ich dem Stuhl in Bärbels Praxis nicht sagen konnte. Aber ich habe schon jetzt einen Kloß im Hals. Mein Kopf ist leer. Mir fällt nichts ein.

Vielleicht sollte ich sie einfach packen und in den Live-Club schleifen und sie anbrüllen: »So ist eine Mutter! So!« Aber dazu bin ich heute noch nicht in der Lage. Sie könnte mich mit einem Blick und ein paar Worten so klein machen, dass ich geradezu zum Insekt werden würde.

Ich fahre zurück zu meinem Hotel in Hirschaid. Ich fühle mich wund und geschlagen, feige und inkonsequent. O ja, ich könnte sofort nach Ostfriesland zurückfahren und irgendeinen Typen umbringen, der auch nur ein paar schlechte Worte über Beate gesagt hat. Aber ich bin verdammt nochmal nicht in der Lage, meiner Mutter gegenüber ein paar klare Worte zu formulieren.

12

Im Hotel halte ich es nicht aus. Das Zimmer, so gemütlich es auch eingerichtet ist, wird mir gerade zum Gefängnis. Am liebsten würde ich draußen schlafen, mit Blick in den Sternenhimmel.

Ist es bereits die Ahnung, dass man mich bald inhaftieren wird? Dass meine Zeit abläuft und ich den Rest meines Lebens gesiebte Luft atmen werde?

Zum Glück habe ich einen kleinen Balkon. Ich könnte mich darauf legen, aber ich muss mich bewegen, kann nicht stillsitzen oder liegen. Ich tigere durchs Zimmer, schreite den Balkon ab und beginne zu ahnen, wie sich eingesperrte Raubtiere fühlen. Nein, das Gefängnis ist nichts für mich. Lebend sollten sie mich besser nicht kriegen.

Ich muss noch etwas tun, etwas unternehmen. Mir selbst beweisen, dass ich noch nicht verloren bin. Meine Wut braucht ein Ventil. Ich weiß nicht mal, ob es Wut auf mich selbst und meine Unfähigkeit ist, mich meiner Mutter zu stellen, oder ob es eine abgrundtiefe Wut auf sie ist.

Wie kann man so wütend und gleichzeitig so wehrlos sein?

Ich verlasse das Hotel sehr leise. Ich will die anderen Gäste nicht wecken.

Ich packe das Fahrrad hinten in meinen Bus und fahre nach Haßfurt. Die Straßen sind leer. Ich hole alles aus dem Wagen.

Was will ich mir beweisen, indem ich jetzt so unsinnig Gas gebe, als könnte ich es nicht abwarten, ans Ziel zu kommen? Ich denke an Bertolt Brecht und sage mir das Gedicht *Radwechsel* auf. Gedichte helfen mir manchmal.

Ich sitze am Straßenhang.
Der Fahrer wechselt das Rad.
Ich bin nicht gern, wo ich herkomme.
Ich bin nicht gern, wo ich hinfahre.
Warum sehe ich den Radwechsel
mit Ungeduld?

Tatsächlich fahre ich jetzt langsamer. Der Zwang, mit dem rechten Fuß das Gaspedal ganz nach unten zu drücken, verfliegt.

Am Rand von Haßfurt hat der saubere Herr von Rosenberg, der so gerne adlig wäre, einen alten Bauernhof gekauft – vermutlich für einen Apfel und ein Ei. Ich wette, er hat den Besitzer übern Tisch gezogen. Jedenfalls hat er das Ding groß um- und ausbauen lassen. Vom Bauernhof zur Zwölf-Zimmer-Villa. Von der Scheune zum Ballsaal.

Ich stelle den Wagen gut einen Kilometer vorher ab und benutze ab jetzt wieder das Rad. Mein Arztköfferchen ist bei mir. Es verleiht mir Identität. Mit ihm werde ich zu Dr. Sommerfeldt und komme raus aus der Haut des in Bamberg geborenen Johannes Theissen. Nie wieder will ich zu dem werden. Nur als Johannes Theissen werde ich vor einem Stuhl stumm. Als Dr. Sommerfeldt könnte ich ihn in Stücke hacken.

Ich steige vom Rad ab, lehne es an einen Baum und gehe den Rest des Weges zu Fuß. Es herrscht Stille. Irgendein nachtaktives Tier huscht vor mir über den Weg. Es ist so dunkel, dass ich nicht mal erkenne, ob es eine Ratte oder ein Eichhörnchen ist.

Rosenberg hat eine Art Herrensitz aus dem Hof machen lassen, wo er sich vermutlich nach Gutsherrenart wohl fühlt. Das Gebäude liegt in einem parkartigen Gelände mit altem Baumbestand.

Im Haus sind Lichter an. Oben und unten.

Und verdammt, jetzt habe ich Reinhard Meys Stimme im Ohr:

Vielleicht liegt es daran, dass man von draußen meint
Dass in euren Fenstern das Licht wärmer scheint.

Ich gehe näher auf den Gebäudekomplex zu und summe: »Was ich noch zu sagen hätte, dauert eine Zigarette, und ein letztes Glas im Steh'n.«

Was bin ich nur für ein sentimentaler Hund? Hier wird alles anders verlaufen. Erstens bin ich Nichtraucher, und zweitens ist das Licht in euren Fenstern nicht warm, sondern erinnert mich an eine Schlachthausatmosphäre. Und das ist es auch, was ich am liebsten anrichten würde: ein Schlachtfest.

Nein, ich werde es nicht tun. Ich werde ein braver Junge sein. Ich will nur sehen, wie ihr lebt. Und so gerne würde ich euch konfrontieren. Ihr könnt Interviews im Fernsehen geben. Ich muss schweigen, denn ich befinde mich auf der Flucht vor der Polizei. Ihr Saubande!

Ich mache einen falschen Schritt oder komme einfach dem Gebäude zu nahe und stehe im gleißenden Scheinwerferlicht. Erst jetzt erkenne ich die ganze Wahrheit. So wohnt jemand, der wirklich Angst hat! Hohe Maschendrahtzäune, Bewegungsmelder, Kameras überall, und dieses verdammte Licht. Das Grundstück ist gesichert wie Fort Knox.

Ich halte mir die Hände vor Augen. Ich will nicht erkannt werden, und dieses Licht macht mich fast blind. Ich höre Hunde bellen. Aggressive Hunde. Abgerichtete Wachhunde. Ich sehe sie nicht, aber ich stelle mir Pitbulls vor.

Ich will zu meinem Fahrrad laufen. Ich stolpere und falle hin. Schnell raffe ich mich wieder auf. Ich verlasse den Weg, schlage mich lieber seitlich zwischen den Bäumen und Büschen durch, aber ich bin nicht der kaltblütige Sommerfeldt. Ich verliere die Orientierung, weiß nicht genau, wo mein Rad steht. Bis zum Auto ist es zu weit.

Äste schlagen in mein Gesicht. Ich höre dieses typische metallische Klicken, wenn jemand eine Schusswaffe durchlädt, und es lähmt mich fast.

Ich muss jetzt von Johannes Theissen zu Dr. Bernhard Sommerfeldt umschalten. Es nutzt mir auch nichts, in die Identität eines morphinsüchtigen, sensiblen Dichters zu schlüpfen. Als Fallada, sprich Rudolf Dietzen, bin ich jetzt genauso verloren wie als Johannes Theissen.

Ein Mann kommt auf mich zu. Er hat ein Gewehr in der Hand. Er hält es auf mich gerichtet. Ich erkenne sein Gesicht nicht, aber durch seine Umrisse weiß ich, wer es ist: Der Drecksack persönlich. Karl-Heinz Lorenz. Mein ehemaliger Schwiegervater. Der angebliche Firmenleiter.

»So, Bürschchen«, sagt er, »du siehst scheiße aus. Wie ein heroinsüchtiger Hippie.«

Soll ich dem Ignoranten erklären, wer der flämische Barockmaler Anthonis van Dyck war? Ich hebe die Hände.

Das gefällt ihm. Er kommt näher. Er stochert mit dem Gewehrlauf vor mir in der Luft herum, als wäre es ein Bajonett, mit dem er mir in die Brust stechen möchte.

»Wir wussten, dass du eines Tages kommen würdest. Ich habe gehofft, dass wir dich kriegen, bevor die Polizei dich hat. Ich denke mal, wir werden die Sache hier und jetzt beenden. An langen Gerichtsprozessen ist uns doch allen nicht gelegen, oder? Natürlich hättest du große Lust, dem Richter deine Geschichte aufzutischen, den Namen meiner Tochter zu beschmutzen, das Firmenlogo in den Dreck zu ziehen. Es ist für uns alle besser, wenn ich dich bei dem Versuch, in unser Haus einzudringen, erschieße.«

»Ja«, sage ich. »das glaube ich auch. So ein Prozess könnte für euch wirklich sehr unangenehm werden. Besonders für dich, Arschloch. Wohin habt ihr das Geld verschoben? Steckt es in dem popligen umgebauten Bauernhof da? Habt ihr mich dafür geopfert? Für ein bisschen Wohnkomfort? Ein neues Auto für jeden? Und schönen Urlaub für alle? Reichte das aus?«

Er lacht. »Du hast doch überhaupt keine Ahnung. Statt deine Nase in Romane zu stecken, hättest du lieber mal die Buchführung kontrollieren sollen. Ich habe alle Kunden zurückgewonnen, die dir von der Fahne gegangen sind.«

Ich bitte nicht um Gnade. Ich versuche nicht, abzuwiegeln. Ich betrachte mich geradezu von außen, höre, dass ich »Arschloch« zu ihm sage, ihn immer noch mehr provoziere und darin bestärke, mich umzubringen. Ist das meine selbstzerstörerische Ader, oder übernimmt langsam der Sommerfeldt in mir die Handlungsführung? Und für den ist der Typ vor mir nur ein lästiges Insekt.

»Darf ich«, frage ich und weiß selbst noch nicht, worauf ich hinauswill, es ist, als würde Sommerfeldt eine Finte vorbereiten, Zeit gewinnen wollen, »vorher noch mit meiner Frau sprechen? Ich würde mich gerne von ihr verabschieden.«

»Sie ist nicht mehr deine Frau, du Versager.«

»Stimmt«, höre ich mich sagen. »Sie ist es im Grunde nie gewesen. War es von Anfang an euer Plan, den Laden zu übernehmen? Hat sie mir deshalb schöne Augen gemacht, oder hat sich das Ganze erst langsam entwickelt, als ihr gemerkt habt, wie leicht es ist, so ein Millionenunternehmen zu kapern?«

Es ist, als würde er sich durch meine Worte geschmeichelt fühlen. Er wiegt den Kopf hin und her. Während er spricht, höre ich Schmatzlaute. Kaut der ein Kaugummi, während er mit mir redet? Oder macht er nur den Joker nach, der gegen Batman kämpft? Irgendwie erinnert er mich jetzt an Heath Ledger, nur sieht er viel hässlicher aus, ist älter und gut dreißig Kilo schwerer.

»Ihr habt es uns leichtgemacht, du Depp! Dein verblödeter Vater ...«

Zornig schreie ich ihn an: »Mein Vater ist nicht verblödet! Er hatte einen Schlaganfall und ist dement geworden! Der war cleverer als ihr alle zusammen!«

Er geht einen Schritt zurück. Meine Worte haben ihn erschreckt. Oder spürt er die aufkeimende Sommerfeldt-Energie? Hat nicht der Joker gegen Batman am Ende immer den Kürzeren gezogen?

»Ich glaube, dein Vater hat sehr darunter gelitten, so einen Sohn gezeugt zu haben. Vielleicht war er es ja gar nicht, sondern der Briefträger, hahaha. Was ich mir bei deiner Mutter allerdings kaum vorstellen kann. Überhaupt kann ich mir nur schwer vorstellen, dass sie jemals Sex hatte. Ich bin ja sonst kein Kostverächter, aber in dem Fall ...«

Ich muss irgendwie an mein Messer kommen, aber wenn ich meine Hand in die Tasche stecke, wird er sofort schießen.

Er steht mit dem Rücken zum Licht. Ich schaue direkt hinein. Er hält die Waffe auf mich gerichtet, den Finger am Abzug. Ich habe keine guten Karten.

Ich muss meine Situation verbessern.

»Kann ich also«, frage ich, »mit deiner Tochter sprechen? Kann ich mich verabschieden?«

»Nein.«

»Hast du Angst, dass sie weich wird? Dass sie um mein Leben bittet? Und dann willst du als Vater nicht hartherzig sein?«

Er lacht gemein. »Wenn ich dich abknalle, wird die ganze Welt erleichtert sein. Du hast sechs Leute auf dem Gewissen. Ich werde mit einem einzigen Schuss zum Helden. Auch für meine Tochter. Kaum jemand wird glücklicher sein.«

»Lebt ihr in Angst?«, frage ich.

Langsam senke ich meine Hände. Ich halte sie jetzt nicht mehr hoch in den Himmel gereckt, sondern auf Schulterhöhe. Immer noch viel zu weit weg von meinem Messer.

Jetzt atme ich tiefer, stehe anders, finde meinen Mittelpunkt, werde ganz ruhig. Mein Theissen-Ich ist gegangen. Der Schriftsteller Fallada alias Rudolf Dietzen schaut gespannt zu, was passiert, während Sommerfeldt versucht, eine Niederlage in einen Triumph zu verwandeln.

Ich überlasse mich ihm. Ich höre mich mit veränderter Stimme sprechen. Nicht zum Ex-Schwiegervater, sondern mit irgendwelchen anderen. Deren Anwesenheit mir im Grunde noch verborgen ist. Ich weiß nicht, worauf Sommerfeldt hinauswill. Ich bin noch nicht komplett er. Aber ich lasse ihn gewähren.

Theissen würde uns nur weiter reinreiten, und Rudolf Dietzen findet das alles als literarischen Stoff interessant, hat aber gar nicht das Gefühl, selbst Teil des realen Geschehens zu sein. Der Schriftsteller in mir hat den Stift gezückt und den Block fest in der Hand. Ihm wird nichts entgehen.

Mit jedem Wort werde ich zum Glück mehr zu Sommerfeldt und begreife seinen Plan.

»Mir reicht's jetzt, Jungs. Mehr ist nicht drin. Ich hab keine Lust mehr. Packt ihn euch. Ich denke, ihr habt genug gehört«, sage ich in die Dunkelheit hinein.

Ich sehe zwei nervöse weiße Augäpfel vor mir. Karl-Heinz tritt unruhig von einem Bein aufs andere. »Darauf falle ich nicht rein. Keine Fisimatenten. Die Party ist gelaufen.«

»Dann schieß doch, Arschloch«, sage ich, jetzt vollständig als Sommerfeldt. »Ich habe sowieso nichts mehr zu verlieren. Es ist mir viel lieber, du knallst mich ab, als wenn ich den Rest meines Lebens im Knast sitze. Das hier ist der letzte Gefallen, den ich dem Staatsanwalt tun konnte. Hast du wirklich geglaubt, die Polizei ermittelt so armselig, dass sie mich nicht kriegen? Vor zwei Wochen bin ich ihnen ins Netz gegangen. Das hier ist der Deal, den ich mit ihnen abgeschlossen habe. Sie kriegen dich, deine saubere Tochter, meine Mutter – die ganze Mischpoke. Allein die hinterzogenen Steuern dürften ausreichen, um eine neue Schule zu bauen, wenn ihr sie nachzahlt. Ich kriege dafür freien Zugang zur Gefängnisbibliothek.« Ich versuche zu lachen. »Natürlich werde ich mich nie wieder frei bewegen können. Aber auch im Gefängnis gibt es gewisse Annehmlichkeiten, und dafür liefere ich dich gerne ans Messer. Wenn du jetzt abdrückst, werden für dich ein paar Jahre mehr draus. Mord, um die Tat zu verdecken? Dafür sitzt du genauso lange wie ich. Da nutzt dir das Geld auf dem Konto auch nichts mehr, das wird eh beschlagnahmt werden. Na komm, mach schon – schieß!«

Ich habe ihn! Er wird unsicher. Wie schön!

Er guckt nach links und rechts, will herausfinden, ob ich die Wahrheit sage oder nicht.

Und für den Bruchteil einer Sekunde ist die Mündung des Gewehres nicht mehr auf die Mitte meines Körpers gerichtet, sondern zeigt auf meine linke Hüfte. Die könnte zerfetzt werden.

Also springe ich nach rechts vorn. Als der Schuss sich löst, stehe ich schon neben dem Gewehrlauf.

Ich ramme ihm meinen Ellbogen ins Gesicht und packe das Gewehr mit beiden Händen.

Er versucht, es festzuhalten. Sein Finger ist noch am Abzug. Ich höre ihn brechen, als ich ihm das Gewehr entwinde.

Da liegt er jetzt im Scheinwerferlicht und jammert, während es mir als Dr. Sommerfeldt großartig geht.

Ich lehne das Gewehr an einen Baum, ziehe mein Einhandmesser, lasse die Klinge herausschnappen und beuge mich über ihn. Er robbt rückwärts, dabei starrt er mich mit angsterfüllten Augen an. Er rechnet damit, dass ich ihm das Messer ins Herz ramme, mit diesem sauberen Todesstich bin ich ja praktisch berühmt geworden.

Aber so einen schnellen Tod gönne ich ihm nicht. Ich lasse die Klinge langsam an seinem Hals entlang über sein Kinn schaben, als wollte ich ihn rasieren, dann schiebe ich sie ihm ins linke Nasenloch. Sein Nasenflügel beult sich aus. Er japst kurzatmig.

»Kennst du Chinatown?« frage ich ihn.

Er versucht, den Kopf zu schütteln, traut sich das aber nicht. Wahrscheinlich tut es auch ein bisschen weh, mit einer scharfen Klinge in der Nase. Sein Adamsapfel hüpft rauf und runter, Sabber spritzt aus seinem Mund statt einer Antwort.

»Berühmter Film aus dem Jahre vierundsiebzig. Von Roman Polanski. Kennst du den? Der Regisseur, der sich danach nicht mehr in den USA sehen lassen konnte, weil sie ihn dort nur zu gern inhaftieren würden. Wer hat den Detektiv Gittes gespielt, genannt Jake?«

Er erinnert sich und antwortet wie ein braver Schüler: »Jack Nicholson.«

»Na bitte!«

Ich ziehe die Klinge aus seinem linken Nasenloch und schiebe sie ins rechte.

»Gittes kriegt mit, dass ein paar Spekulanten Wasser ins Meer leiten. Sie wollen die Stadt austrocknen. Damit die Grundstückspreise fallen und sie das Land billig erwerben können. Später wollen sie es dann wieder verhökern. Damit kannst du doch bestimmt was anfangen, Dickerchen, oder? Von so was träumst du doch auch, hm? Also, was ich sagen wollte, in welches Nasenloch schieben sie ihm dann die Messerklinge, um ihn zum Schweigen zu bringen? Ins linke oder ins rechte?«

Ich ziehe die Klinge wieder aus dem rechten und stecke sie erneut in den linken Nasenflügel, so als müsse ich überlegen, was richtig ist.

»Na, komm, du erinnerst dich doch bestimmt. Sag's mir, oder soll ich beide Nasenflügel aufschlitzen? Das wäre doch schade. Jack Nicholson ist den halben Film mit einem Verband auf der Nase rumgelaufen. Erinnerst du dich nicht? Komm, denk nach!«

»L… l… links«, stottert er.

»Richtig!«, sage ich. »Stimmt. Hundert Punkte. Bravo!«

Ich schiebe die Klinge im linken Nasenflügel höher. Ein dünnes Blutrinnsal läuft aus dem Nasenloch.

»Das ist alles halb so schlimm«, sage ich. »Ich könnte dir die Nase aufschlitzen und dich leben lassen. Aber das Ganze hat eine Bedingung. Du wirst dich noch mal bei der Presse melden und deine Lügen widerrufen. Erzähle ihnen die Wahrheit. Wie ihr mich reingelegt habt. Wie ihr die Firma ausgeplündert und mich dann als Schuldigen aufgebaut habt. Wirst du das tun, oder willst du lieber sterben?«

»Ja, ja, natürlich! Ich werde alles tun. Eigentlich war ich auch dagegen, es war überhaupt nicht meine Idee, es war …«

»Ach, wessen Idee war es denn?«

»Ich trau mich nicht, es zu sagen, ich …«

»Na?! War es deine Tochter? Ist sie so ein verdammtes Luder?«

»Nein, nein, es war … deine Mutter. Sie dachte, es sei das Beste für alle. Tu mir nichts, tu mir nichts! Hab's doch gesagt, ich hab's doch gesagt! Es war deine Mutter!«

Damit verunsichert er Sommerfeldt nicht. Der bleibt ganz cool und sagt: »O. k., ich verlasse mich auf dich. Du wirst dieses Schmie-rentheater, das ich im Bayerischen Fernsehen von dir gesehen habe, nicht noch einmal wiederholen, sondern du erzählst ab jetzt die Wahrheit. Es reicht mir, wenn ich wegen Mordes gesucht werde. Aber ich bin kein Betrüger, verstehst du? Ich habe nie irgendwelche Leute reingelegt. Nicht an Bestechungen teilgenommen und keinen übern Tisch gezogen. Das ist nicht meine Art. Ich schlitze Leute auf, wenn sie mir auf den Sack gehen.«

»Ich werde das alles machen, ich werde das alles machen, ganz bestimmt!«

»Wohnst du jetzt bei denen?«, frage ich und deute mit dem Kopf zum Haus.

»Nur vorübergehend. Nachdem du in Ostfriesland wieder zuge-schlagen hast, war Miri schrecklich aufgeregt. Ich dachte, als Vater müsste ich …«

»Du bist ein guter Daddy, hm?«

»Ja.«

»Aber ein Scheiß-Schwiegervater. Ich gebe dir noch eine Chance. Ich könnte deine Nase verschonen.«

»Ja, ja, bitte!«

»Für Chinatown gab es damals einen Oscar fürs beste Drehbuch. Wie hieß der Drehbuchautor?«

Ich sehe es seinen Augen an. Er weiß es nicht.

»Weißt du«, sage ich, »das ist die Scheiße mit diesen Schrift-stellern. Selbst, wenn sie mal einen Oscar kriegen, erinnert sich später keiner mehr an sie. Es ist dann der Film von Polanski, der Film von Jack Nicholson. Ein paar erinnern sich vielleicht noch an Faye Dunaway. Aber verdammt, den Drehbuchautor kennt doch keiner mehr. Oscar hin, Oscar her, im Grunde interessiert sich für die Schreiberlinge keine Sau. Dir könnte das Wissen jetzt die Nase retten. – O. k., ich verrate es dir. Er heißt …«

»Nein, nein, warte, vielleicht fällt es mir noch ein!«

»Ach, hör doch auf! Wie viele Drehbuchautoren kennst du denn überhaupt?«

Ich kann sehen, wie er in seinem Gehirn kramt.

»Einer heißt Goldman«, sagt er. »Ich glaube, William Goldman.«

Ich gebe ihm recht. »Ja, stimmt! Der hat ein paar tolle Filme gemacht. Chinatown gehörte leider nicht dazu. Der Drehbuchautor hieß Robert Towne. Aber ich will dir noch eine kleine Chance geben. Wer schlitzt Jack Nicholson die Nase auf? Na? Na komm, ich habe nicht mehr viel Zeit. Den Schuss hat man gehört. Vielleicht hat deine Tochter inzwischen die Polizei gerufen oder taucht gleich ebenfalls mit einem Ballermann hier auf. Also – wer schlitzt Nicholson die Nase auf?«

Er schluckt. Er windet sich. Versucht, davonzukriechen. Es gelingt ihm nur zentimeterweise.

Mein Messer folgt ihm, oder schiebt es ihn gar vorwärts? Mit meinem Knie drücke ich seinen Brustkorb wieder auf den Boden zurück.

»Es ist ein Cameo-Auftritt von Polanski persönlich. Weißt du, was ein Cameo-Auftritt ist?«

Die Panik hat ihn jetzt völlig. Er kann überhaupt nicht mehr klar denken. Dabei stelle ich sehr einfache Fragen.

Ich schüttle den Kopf. »Jaja, so ist das. Den ganzen Tag Fernsehen gucken, aber keinerlei Ahnung von Filmen haben …«

Dann erkläre ich, als sei das jetzt für ihn unheimlich wichtig: »Ein Cameo-Auftritt, damit hat der alte Hitch begonnen … damit man den Regisseur hinter der Kamera auch mal im Bild sieht. Seitdem machen das einige. Und Polanski wollte natürlich auch mit von der Partie sein. Ach, nun habe ich es schon verraten … Im Film spielt Polanski einen eiskalten Ganoven, und der macht so.«

Ich schiebe das Messer hoch. Blut spritzt, und obwohl ich gleich aufspringe, treffen mich einige Tropfen.

Das Gewehr nehme ich vorsichtshalber mit. Ihn lasse ich einfach liegen.

Ich habe keine Lust mehr, Miriam zu sehen oder ihren Kretin von Ehemann. Ich schwinge mich auf mein Rad. Ab nach Hirschaid.

13

Als Sommerfeldt geht es mir so richtig gut. Ich fühle mich durchtrieben und habe Oberwasser. Auch werde ich wieder unglaublich hungrig. Am liebsten würde ich jetzt noch nach Straßkirch zum Giecher Bäck fahren und mir ein Leberkäsbrödla reinschrauben. Aber dann entscheide ich mich doch, einfach ins Hotel zurückzukehren.

Ich habe das Gewehr in den Kofferraum gelegt. Wer weiß, ob ich es einmal brauchen werde. Es fühlt sich gut an. Glattes Holz. Aber es könnte mir nie das Messer ersetzen. Dieses Gewehr hat keine Strahlkraft. Es spricht nicht mit mir. Es hat in gewisser Weise keine Persönlichkeit. Es fordert nichts von mir. Es verspricht mir auch nichts. Es funktioniert einfach nur. Es ist ein Werkzeug, mehr nicht.

Der Fallada in mir findet es klasse, dass ich die Drehbuchautoren verteidigt habe, und die künstlerische Seite in mir ist es wohl auch, die mich ins Hotel zurücktreibt. Ich will aufschreiben, was ich erlebt habe. Ich schreibe mir selbst Boden unter die Füße. Ich versuche, mich zu verstehen, indem ich notiere, was geschieht.

Ich sitze im Bett und schreibe. Draußen bricht ein neuer Tag an. Mir wird klar, wie unvorsichtig ich war. Warum habe ich die Teufelsmaske nicht aufgesetzt? War ich noch zu sehr Johannes Theissen, als ich mich der Landhausvilla meiner Ex genähert habe? Wie konnte ich so einen Fehler machen? Auf ihren Videokameras haben sie jetzt mein Gesicht als van Dyck. Vielleicht geistert es jetzt schon als Fahndungsfoto durch die Medien. Vielleicht werde ich morgen mit meinem neuen Aussehen auf Seite eins in allen Tageszeitungen sein: *Der Schlitzer in seiner neuen Identität.*

Obwohl diese Möglichkeit besteht, ja, es sogar sehr wahrscheinlich ist, bin ich erstaunlich ruhig. Ich setze mich nicht ins Auto und fliehe. Ich schreibe weiter.

Im Flur ist jetzt schon das Zimmermädchen zu hören. Sie macht nebenan sauber. Ich hänge das Schild *Bitte nicht stören* heraus und ziehe mich wieder mit meiner Kladde und meinem Füller ins Bett zurück.

Obwohl ich nicht geschlafen habe, bin ich überhaupt nicht müde. Ich switche einmal durch die Programme. Nichts über meinen Besuch bei den von Rosenbergs. Auch auf *inFranken.de* finde ich noch nichts. Und die waren sonst immer sehr schnell, wenn etwas von lokaler Bedeutung geschehen war.

Hält die Polizei die Information zurück, oder hat niemand die Polizei informiert?

Überhaupt wundere ich mich. Mein Schwiegervater rennt mit einem Gewehr durchs Haus? Können sie sich keinen Security-Service leisten? Das ist doch sehr widersprüchlich. Einerseits dieses mit Alarmanlagen geschützte Gebäude, als würde darin jemand wohnen, der wirklich Angst hat, ja, paranoid ist, und dann kein Sicherheitspersonal? Müssten die nicht überhaupt unter Polizeischutz stehen? Was für ein Spiel wird hier eigentlich gespielt?

14

Ich bin der Letzte im Frühstücksraum. Eigentlich ist das Frühstück schon beendet und alles abgeräumt, aber mein freundliches Lächeln erleichtert es der Bedienung, für mich eine Ausnahme zu machen.

Ich habe alles aufgeschrieben. Jetzt schlürfe ich ausgesprochen guten Kaffee und lese meine eigenen Notizen. Ich versuche zu begreifen, was eigentlich los ist. Mit der Welt und auch mit mir.

Warum haue ich nicht einfach ab? Ich sitze hier rum, als würde ich meine Verhaftung erwarten, ja, ihr entgegensehnen. Aber das ist nicht so.

In Ostfriesland bin ich, wenn ich mir einen dieser bösen Jungs vorgeknöpft hatte, gern ins Watt gegangen, um die Stille dort zu genießen. Die Totenstille.

Ich konnte stundenlang am Deich entlangradeln. Außer dem Gekreische der Möwen und dem Gekrächze der Dohlen war da nur noch das Pfeifen des Windes. Und manchmal, in guten Situationen, schluckte der Wind jedes andere Geräusch. Wie wunderbar!

Ja, ich brauche nach so einer Tat Bewegung. Es ist wie eine große geistige Anstrengung, als hätte ich zu lange im Büro am Schreibtisch gesessen.

Ich beschließe, noch eine Nacht zu bleiben. Es ist kein Problem, zu verlängern.

Auf dem Rad fahre ich wieder nach Bamberg. Ich flaniere an der

Regnitz entlang und trinke im Schlenkerla ein Rauchbier, das sofort reinknallt, als würden alle Zellen meines Körpers vom Alkohol geflutet werden. Ich habe meine Kladde vor mir liegen und selbst im Schlenkerla mache ich noch Notizen. Ein Tropfen von dem schwarzen Bier fällt aufs Papier und breitet sich dort aus. Mit dem Ärmel trockne ich die Seite ab, und plötzlich weiß ich, warum ich immer noch hier bin. Nein, ich will keineswegs verhaftet werden, sondern ich drücke mich davor, meine Mutter zu besuchen. Einerseits will ich es mit jeder Faser meines Körpers und mit ganzem Herzen. Andererseits habe ich Angst davor. Was bin ich nur für ein schrecklicher Versager …

Ich rufe mir zurück, wie ich meinen Ex-Schwiegervater fertiggemacht habe. Wie ich ihm Fragen gestellt habe zu *Chinatown*. Wie er auf dem Rücken liegend die Leere seines ungebildeten Gehirns gespürt hat.

Ich lasse die Reste Rauchbier durch meinen Hals rinnen. Eigentlich schmeckt mir dieses Bier gar nicht. Ich bekomme Sehnsucht nach einem guten Landbier. Einem Ostfriesenbräu. Trotzdem bestelle ich mir noch einen Krug.

Trinke ich mir hier gerade Mut an?

Warum lasse ich es nicht einfach? Warum fahre ich nicht einfach zurück nach Gelsenkirchen und verkrieche mich in meinem weißen Turm?

Der Füller schreibt die Antwort in mein Buch: Noch weiß ich nicht wirklich, wie Beate auf meine Tat reagiert. Ich habe Angst, ständig Beates E-Mails mitzulesen. Ich rede mir ein, die Polizei könnte mir irgendwann darauf kommen und so meinen Standort ermitteln. Was liegt für die Kripo näher, als diesen Versuch zu machen? In Wirklichkeit fürchte ich aber viel mehr Beates Reaktion.

Ich habe es geschafft, mich in den E-Mail-Account ihrer Freundin Susanne Kaminski zu hacken. Ich bekomme von dem Mailwechsel zwischen Susanne und Beate jeweils eine Kopie direkt auf mein Handy, habe mich sozusagen heimlich ins BCC gesetzt.

Es sind inzwischen mehrere Nachrichten da. Ich traue mich aber nicht, sie zu öffnen.

Nein, in dem Fall glaube ich nicht, dass die Polizei mir auf die Spur kommen könnte. Vielleicht überprüfen sie Beates Mailverkehr, aber sicherlich lesen sie nicht bei Susanne mit. Darauf kommt doch keiner, dass ich ihre Freundin anzapfe.

Ich finde mich clever, klüger als die Polizei erlaubt. Es war ein kleiner, digitaler chirurgischer Eingriff. Einfach, aber sehr wirksam. Das eine ist, an Daten heranzukommen. Das andere dann, mit dem fertigzuwerden, was man da mitlesen kann.

Nach dem zweiten Rauchbier traue ich mich. Ich fühle mich schon ein bisschen benebelt. Vielleicht sollte man erst etwas zu Mittag essen, bevor man dieses starke Zeug säuft. Vielleicht war das Schlenkerla früher mal eine echte Bamberger Kneipe. Heute ist es mehr ein Touristenladen. Ziemlich laut, und um mich herum trinken Studenten aus Tübingen und ein Kegelclub aus Duisburg dieses Bier.

Ein paar Kölner sind auch dabei, und eine rheinische Frohnatur, die im Stehen einen Trinkspruch anbringen will, lacht quer durchs Lokal: »Im Grunde war das mal ein gutes Bier, schmeckte fast so gut wie Kölsch. Sie wollten auch eigentlich ein Kölsch brauen. Es ist aber so eine Altbierplörre dabei herausgekommen. Dann ist da jemandem eine Zigarre reingefallen, das hat den Geschmack verändert. Das Ganze wurde dann mit der Asche einer guten, aber nicht gefilterten Zigarette verfeinert, und jetzt haben wir es im Glas. Prost!«

Zwischen all diesen lachenden, trinkenden Menschen fällt es mir leichter, zu lesen, was Beate von meiner Tat hält. Gleich Susannes erster Satz fährt mir in die Glieder und nimmt mir den Atem.

Glaub mir, liebe Beate, so schrecklich das jetzt auch alles für dich sein mag – er hat es aus Liebe getan. Es ist seine Art, dir zu beweisen, wie sehr er dich liebt.

Ich scrolle mich durch ihren gesamten Mailwechsel. In den letzten Stunden haben sie zwölfmal hin- und hergeschrieben. Beates Sätze tun mir weh:

Ich fühle mich schuldig, Susanne. Ich trau mich überhaupt nicht mehr aus dem Haus. Wie soll ich meinen Schülern und den Eltern unter die Augen treten? Ich schaffe es nicht mal, bei ten Cate Brötchen zu holen. Bernhard wusste genau, welche Probleme ich mit Tido Lüpkes hatte. Das Schlimmste ist, ich habe sogar mehrfach gesagt, ich könnte ihn umbringen – zum Glück nicht auf einer Elternversammlung, aber Lars gegenüber habe ich es geäußert. Und auch der hat Lüpkes die Pest an den Hals gewünscht.

Susanne, die treue Freundin, schlägt gleich vor, sie könne sich ein paar Tage freinehmen und nach Norddeich kommen, um Beate zu unterstützen. Selbstverständlich könne Beate auch zu ihr nach Dinslaken kommen, schließlich habe sie ein Gästezimmer, und sie betont, dort sei immer ein Platz für ihre Freundin.

Aber Beate wiegelt ab: *Nein, lass nur, das ist total lieb von dir, aber Lars ist ja bei mir. Er schottet mich nach außen ab. Das Telefon klingelt hier in einem durch. Das Handy habe ich auf lautlos geschaltet. Ich glaube, es gibt kaum einen Radio- oder Fernsehsender, der nicht sofort ein Interview mit mir haben möchte. Ich bin so etwas wie eine Gangsterbraut, die Geliebte des Satans. Ich weiß nicht, ob ich in Ostfriesland wohnen bleiben kann. Ich weiß auch nicht, was aus meinem Job in der Schule wird. Ist das nicht ironisch? Jetzt, da mein größter Widersacher tot ist, sieht es ganz so aus, als müsse ich den Dienst quittieren.*

Vielleicht bedingen sich Gott und Teufel, denke ich manchmal. Wenn der eine geht, ist auch der andere erledigt …

Es fällt mir schwer, weiterzulesen. Gleichzeitig kann ich aber nicht aufhören.

So dreckig es mir im Moment geht, kreisen meine Gedanken doch die ganze Zeit um ihn. Wir hatten ein wunderbares Leben zusammen. Das Leben war so leicht. Wir waren glücklich. Gesund. Und finanziell hatten wir keinerlei Sorgen. Der Gedanke, wohin wir als Nächstes in Urlaub fahren und was wir am Abend kochen, ja, das waren unsere Probleme.

Ich vermisse diese stundenlangen Gespräche mit ihm, über Literatur, über Filme. Manchmal haben wir einen ganzen Abend nebeneinander gesessen, Händchen gehalten und ein Hörbuch gehört. Er mag es, wenn Autoren selbst vorlesen. Er sagt, keiner kann die Figuren besser interpretieren als der Künstler, der es geschrieben hat. Immer wieder hat er mit der Fernbedienung die Lesung angehalten, zurückgespult, sich etwas noch einmal angehört, auf Stopp gedrückt, mit mir darüber gesprochen. Er ist so ein tiefsinniger Mensch mit wunderbaren Gedanken. Ich habe alles verdorben.

Susanne versucht tapfer, ihre Freundin aufzubauen. Das Ganze ist mehr ein Chat als ein reiner Mailwechsel.

Du? Nichts hast du verdorben. Du hast niemanden umgebracht. Er war es!

Das lässt Beate nicht gelten.

O nein. Es begann alles mit diesen schrecklichen Fotos, die mein Ex von mir gemacht und getauscht hat. Er war ja auch sein erstes Opfer. Er hat ihn getötet, um die Bilder zurückzuholen und meine Ehre zu retten. Ich heule, während ich das schreibe. Er ist ein so kluger Mann und doch so ein Idiot! Selbst, wenn alles aufgeflogen wäre … wir hätten hier wegziehen können und woanders von vorne anfangen. Mein Gott, was ist schon passiert? Ich habe für meinen Freund ein paar geile Dessous angezogen, und er hat Fotos von mir gemacht. Das machen doch Millionen Paare auf der Welt. Er hat damals gesagt, wir würden irgendwann alt werden, unsere Körper verfallen, und dann wäre es toll, diese Erinnerungen zu haben. Dem habe ich sofort zugestimmt, und weißt du was? Ja, ich gebe es zu, es hat mir Spaß gemacht! Ich fand es großartig, für ihn zu posieren. Ich wäre doch nicht im Traum darauf gekommen, dass er diese Fotos auch anderen zugänglich macht. Und Bernhard hat die Männer alle getötet und die Fotos zurückgeholt. Ich habe Ann Kathrin Klaasen davon erzählt.

Susanne fragt: *Hat sie dich im Verhör weichgeklopft?*

Beate antwortet: *Nein, so war es nicht. Sie hat mit mir geredet. Im Grunde wie eine Freundin. Sie ist ein sehr einfühlsamer Mensch. In ihrer Gegenwart gerät man unter den irren Druck, die Wahrheit zu sagen. Ja, es war mir ein richtiges Bedürfnis, auszupacken. Ich glaube, ich habe eine Packung Papiertaschentücher vollgeheult. Sie hat mir immer wieder ein neues gegeben. Ich hatte während des Gesprächs nicht mal das Gefühl, dass sie mich verurteilt. Ich habe mich einfach nur erleichtert. Und sie war froh, endlich einen Sinn in den Morden zu sehen. Sie hatte nicht glauben können, dass Bernhard sich wahllos Menschen ausgesucht hat, um sie abzustechen. Sie hat mir versprochen, das alles von der Öffentlichkeit fernzuhalten. Und sie hat Wort gehalten. In keiner Zeitung stand auch nur ein Satz darüber … Sonst hätte ich mich hier auch nicht länger halten können. Ich sterbe ja jetzt schon fast vor Scham, wenn noch niemand genau Bescheid weiß.*

Susanne fragt: *Hoffst du, dass sie ihn endlich kriegen, damit der Albtraum ein Ende hat?*

In Beates Antwort sind einige Rechtschreibfehler. Ihr Korrekturprogramm hat die Worte rot unterkringelt. Ich folgere daraus, dass sie, die Lehrerin, emotional schrecklich aufgewühlt ist und einfach so schnell tippt, denn sonst sind ihr fehlerfreie Briefe und E-Mails sehr wichtig.

Nein, ich hoffe, dass er entkommt. Ich hoffe, dass es ihm gutgeht und dass er irgendwo mit fremder Identität ein neues Leben anfangen kann.

Susanne Kaminski fragt: *Weil du ihn immer noch liebst, stimmt's?*

Beate zögert. *Ja, vielleicht hast du recht, Susanne. Ich liebe ihn immer noch, obwohl ich manchmal denke, dass ich ihn genauso gut hassen könnte. Aber ich will, dass es ihm gutgeht, und das aus sehr egoistischen Gründen. Ann Kathrin Klaasen hat mir das sehr klargemacht. Wenn er gefasst wird und es zum Prozess kommt, dann wird sein Anwalt versuchen, eine Verteidigungsstrategie aufzubauen, und darin werden diese Fotos eine wichtige Rolle spielen. Sie sind das eigentliche Motiv. Sie entlasten ihn. So kann man nicht aus Schwarz Weiß machen. Aber es ist ein gutes, verständliches Motiv. Es gibt nicht viel, das man zu seinen Gunsten sagen kann. Was er getan hat, ist schrecklich. Aber warum er es getan hat, das spricht vielleicht in den Augen eines Richters für ein milderes Urteil.*

Das heißt, folgert Susanne, *wenn sie ihn kriegen, bist du auch erledigt.*

Ja. Es wäre eine Katastrophe für mich, stimmt Beate zu.

Damit, schreibt Susanne, *hätte Bernhard dann genau das herbeigeführt, was er um jeden Preis verhindern wollte.*

Genau, schreibt Beate. *Sechs Menschen wären ganz umsonst gestorben. Und jetzt auch noch dieser Tido Lüpkes. Der hat aber mit den Fotos nichts zu tun.*

Susanne fragt: *Soll ich nicht doch lieber nach Norddeich kommen? Du machst auf mich einen sehr bedürftigen, instabilen Eindruck. Bitte verzeih meine offenen Worte.*

Ich persönlich hätte überhaupt nichts dagegen. Mir ist es viel lieber, wenn Susanne bei ihr ist als dieser Lars.

Beates Antwort beunruhigt mich: *Nein, lass gut sein. Lars ist ja da. Und heute Abend kommt Holger Bloem, der Journalist, zu mir.*

Ich denke, du gibst keine Interviews, Liebste … Wirst du deinen Vorsätzen untreu?

Er ist vertrauenswürdig. Kommissarin Ann Kathrin Klaasen hat es mir empfohlen. Sie hat gesagt, Sie können sich nicht ewig vor allen Reportern verstecken. Dann gedeihen nur Gerüchte. Sie hat mir vorgeschlagen, ich solle ein seriöses Interview geben und ab dann immer darauf verweisen und die Schotten dichtmachen. Ich glaube, das ist ganz klug. Von den Fotos werde ich natürlich nichts erzählen, aber von den Schwierigkeiten mit Lüpkes in der Schule, wie er meiner Leseförderung im Weg stand und dass ich Bernhard davon erzählt habe und wie wütend Bernhard auf ihn war. Leseförderung liegt ihm auch so sehr am Herzen. Er hat mehrfach gesagt, wenn die Kinder aufhören zu lesen, sind wir als Kulturnation verloren …

Susanne stimmt dem sofort zu: *Wie wahr!*

Wie schön, denke ich. Es gibt noch Dinge, über die wir uns alle einig sind.

Ich weiß nicht, wie ich es finde, dass Holger Bloem heute Abend zu ihr kommt. Er hat Dinge über mich geschrieben, die mir überhaupt nicht gefallen haben. Will er sie nur interviewen, oder will er sie verführen? Will er mich reinlegen? Über Beate an mich herankommen?

Es wird noch voller im Schlenkerla. Es hat sich unter den Touristen herumgesprochen, dass man sich nebenan in der Metzgerei Leberkäs holen kann und den hier beim Bier verzehren darf. Das finden nun viele urbayerisch und fangen gleich damit an.

Neben mir erklärt eine Duisburgerin einem Kölner, dass es zwischen Franken und Bayern einen Unterschied gibt und dass er sich hier in Franken befindet. Er solle bitte nicht dauernd von Bayern reden. Schließlich sei Köln auch nicht Düsseldorf.

So wie er guckt, wird er das nie vergessen.

Zwei äußerst attraktive Frauen zwischen vierzig und fünfzig klemmen mich ein. Sie sind schon ein bisschen angeheitert. Die eine knufft mir von links in die Seite, die andere berührt mit ihren Knien meine Beine und sagt: »Ist ja ein bisschen eng hier, aber so kuschelig ist doch auch schön, oder stört es Sie, junger Mann?«

»Sind Sie Student?«, fragt die andere und zeigt auf meine handschriftlichen Notizen.

Ich schalte mein Handy aus und klappe meine Kladde zu.

»Ja«, sage ich.

»Aber bestimmt erst auf dem zweiten Bildungsweg, oder?«, lacht die andere, die aus dem Mund nach Obstler riecht. Williams Christ, vermute ich.

»Ja, stimmt«, sage ich schulterzuckend, »ich war eigentlich Drucker, aber im digitalen Zeitalter …«

Dafür haben sie sofort Verständnis. Sie interessieren sich heftig für mich. Die eine stellt sich als Kerstin vor, die andere sagt: »Mich nennen alle Bärchen.«

»Bärchen?«

»Ja, das ist schon seit der Schulzeit so, weil ich Bär mit Nachnamen heiße, und mein Vorname gefällt mir nicht.«

Kerstin legt eine Hand auf meinen Oberschenkel, und Bärchen berührt meinen Oberarm. Die beiden klemmen mich immer mehr zwischen sich ein, wollen wissen, was ich studiere.

»Katholische Theologie«, sage ich. »Ich möchte gerne Priester werden.«

Bärchen kichert, dass sie kaum noch Luft kriegt, und Kerstin macht diese Aussage erst mal richtig scharf. Ob das mit dem Zölibat denn überhaupt kein Problem für mich sei, fragt sie und drückt ihre Brust raus.

Wie würden sich, frage ich mich, normale Männer, die nicht als Serienkiller gesucht werden, jetzt verhalten? Wer würde die

Chance wahrnehmen, wer ein treuer Ehemann bleiben, wer die Flucht ergreifen? Aber ich glaube, kaum jemand hätte so merkwürdige Gedanken wie ich.

Ich frage mich, ob die beiden vielleicht Polizistinnen sind und sich mir deshalb so nähern. Sind ihre Berührungen ein Versuch, mich anzumachen, oder tasten sie mich nur sehr unauffällig nach Waffen ab? Gehören ein paar von den lärmenden »Touristen«, die gerade in ihre Leberkäs-Brötchen beißen, vielleicht zu einem Sondereinsatzkommando? Wird gleich der Zugriff erfolgen?

Kerstin fragt, ob ich in einem Priesterheim wohnen würde, oder ob ich eine ganz normale Studentenbude hätte. Unterm Tisch wandern Mittel- und Zeigefinger über mein Knie meinen Oberschenkel hoch. Sie berührt mein Einhandmesser. So, wie sie mich anguckt, glaubt sie, mein erigiertes Glied zu spüren.

»Ich muss zahlen«, sage ich, rufe die Kellnerin und versuche, mich aus meiner schwierigen Position zwischen den Damen herauszudrängeln.

Bärchen leckt sich über die Oberlippe und fragt keck: »Können wir nicht vielleicht einen letzten Versuch wagen, dich davon abzuhalten, ein Leben im Zölibat zu führen? Du ahnst nicht, was dir entgeht …«

Kerstin spielt jetzt mit meinen langen Haaren und flüstert in mein Ohr: »Du kannst auch uns beide haben. Du musst keine Angst haben. Wir sind sehr zärtlich. Wir haben uns schon mal einen Freund geteilt. Der war allerdings nicht Priester, sondern Karnevalsprinz. Du musst gar nichts machen, kannst dich einfach fallenlassen.«

Die Kellnerin steht vor mir. Sie hat noch ein Tablett voller Bierkrüge und fragt: »Zusammen oder getrennt?«

»Der junge Mann hier«, lacht Kerstin, »ist unser Gast.«

Ich gebe ganz den Schüchternen und bedanke mich brav. Wie

komme ich aus dieser Situation nur raus? Ich bin mir jetzt sehr sicher, dass die beiden zu einem Einsatzkommando gehören. Sie wollen mich in die Mitte nehmen, mit mir nach draußen, und dann im Auto oder in einem Hausflur werden die Handschellen klicken. Sie versuchen, mich in eine Situation zu manövrieren, in der sie mich gefahrlos für die anderen Gäste verhaften können. Sie machen das im Grunde bewundernswert gut. Ich wäre fast darauf hereingefallen.

Ich muss die beiden austricksen und zum Schein auf ihre Angebote eingehen. Ganz so leicht werde ich es dem Mobilen Einsatzkommando dann doch nicht machen …

In der Nähe der Tür sitzen zwei Männer, die mich mit kritischen Blicken beobachten. Für die anderen Gäste wirken sie wahrscheinlich, als hätten sie selber ein Auge auf Kerstin und Bärchen geworfen und hoffen nun eifersüchtig darauf, dass es mit mir und den beiden nichts werden wird. Doch mir können sie nichts vormachen. Dr. Sommerfeldt hat einen Blick für so etwas. Ich erkenne Kripoleute im Dienst schon allein an der Körperhaltung. Alle anderen sitzen hier völlig relaxt, nur die beiden stehen unter Strom, sitzen nur auf den Stuhlkanten, statt sich gemütlich hinzufläzen. Es ist warm hier, aber jeder trägt ein Jackett, damit die Holster, in denen sie ihre Dienstwaffen tragen, nicht sichtbar werden.

Der eine hat dünne, fast schlaksige Beine. Auch seine Hände wirken eher ausgemergelt, wenn er zu seinem alkoholfreien Weizenbier greift. Aber am Oberkörper scheint er dick zu sein. Das passt alles nicht zusammen. Ich wette, er trägt unterm Hemd eine kugelsichere Weste. So wirkt er ein bisschen wie eine Witzfigur. Dünne Arme, dünne Beine und ein aufgeblähter Oberkörper. Dazu sitzt er noch wie ein Äffchen auf dem Schleifstein, als wolle er jeden Moment aufspringen und mir den Weg zur Tür versperren oder mir Handschellen anlegen.

Wie verspielt sein Kumpel die ganze Zeit die rechte Hand in der Jackentasche hält, das ist auch mehr Schmierentheater.

Komischerweise fühle ich mich jetzt wohl. Mein Puls verlangsamt sich. Ich wette, mein Blutdruck ist bei 120 zu höchstens 80. Kaltblütig nennt man das wohl.

Ich flüstere Bärchen ins Ohr: »Es ist wirklich das erste Mal für mich. Ich habe bis jetzt keusch gelebt.«

Sie platzt nicht laut raus und lacht, sondern sie lächelt mich liebevoll schmunzelnd an, schaut dann zu ihrer Kollegin, zwinkert der zu. Die berührt meinen Bauch, streichelt einmal darüber und verspricht: »Es wird ein Fest für dich werden.«

»Ich habe«, sage ich und bemühe mich, fast ein wenig zu stottern, »mein Gelübde noch nicht abgelegt ...«

Bärchen legt ihre Fingerspitzen auf meine Lippen und raunt: »Denk jetzt nicht drüber nach. Das alles hat nichts mit dem Verstand zu tun.«

»Now let your body go«, sagt Kerstin augenzwinkernd. Keine Ahnung, warum sie plötzlich Englisch spricht.

Ihre Kollegin argumentiert noch einmal: »Wenn der liebe Gott nicht wollen würde, dass wir Spaß dabei haben, dann hätte er uns doch bestimmt nicht mit so wunderbaren Instrumenten ausgestattet. Sex ist wie Musik«, behauptet sie, »hat keinen Sinn und kein Ziel. Macht einfach nur Spaß.«

Sie zahlen tatsächlich die Rechnung für mich mit. Ich sage den beiden, dass ich noch einmal zur Toilette muss, und dann könnten wir gerne zu mir gehen. Meine Studentenbude sei sturmfrei.

Ich nehme mein Handy und die Kladde mit. Bärchen fasst die Kladde an und flötet: »Das kannst du ruhig hier lassen. Da sind doch bestimmt keine Geheimnisse drin, oder?«

»Ein Referat über Kirchenlieder«, sage ich und wundere mich, wie gut ich lügen kann und wie sehr ich in der Rolle bin. Aber ich gebe ihr die Kladde natürlich nicht. Was da drin steht, ist für mich wertvoller als der gesamte Besitz, den ich noch habe.

Auf dem Weg zur Toilette muss ich mich an einigen verschwitzten Körpern vorbeidrängeln. Heute ist hier wirklich Hochbetrieb. Wenn der Laden immer so läuft, ist er eine einzige Goldgrube, denke ich.

Ich komme an der Garderobe vorbei. Bärchen winkt hinter mir her, und ich sehe, dass einer der beiden Kripoleute an der Tür aufsteht. Es ist der mit dem unförmigen Oberkörper. Der arme Kerl hat auch noch O-Beine.

Schon verschwinde ich hinter der ersten Tür. Ich habe Glück. Hier an der Garderobe hängen viele Klamotten. Ich greife mir eine schwarze Jack-Wolfskin-Regenjacke mit Kapuze. In der Tasche ist sogar noch eine Wollmütze. Na klasse! Jeder noch so winzige Vorsprung, jede noch so kleine Irritation nutzt mir jetzt. Wenn man in einer großen Menschenmenge verschwinden will, ist eine andersfarbige Kleidung, ein Hut, eine Kapuze, eine Perücke, oft wunderbar. Natürlich hält das keiner ernstzunehmenden Überprüfung stand. Aber alles, was ich gewinnen will, sind doch ein paar Meter, ein paar Sekunden.

Ich will gerade das Fenster öffnen, um nach draußen zu fliehen, da kommt der unförmige Typ herein. Er stellt sich ans Pissoir, tut, als würde er mich überhaupt nicht zur Kenntnis nehmen und nestelt an seinem Reißverschluss herum, dabei biegt er seinen Rücken durch und schaut zur Decke.

Ihr ahnt, dass ich abhauen will. Das Messer in meiner Hose möchte gerne sein Blut schmecken, doch so ein Polizistenmord ist mir jetzt irgendwie zu groß. Wenn ich aus Franken heil wieder raus will, sollte ich das vielleicht besser nicht tun.

Ich verpasse ihm einen Handkantenschlag in den Nacken. Er steht gerade so günstig. Langsam dreht er sich um. Entweder ist er schon k. o., oder er hat noch nicht begriffen, was passiert ist. Ein Auge guckt nach links, das andere nach rechts.

Während er stürzt, lande ich meine Linke an seiner rechten Schläfe. Kurz überm Boden gelingt es mir noch, ihn festzuhalten. Ich will ja nicht, dass er sich den Kopf einschlägt.

Ich schiebe seinen Körper vor die Tür. Vielleicht gibt mir das einen kleinen Vorsprung. Ich durchsuche ihn nicht nach Waffen, kontrolliere auch nicht, ob er wirklich eine kugelsichere Weste trägt. Das alles ist mir egal. Ich will nur noch raus.

So komisch es jetzt klingt, da ich es ins Buch schreibe: Ich nahm mein Fahrrad, um mich aus dem Staub zu machen. Und ich hatte das Gefühl, im Gewühl der Stadt sei das genau richtig.

Am Kanal entlang fahre ich zurück nach Hirschaid zum Hotel Göller. Ich sehe keine Polizisten, keine Straßensperren. Kein Hubschrauber kreist. Wenn das wirklich ein Zugriffsversuch der Kripo war, dann werden sie vor meinem Hotel auf mich warten. Trotzdem radle ich dorthin. Ich muss ja irgendwie nach Gelsenkirchen zurück.

Ich komme mir plötzlich so kopflos vor. Überhaupt nicht mehr kaltblütig.

Nein, ich kann den Wagen am Hotel nicht abholen. Die Falle würde dort zuschnappen. Ich habe den Bus mit meiner schwedischen Identität gemietet. Die dürfte ich dann als aufgeflogen betrachten.

Ich lasse das Fahrrad stehen und schreite Parkplätze ab. Irgendein Auto, denke ich, wird offen sein. Reine Statistik.

Hier ist eine ruhige, sichere Wohngegend. Und tatsächlich – schon beim vierten Versuch habe ich Glück. Ein zehn Jahre alter Toyota Landcruiser mit Allradantrieb. Hinten drin ein Kindersitz. Auf dem Beifahrersitz ein halbvolles Milchfläschchen, davor im Fußinnenraum ein geflochtener Korb, darin Äpfel, eine Flasche

Mineralwasser, Butterkekse und eine Tüte mit Bamberger Hörnla. Eins fische ich aus der Tüte und beiße gleich rein. Die gibt's nirgendwo so gut wie hier …

Die Fahrertür ist offen. In dem Körbchen liegen Wagenschlüssel, Haustürschlüssel, Fahrradschlüssel, alles, was man so braucht. Dazu noch ein buntes Portemonnaie. Ich schaue gar nicht nach, was drin ist, ich bin doch kein Dieb. Ich brauche nur dieses Auto.

Der Wagen ist noch mehr als halbvoll getankt. Wenige Minuten später bin ich bereits auf der Autobahn.

15

Ja, ich weiß. Natürlich hätte ich den Wagen noch mehrfach wechseln müssen, um meine Spuren zu verwischen. Aber auch Doktor Sommerfeldt ist kein gelernter Verbrecher. Herrjeh, ich habe Medizin studiert. Ich wollte Arzt werden, und zwar nicht, weil ich glaubte, das sei der schnellste Weg, reich zu werden, sondern ich hatte ernsthaft vor, etwas Gutes zu tun. Ja, ein Heiler wollte ich sein. Menschen zuhören und ihnen helfen.

Später dann habe ich mich, willensschwach wie ich nun mal war, in die Führung eines Familienunternehmens drängen lassen und meine Zeit damit vergeudet, Mode zu verkaufen, die kein Mensch wirklich brauchte oder haben wollte. Die Führung der Firma habe ich mir von größenwahnsinnigen egozentrischen Modedesignern aus der Hand nehmen lassen, die mir nie verziehen haben, dass ich sie nicht mindestens so berühmt gemacht habe, wie Karl Lagerfeld es zu seinen besten Zeiten war.

Ich habe mich von meiner Mutter beherrschen lassen, die, getrieben von einer schweren narzisstischen Persönlichkeitsstörung, immer die Form wahrend, sich über die Erfolge der Familienmitglieder definiert, sich selbst zum Maß aller Dinge, zum Mittelpunkt des Universums macht und uns alle um sich herum tanzen lässt. Nur weil wir ihr gefallen wollen, versuchen wir, in vorauseilendem Gehorsam das zu tun, was vor ihren Augen Gnade finden könnte. So wurde ich absolut leistungsorientiert, dabei mit dem geheimen Wissen ausgestattet, niemals gut genug sein zu können …

Und jetzt bin ich der meistgesuchte Schwerverbrecher des Landes. Dabei wollte ich eigentlich immer nur ein netter Kerl sein. Mehr nicht. Und ich habe in mir etwas, das ist sehr alt, archaisch. Es ist der wilde, ungezügelte Drang, meine Frau beschützen zu müssen. Gegen alle Regeln, notfalls auch gegen jede Moral. Ich denke, Väter kennen so etwas bestimmt. Wenn es um ihre Kinder geht, ist auch der Friedlichste bereit zu töten, um die eigene Brut zu schützen.

Wenn es darum geht, Beates Interessen zu verteidigen, scheint mir ein Mord keineswegs überzogen, sondern ein sehr effektives Mittel zu sein.

Wer ist diese Beate für mich? Warum, verdammt, tue ich das? Was verwirrt mich so? Was hat mein Leben dermaßen durcheinandergerüttelt?

Ich müsste viel berechnender vorgehen. Ich bin mit dem Toyota Landcruiser bis Gelsenkirchen durchgefahren. Und überall hier drin ist meine DNA zu finden, meine Fingerabdrücke und – ach … Wenn die Polizei erfährt, dass ich in Franken war, wird es ihnen leichtfallen, meine Spur zurückzuverfolgen. Den Leihwagen habe ich in Hirschaid stehen lassen, in Haßfurt eine Nase aufgeschlitzt, in Bamberg ein Auto gestohlen. Jetzt muss ich das Ding eigentlich nur noch in der Tiefgarage unter dem *Weißen Riesen* parken, und ich habe mich praktisch selbst ans Messer geliefert.

Ich stelle den Toyota vor dem alten Rathaus in Gelsenkirchen-Buer ab. Im Rathaus gibt es noch einen Paternoster. Der Turm hat diese typische wilhelminische Kupferhaube.

Schön, denke ich, dass das alles unter Denkmalschutz steht, sonst wären hier längst ein paar Billigläden entstanden, die Ramsch verkaufen, oder ein Parkhaus.

Ich nehme die Straßenbahn, um zur Overwegstraße zurückzukommen. Mit einem dilettantischen Versuch, über den ich jetzt selbst grinsen muss, habe ich sogar versucht, meine Spuren zu verwischen und mit einem Taschentuch das Lenkrad abgewischt. Irgendwann wird dieser Holger Bloem vermutlich einen hämischen Artikel über mich schreiben: den dämlichsten Serienkiller seit Haarmann.

Wieso denke ich an Haarmann? Was habe ich mit dem gemeinsam?

»Nichts!«, brülle ich, als hätte jemand diese Behauptung aufgestellt, und ich müsste mich dagegen verteidigen.

Ich höre die Stimme meiner Mutter. Sie singt diesen Gassenhauer, was sie in Wirklichkeit niemals getan hätte:

»*Warte, warte nur ein Weilchen,*
bald kommt Haarmann auch zu dir,
mit dem kleinen Hackebeilchen,
macht er Schabefleisch aus dir.«

Haarmann hat in Hannover gewütet. Aber hat Fassbinder den Film über ihn nicht in Gelsenkirchen gedreht? Werden einst Regisseure, groß wie Fassbinder, mein Leben verfilmen? Ich erwische mich tatsächlich dabei, darüber nachzudenken, wer mich spielen könnte. Denn es ist ja unwahrscheinlich, dass man mir die Rolle anbieten wird.

Plötzlich sehe ich meine Mutter vor mir stehen. Klein, weit weg. Am andern Ende der Straßenbahn, bei der Tür. Aber sie schaut höhnisch in meine Richtung.

»Und du wirfst mir vor, ich sei narzisstisch?«, spottet sie.

Ich schüttle mich. Ich muss sie, verdammt nochmal, aus meinem Kopf kriegen.

Der *Weiße Riese* steht ruhig, majestätisch da, als würde er über die Stadt wachen. Wenn jetzt da drin ein Einsatzkommando auf mich wartet, denke ich, dann ist es eben so weit. Sie dürfen mich nicht lebendig kriegen. Auf keinen Fall will ich, dass vor Gericht all das aufgerollt und Beate in den Schmutz gezogen wird. Das Letzte, was ich für sie tun kann, ist, im Kugelhagel zu sterben.

Vielleicht darf ich ja auf ein paar nervöse Polizisten hoffen, die, wenn ich mit dem Messer in der Hand brüllend auf sie loslaufe, mich mit einer Kugel abfangen und mir so die letzte Ehre erweisen.

Ja, das weiß ich jetzt: Lebend kriegt ihr mich nicht. Wenn ihr nicht auf mich schießt, werde ich es selbst tun müssen. Dann wird mein Einhandmesser zum Samurai-Dolch, mit dem ich Harakiri begehe.

Ein Teil in mir findet das kitschig, blöd, hat Angst davor, schreit nein. Aber ein anderer Teil, *Sommerfeldt?*, genießt diesen heroischen Moment. Ja, es ist Sommerfeldt. Er will keine schnöde, jämmerliche Verhaftung, sondern einen großen Abgang. Und dann haben die Zeitungen ihre Schlagzeile!

Der Ann-Kathrin-Klaasen-Freund und ostfriesische Journalist Holger Bloem wird garantiert ein Buch über mich schreiben: *Leben und Tod des Dr. Sommerfeldt – eine ostfriesische Legende.*

Besser, Bloem tut es, als dieser Psychologe, der im Fernsehen mit seinem Wissen über Serienkiller geglänzt hat.

Ist das jetzt ein Argument, Holger Bloem leben zu lassen, oder eher eins dafür, ihn ins Jenseits zu befördern, bevor er sein Werk vollendet hat?

Um die Mittagszeit bin ich da. Ich mache erst eine große Runde um den Turm, schaue mir den Spielplan am Stadttheater an und gehe in die Bibliothek. Ich leihe mir kein Buch aus, ich blättere nur durch die Tageszeitungen.

Der tote Tido Lüpkes regt immer noch alle auf. Es gibt mehrere Reportagen über die christliche Sekte, in der er den großen Zampano gespielt hat. Begeisterte Mitglieder, die die Ankunft des Herrn erwarten und sich lediglich über den genauen Termin nicht einigen können, werden zitiert, genauso wie Aussteiger, von denen zwei zugeben, in psychotherapeutischer Behandlung zu sein. Einer nennt Lüpkes einen »skrupellosen Seelenbrecher«, der im Namen Gottes ein geisteskrankes Regelsystem durchsetzen wollte und den Menschen einen freien Willen absprach.

Warum taucht hier nirgendwo mein sonst so pressegeiler Ex-Schwiegervater auf und erzählt, dass ich ihn attackiert habe? Mit seinem aufgeschlitzten Nasenflügel könnte er es doch zumindest in Süddeutschland überall auf Seite eins schaffen, oder?

Vorne an dem kleinen Kiosk im Bistro trinke ich einen Kaffee. Ein Pärchen sitzt dort. Er hat längere Haare als sie. Sie sind unheimlich verliebt und lesen sich gegenseitig Gedichte vor.

Sie hat eine Lyrik-Anthologie in der Hand, er einen Band von Jürgen Völkert-Marten.

Ich spreche das Gedicht mit, ja, ich kann es auswendig. Oftmals, wenn ich poetische Texte lese, ist es mehr ein Verinnerlichen. Ich vergesse sie nie. Was mir wirklich gefällt, muss ich nicht auswendig lernen. Es bleibt auch so einfach in mir. Liedtexte, Lyrik, gute Zeilen aus Romanen. Ganz anders bei Sachbüchern. Im Studium fiel es mir schwer, Dinge zu behalten. Gegen manche Lehrsätze und Formeln habe ich mich innerlich geradezu gesperrt.

Sommerlust
Zieh die Gymnastikhose aus und lass uns fühlen,
wo der Sommer seine Hitze ließ.
Wir sitzen ohnehin zwischen den Stühlen
seit man uns aus dem Paradies verstieß.

Es könnte sein, dass wir so was wie Glück empfinden.
Dass wir verschwitzt sind, ist dabei egal.
Lass uns im Wohlsein taumeln, winden:
die Lust setzt lachend ein Fanal.

Ich wünschte, wichtig wär jetzt der Moment,
weil später uns der Alltag unbarmherzig trennt.

Ich beobachte sie und höre ihnen zu. Mein Gott, wie sehr ich sie beneide … Gern säße ich jetzt mit Beate hier und würde ihr vorlesen oder mir von ihr mit ihrer bezaubernden Stimme vorlesen lassen.

Bin ich blauäugig, oder wartet hier keine Polizeitruppe darauf, mich einzubuchten? Bob Dylans *It's all over now, Baby Blue* geht mir nicht aus dem Kopf. Vielleicht hat er den Text geschrieben, weil Joan Baez seine Liebe nicht erwidert hat. Vielleicht hat er sich deswegen von der Folkmusik abgewandt. Jedenfalls hat er den Song nicht für mich geschrieben. Aber genauso kommt es mir vor: als würde er über Beate singen und über mich.

Ich versuche, den Text innerlich für mich zu übersetzen.

Du musst jetzt abhauen.
Nimm mit, was dir noch nützlich ist
und was, anders als ich,
sein Verfallsdatum noch nicht überschritten hat.
Egal, was du zusammenraffst,
beeil dich lieber,
denn dort drüben steht dein verlassener Waisenknabe
mit der Knarre in der Hand,

In Norddeich habe ich ein dickes Buch mit Bob-Dylan-Songs zurückgelassen. Das bedaure ich jetzt besonders.

Ich gehe in den Bereich der Stadtbibliothek, wo ich es vermute und werde fündig. Wie oft habe ich zu Hause gesessen, Bob Dylan gehört und immer, wenn ich etwas nicht verstanden habe, in diesem gigantischen Lyrikband geblättert …

Lyrik nachzudichten ist ja ungeheuer schwer. Mir gefällt es nicht, wenn die Übersetzer versuchen, Reime zu produzieren. Oft wirkt das unfreiwillig komisch. Viel besser gefällt es mir, wenn sie versuchen, den Geist des Textes rüberzubringen.

Ich merke schon, der Dichter in mir braucht wieder mehr Raum. Mir fehlt die Befriedigung, die ich hatte, wenn ich in Norddeich meinen Patienten helfen konnte. Dieses Gefühl, etwas Sinnvolles, etwas Gutes getan zu haben, Menschen brauchen das einfach. Selbst so einer wie ich.

Ich fühle mich hier in der Bibliothek zwischen so vielen Büchern eigentlich recht wohl. Der Kaffee schmeckt auch, und manchmal haben sie ganz guten Kuchen. Nicht gerade von ten Cate, aber immerhin …

Doch ich muss trotzdem hoch in die Wohnung, mich einigeln und zurückziehen. Jeder Bibliotheksbesucher macht mich nervös, lenkt mich ab vom Text. Ich merke, wie ich jeden mit Blicken taxiere, zu erraten versuche, ob er eine Waffe trägt und zu dem Team gehört, das mich einkassieren soll, oder ob er einfach auf der Suche nach einem guten Roman ist.

Ich ziehe mich in meine Operationsbasis zurück. Ich koche mir Spaghetti, ganz simpel mit Knoblauch, Zwiebeln und Olivenöl. Es riecht gut. So nehme ich die Wohnung neu in Besitz.

Niemand wartet auf mich, um mich zu verhaften.

Während ich mir einen Teller mit Spaghetti volllade, die ich mir mit der Gabel reindrehe, suche ich am Computer Spuren meiner

Bamberger Aktion. Alles, was ich finde, ist ein Bericht über den Auftritt von *Generation Six.*

Wenn der Journalist verstanden hätte, welche begnadeten Hardrocker da auf der Bühne standen, wäre der Bericht dreimal so groß geworden.

Die Polizei hat keinen Grund, die Informationen über mich zurückzuhalten. Mit einem Fahndungsfoto von den Überwachungskameras, vielleicht gar mit einem Filmchen, auf dem ich zu sehen wäre, könnten sie mich öffentlich jagen.

Es gibt nur eine Erklärung, warum sie es nicht tun: Meine ehemalige Familie hat das Ganze überhaupt nicht bei der Polizei gemeldet. Sie haben Angst, dass ihnen Fragen gestellt werden. Warum hat Sommerfeldt seinen Ex-Schwiegervater attackiert? Vielleicht würde das ganze Firmenkonstrukt und wie es den Besitzer gewechselt hat, öffentlich diskutiert werden.

Die haben so viel Dreck am Stecken, dass sie von sich ablenken wollen. Ich habe ihnen durch die Morde in Ostfriesland dazu auch noch die ideale Gelegenheit gegeben. Ein Serienkiller ist für die Presse doch viel interessanter als jemand, der einfach nur Geld über Konten verschiebt.

Ich bin das Monster, und sie können die Unternehmer mit den weißen Westen bleiben.

Ich verbringe den Rest des Tages in der Wohnung. Es gefällt mir, dass es zu regnen beginnt. Ich mag es, den Tropfen zuzusehen, wenn sie an den Fensterscheiben wie Tränen herunterlaufen. Ich kann einfach so sitzen, schauen und warten – worauf eigentlich? Es ist fast, als würde ich am Deich sitzen und aufs Meer gucken. Hier ist es halt ein Häusermeer. Statt Schiffe sehe ich Autos vorbeifahren.

Wenn sie jetzt an die Tür klopfen, um mich zu holen – *Aufmachen, Polizei!* – werde ich dann einfach auf den Balkon gehen und nach unten springen, um es den Beamten zu ersparen, mich erschießen zu müssen? Tue ich ihnen etwas an damit, oder helfe ich einem von ihnen, zum Helden zu werden? Er hat den Serienkiller zur Strecke gebracht, den Staatsfeind Nummer eins, den gefährlichsten Mann der Republik, wie Holger Bloem mich genannt hat.

Ich gehe tatsächlich auf den Balkon, aber nicht, um herunterzuspringen, sondern um mich nassregnen zu lassen.

Ich ziehe mich aus. Nackt stehe ich hier, breite die Arme hoch zum Himmel aus und genieße die Berührung durch die Regentropfen. Sie kommen mir vor wie Himmelsküsse, nicht mehr wie Tränen.

Mein Körper dürstet so sehr nach Berührung, aber nicht durch Frauen wie diese Bärchen oder Kerstin, sondern durch Beate.

Ob sie Holger Bloem das Interview inzwischen gegeben hat? Hat er versucht, sie flachzulegen? Ist er so einer? Oder lässt sie sich inzwischen von ihrem Lars trösten?

Ich sollte wieder nach Ostfriesland zurückfahren und endlich da aufräumen …

Es hört auf zu regnen. Ein leichter Wind trocknet meine Haut. Ich schließe die Augen und bin im Watt. Ich versuche, alle Geräusche auszublenden. Die Höhe der Wohnung hilft mir. Jeder Lärm ist unter mir. Hier oben pfeift höchstens manchmal der Wind.

Am Abend besuche ich Bärbels Entspannungskurs. Ich hoffe, dass mir dieses Autogene Training guttut. Manchmal habe ich das Gefühl, dass in meinem Herzen Riesen um die Vorherrschaft ringen, dabei ist nicht mal Platz für Zwerge.

Beim Autogenen Training gelingt es mir, wenn ich Bärbels Stimme höre, mich ganz auf meine Körperreaktionen zu konzentrieren. Ich spüre mich dann wirklich, und wenn üble Gedanken kommen, lasse ich sie weiterziehen wie Wolken am Himmel. Ich versuche nicht, zu beeinflussen, was geschieht, ich lasse es geschehen. Damit geht es mir gut.

Neben mir liegt ein junger Mann. Ich kenne ihn schon. Er schläft jedes Mal ein und schnarcht schon nach wenigen Minuten.

Bärbel hat uns geraten: »Wer Angst hat, einzuschlafen, kann einfach einen Arm neben sich hochstellen. Beim Einschlafen fällt der Arm runter, und man wird wieder wach.«

Bei ihm funktioniert das nicht. Seine fleischige Hand plumpst runter und liegt jetzt neben seinem Körper, als würde sie nicht zu ihm gehören.

Vielleicht, denke ich, sollte er beim nächsten Mal ein volles Glas Weizenbier hochhalten. Das trinkt er ja vorher und nachher immer gerne, wie er uns allen erzählt hat.

Wie ich so da liege und spüre, wie mein Arm schwer wird, meine Beine sich entspannen und die Rückenmuskulatur den Boden berührt, da weiß ich plötzlich, was ich zu tun habe. Natürlich! Warum bin ich nicht vorher darauf gekommen? Ich schaffe es nicht, meiner Mutter ins Gesicht zu sehen und ihr die Meinung zu sagen, weil ich dann stumm werde. Ich kriege es nicht mal mit einem Stuhl hin. Aber Himmel, Arsch und Zwirn, ich kann schreiben! Ich versuche mir doch die ganze Zeit, Boden unter die Füße zu schreiben. Genau das sollte ich tun!

Ich stelle mir schon vor, wie ich mit dem Füller in der Hand in meiner Wohnung mit Blick über Gelsenkirchen sitze, die Feder fliegt übers Papier, plötzlich ist alles ganz leicht, und ich sage ihr, was ich endlich, endlich loswerden muss.

Selten war Autogenes Training so entspannend für mich. Es geht mir schon gut, bevor ich den Stift in der Hand halte.

Ich freue mich darauf, in meine Operationsbasis in der Overwegstraße zurückzukehren, und das Schnarchen meines Nebenmanns stört mich überhaupt nicht mehr.

Beschwingt schließe ich die Tür meiner Wohnung, fühle mich unantastbar, so, als könne mir einfach nichts mehr passieren. Nicht einmal die Polizei kann mich heute hochnehmen, nicht, bevor ich das erledigt habe.

Nein, ich tippe keine E-Mail an meine Mutter. Ich schreibe alles in Ruhe mit der Hand. Damit fühle ich mich am besten. Später kann ich alles abtippen und es ihr schicken.

Ich sitze jetzt oben in meiner Wohnung. Ich habe nur eine einzige Lampe angemacht, die überm Schreibtisch. Sie zirkelt mir einen Kreis ab, in der Mitte liegt das Papier. Ich lasse den Kolbenfüller Tinte saugen. Nun ist er bis zum Anschlag voll. Es kann losgehen.

Aber schon die Anrede fällt mir schwer. *Liebe Mama*? Soll ich wirklich diesen Brief mit einer Lüge beginnen? Sie war nicht lieb zu mir und auch nicht wirklich meine Mutter. Wie Mütter sind, das habe ich nicht durch sie erlebt, sondern durch meine Freunde, Klassenkameraden, wenn ich das Glück hatte, bei ihnen zu Hause eingeladen zu werden.

Also kein Drumherumgerede. Kommen wir gleich zur Sache.

Du hast mich benutzt. Du hast mich verraten und verkauft. Nie war ich dir gut genug. Ich habe immer deine tiefe Verachtung gespürt.

Ich habe nie verstanden, was du mir eigentlich vorwirfst. Ich habe mich so sehr abgestrampelt, dir zu gefallen. Aber wahrscheinlich kannst du es dir selber nicht verzeihen, dass ich aus so etwas Schmutzigem wie Sex entstanden bin, den du auch noch selbst gehabt hast, und ich bin jetzt das lebende Denkmal dafür.

Alles Körperliche war dir doch im Grunde immer zuwider. Du hast mich berührt, wie man ein Werkzeug in die Hand nimmt, um etwas damit zu erreichen. Selbst wenn ich Geburtstag hatte, ging es nicht um mich, sondern darum, wie du dich in Szene setzen konntest.

Meine Frau Miriam und du, ihr wart ein perfektes Team, um mich fertigzumachen. Du wolltest, dass ich dir gegenüber machtlos, ja willenlos bin. Größtes Ziel meiner Erziehung war, dass ich brav werde, tue, was immer du von mir verlangst.

Ich weiß, was es heißt, einem Menschen Wünsche von den Augen abzulesen. Das habe ich von dir gelernt. Ich war es ja nicht mal wert, dass du mir gegenüber formuliert hast, was du von mir erwartest. Darauf musste ich schon selber kommen. Ich saß ständig auf der Anklagebank, ohne dass mir jemand erklärt hat, wessen ich eigentlich beschuldigt wurde.

Nun, das wird in Zukunft wohl anders sein. Wenn ich wegen Mordes vor Gericht stehe, wird sich der Richter bestimmt im Gegensatz zu dir an die Strafprozessordnung halten und mir genau vorlesen, worum es geht.

Immer wieder streiche ich Worte durch, formuliere neu, überschreibe. Das geschieht nie, wenn ich meine eigenen Aufzeichnungen mache. Dann finde ich immer die passenden, treffenden Worte. Dies hier kommt mir alles falsch vor, gekünstelt und so, als würde ich sie immer noch in Schutz nehmen.

Ich hebe das Papier hoch und halte es gegen das Licht, als würde ich ein Geheimnis erspüren, das dahinter ist, doch dann benutze ich den Kolbenfüller wie mein Messer. Ich drücke die Spitze durchs Papier, als würde ich sie ihr ins Herz treiben.

Nein, ich werde ihr diesen Brief nicht schicken. Ich werde ihn auch nicht abtippen. Ich werde diese Worte auswendig lernen, und dann kann ich sie hoffentlich ohne zu stottern aufsagen, wenn ich ihr endlich, endlich gegenübertrete.

Ich werde nach Franken zurückfahren. Noch heute. Jetzt sofort! Ich schaffe das!

Ich bin der gefährlichste Mann der Republik. Ja, Holger, danke für die Ehrenbezeichnung.

Aber ich habe nicht mal ein Auto. Oder soll ich ernsthaft nach Gelsenkirchen-Buer zurück, um mir den geklauten Toyota zu holen? Vielleicht steht der Wagen ja noch da. Wer weiß … Soll ich damit nach Franken zurück?

Verdammt, so war mein ganzen Leben! Dieses Hin und Her, dieses nicht wissen, was richtig und was falsch ist. Das hat sich erst erledigt, als ich in Norddeich zu Sommerfeldt wurde, als ich begann, auf Regeln und Gesetze zu scheißen. Nach meinen eigenen Regeln gelebt habe. Als ich aufgehört habe, Bedingungen zu akzeptieren, unter denen ich nur verlieren konnte.

Muss ich erst mit meiner Mutter ins Reine kommen, um mich mit Beate wirklich auseinanderzusetzen? So wenig, wie ich es schaffe, von meiner Mutter zu fordern, sie solle endlich zu dem werden, was sie ist, nämlich zu einer richtigen Mutter, genauso wenig schaffe ich es, Beate zu bitten, meine Frau zu sein. Mit allem, was dazugehört. Besser als Pärchen gemeinsam auf der Flucht, als einsam und alleine irgendwo verbittert zu verrecken.

Aber was habe ich ihr schon anzubieten? Mehr als meine Liebe und ein Leben als »Outlaw undercover« ist kaum drin.

Gut, ich habe eine Menge Geld und Goldmünzen zurückgelegt. Wir könnten ins Ausland verschwinden, uns ein paar schöne Jahre machen. Ich habe Beate gegenüber das Gefühl, es genügt nicht, was ich ihr da anbieten kann. Und ich höre die Stimme meiner Therapeutin Bärbel, die sanft lächelnd sagt: »Und dieses Gefühl kommt dir doch bestimmt bekannt vor. Wem hat es denn sonst nie genügt, was du zu bieten hattest?«

Wir kennen beide die Antwort. Ich muss sie gar nicht formulieren. Ich nicke nur. »Ja, verdammt! Ist ja gut.«

Ich steige um 18.18 Uhr in Gelsenkirchen in den Regional-Express. Er ist pünktlich. In Essen steige ich in den ICE Richtung Würzburg um.

Ich habe mein Arztköfferchen mit, allerdings in einer Sporttasche versteckt. Darin sind ein paar Utensilien, die man auch als Schwerverbrecher braucht. Frische Socken, frische Unterwäsche, Zahnbürste. Ein paar Taschenbücher.

Eigentlich hatte ich vor, im Speisewagen zu essen, aber es gibt nicht mal einen Bistrowagen. Ich bin restlos unversorgt. Da es weder etwas zu essen noch zu trinken gibt, stille ich meinen Hunger mit Literatur. Ich habe den neuen Nele-Neuhaus-Roman mit, einen Thriller von Fitzek und zwei Sachbücher über Schizophrenie, die ich mir in der Bibliothek ausgeliehen habe, und einen dicken Band mit Christoph Meckels gesammelten Gedichten.

In Frankfurt steigt ein dunkelhäutiger Mann mit einem Servicewagen zu. Er spricht kaum Deutsch, hat unglaublich weiße Zähne und bietet einen Superkaffee an. Ich nehme gleich zwei Becher, außerdem einen Schokoriegel und eine Flasche Mineralwasser.

»Du rettest mich, mein Freund«, sage ich. Er lacht und kann nicht glauben, dass ich ihm fast fünf Euro Trinkgeld gebe. Er denkt, ich habe mich verrechnet. Habe ich aber nicht. Wenn es sich nicht mehr lohnt, solche Jobs zu machen, wird das Bahnfahren auch nicht schöner, und irgendwann muss das Rote Kreuz an den Bahnhöfen Tee und belegte Brote verteilen.

Dafür ist der Zug pünktlich um 22.03 Uhr in Würzburg, wo ich in den Regional-Express nach Bamberg umsteige.

Im und um den Bamberger Bahnhof entdecke ich keinen einzigen Polizeibeamten.

Sie wissen nichts von mir. Mein Ex-Schwiegervater hat also den Mund gehalten. Das bedeutet, denke ich, Bärchen und Kerstin waren echte Touristinnen, und ich habe auf der Toilette irgendjemanden ausgeknockt, der gar nichts von mir wollte. Ein Glück, dass ich ihn nicht erdolcht habe.

Ich quartiere mich im Bamberger Hof ein. Er hat vier Sterne. In wirklich guten Hotels können langhaarige Kerle in Lederjacke und Turnschuhen jederzeit einchecken. Dort werden sie nicht für Penner gehalten, sondern für Künstler, Rockstars auf der Durchreise …

Ich strolche noch ein bisschen durch die Innenstadt, um mir die Beine zu vertreten, und dann, bevor ich ins Hotel zurückgehe, schaue ich einmal in der Gärtnerstadt nach meinem alten Elternhaus.

Die Terrassentür steht offen. Meine Mutter liegt auf dem Sofa und telefoniert. Ihre Stimme kommt mir vor wie eine kaputte Kreissäge. Ihr aufgesetztes Lachen kratzt an meinen Nerven.

Ich ziehe meine Teufelsmaske über. Ich könnte jetzt einfach reingehen, ihr sagen, was ich zu sagen habe, ihr die Kehle durchschneiden und verschwinden.

Ich tue nichts dergleichen. Ich höre stattdessen zu.

. Sie hat ganz offensichtlich den Dreckskerl von meinem Ex-Schwiegervater am Telefon. Sie soll morgen früh irgendeine Aufgabe übernehmen. Er kann es leider nicht. Ich grinse in mich hinein. Mit seiner aufgeschlitzten Nase macht er bestimmt einen asozialen Eindruck. Das Ganze ist erklärungsbedürftig. Er muss sich ein wenig von der Öffentlichkeit zurückziehen. Wie schön!

Sie muss diese Aufgabe übernehmen, und das passt ihr überhaupt nicht. Sie steht zwar gern im Mittelpunkt des Geschehens, lässt aber meistens die anderen die operative Arbeit übernehmen. Sie ist mehr eine Marionettenspielerin, an deren Fäden alle tanzen. Selbst etwas zu machen, könnte ja bedeuten, dass es schiefgehen kann. Man setzt sich der Kritik aus. Man kann scheitern.

Nein, für so etwas hat meine Mutter Typen wie mich, meinen Vater und jetzt meinen Ex-Schwiegervater.

Der Wind spielt mit meiner alten Schaukel. Ich gehe hin und berühre die blauen Kunststoffseile. Ich setze mich auf die Schaukel, wippe eine Weile hin und her und schaue in den Himmel.

Es kommt mir jetzt vor, als würde ich mich von außen sehen. Da sitzt im Dunkeln ein erwachsener Mann mit Teufelsmaske auf seiner alten Kinderschaukel. Das leise Knarren der dicken Astgabel über mir wird zum Geräusch einer Zeitmaschine, die mich zurückbringt in die Hölle meiner Kindheit.

Ja, es kann kalt sein in der Hölle. Saukalt.

Meine Exfrau und ihr neuer Typ verbarrikadieren sich in ihrer Burg, schützen sich mit Alarmanlagen, und ihr Papa rennt mit einem Gewehr herum, während meine Mutter bei offener Terrassentür laut telefoniert.

Die anderen fürchten mich. Sie nicht im Geringsten. Wahrscheinlich weiß sie genau, dass ich nicht in der Lage wäre, ihr etwas zu tun. Sie provoziert es sogar mit diesem offenen Haus. Sie möchte diesen Triumph erleben, wie ich vor ihr stehe und wieder nichts zustande kriege.

Herzlichen Dank, du falsche Schlange!

16

Die Nacht ist kurz. Ich switche durch die Programme, was gar nicht so meine Art ist. Es gibt hier fünfundvierzig Fernsehsender, aber für mich ist irgendwie nichts dabei.

Vielleicht, denke ich, machen die heutzutage nur Fernsehen, damit man keine Minderwertigkeitskomplexe bekommt. Wenn man sich das so anguckt, hält man sich gleich für eine hochintelligente Minderheit.

Neulich las ich, das sei Unterschichtenfernsehen, aber ich glaube, das ist die falsche Bezeichnung. In der Unterschicht gibt es ja wohl eine Menge intelligenter, gebildeter Menschen. Das hier ist einfach Fernsehen für Doofe. Oder soziologisch korrekter ausgedrückt: für bildungsferne Schichten.

Ich finde es auch nicht witzig und frage mich, ob es nicht vielleicht gemacht wird, damit Leute verblöden. Gerade führt ein Promipärchen, das ich bezeichnenderweise überhaupt nicht kenne, eine Reporterin durch ihr Haus. Keine Ahnung, wofür die zwei berühmt sein sollen. Das Haus finde ich auf eine spießige Art protzig.

Die Bilder werden aus dem Off ständig mit Preisen kommentiert. Ich erfahre binnen weniger Sekunden, dass sie in einer Neun-Millionen-Villa wohnen und fünf verschiedene Autos fahren, von denen eins hässlicher ist als das andere – das sagt die Reporterin nicht, das finde ich. Sie prahlt mit PS-Zahlen und Preisen.

Ich schalte nicht nur aus, ich nehme den Flachbildschirm von der Wand und drehe ihn um. So. Jetzt ist Ruhe. Und ich widme mich meinen Büchern.

Nach ein paar Seiten Nele Neuhaus werde ich ruhiger. Sätze, die die Phantasie anregen, statt sie zu erschlagen. Ich lege das Buch weg und schlafe ein.

Es gibt hier ein sehr gutes Frühstück. Ich ahne, wohin meine Mutter die Gäste begleiten wird. Es sind Japaner, vermutlich wollen sie Dirndl kaufen. Japaner sind ganz jeck auf Dirndl. Schon mein Vater hatte Japan als den großen Markt erkannt. Er wäre mit denen vermutlich in eine Bar gegangen und hätte die Puppen so richtig tanzen lassen. Das macht meine Mutter natürlich nicht. Die gebildete Dame begleitet ausländische Gäste tagsüber zu einer Stadtführung durch Bamberg. Dabei kann sie ihre Bildung vorführen, und ich wette, dass sie den Stadtführer ständig verbessern und korrigieren wird, um vor ihren Gästen als Koryphäe dazustehen.

Ja, das ist genau ihr Ding. Die anderen müssen etwas leisten, und sie gibt ihre Urteile und Bewertungen ab. Und natürlich weiß sie alles besser.

Ich beschließe, mir das Schauspiel anzusehen. Das klingt gewagter, als es sich anhört. Ich kann dabei eigentlich nur gewinnen, denke ich.

Natürlich wird sie mich erkennen, ich kann ja schlecht die Teufelsmaske tragen. Und ich glaube, Mütter erkennen ihre Söhne immer, selbst so hundsmiserable Mütter wie meine, völlig egal, wie sich die Söhne zurechtmachen. Mit den langen, zum Zopf gebundenen Haaren und dem Van-Dyck-Bärtchen sehe ich genauso aus, wie sie mich nie haben wollte. Trotzdem wird sie mich erkennen, und wenn sie dann auf mich zeigt und nach der Polizei kreischt, ist das ein ganz großer Sieg für mich. Die Mutter, die ihren Sohn verrät, zeigt, wes Geistes Kind sie ist. Und wenn die ganze Welt sie dafür loben wird, für mich hat sie dann die Schlacht verloren.

Sie hat mir immer gepredigt, Loyalität zur Familie sei das Allerwichtigste im Leben. Dabei meinte sie natürlich meine Loyalität ihr gegenüber. Ich dürfte sie niemals verraten.

Wie wird sie es mit mir halten? Verrät sie mich? Es kommt mir vor wie ein Experiment, bei dem ich selbst die Laborratte bin.

17

Dachte ich's mir doch! Meine Mutter ist natürlich zu geizig, um für ihre sechs Japaner einen eigenen Stadtführer zu bezahlen. Sie schließt sich einfach einer Gruppe an. Es fällt mir leicht, mich dazuzugesellen.

Bei Bassanese kaufe ich mir eine große Waffel mit Vanille- und Kokoseis mit einer doppelten Portion Sahne. Dazu fische ich einen roten Plastiklöffel aus dem Spender.

Als Eis schleckender Tourist komme ich mir besonders unverdächtig vor. Dann ärgere ich mich über die Wahl der Eissorten. Vanille und Kokos habe ich als Kind immer gern gegessen. Ich hätte etwas anderes nehmen sollen. Vielleicht Erdbeere und Zitrone. Auf jeden Fall etwas, das nicht die Gefahr in sich birgt, mich in meine Kindheit zurückzuschießen und mich innerlich zum kleinen Johannes werden zu lassen.

Meine Mutter hat mich noch nicht bemerkt. Sie wirkt aber nervös auf mich.

Sie ist klapperdürr, trägt aber, wahrscheinlich um den Japanern zu zeigen, wie toll die Modelle sind, ein Dirndl. Es steht ihr überhaupt nicht. Diese Kleider werden für dralle Frauen gemacht, sollen lustbetonte Lebensfreude ausstrahlen. Meine Mutter hat nichts davon.

Der Stadtführer ist höchstens fünfundzwanzig. Wahrscheinlich ein Student, der sich hier etwas nebenbei verdient. Er macht seinen Job ganz gut, finde ich, aber ich kann ihm ansehen, dass er schon jetzt entnervt ist. Mit ein bisschen Erfahrung weiß jeder Stadtführer gleich, wer der Besserwisser in seiner Gruppe ist.

Laut erklärt meine Mutter dem japanischen Übersetzer, dass die Ausführungen des Stadtführers nicht ganz korrekt seien. Sie korrigiert sie natürlich. Der Übersetzer mit seiner Fistelstimme bringt seine Gruppe zum Lachen. Ob es dieses höfliche japanische Lachen ist oder ob sie meine Mutter auslachen und den Stadtführer, kann ich nicht deuten.

Langsam lasse ich das Eis zwischen Zunge und Gaumen schmelzen.

Auf der Brücke entdeckt mich meine Mutter. Ich stehe schräg hinter ihr, keine drei Meter von ihr entfernt. Nur die Japaner befinden sich zwischen uns. Es ist, als würde sie meine Anwesenheit spüren. Sie wirft die Haare nach hinten, dreht den Kopf ein wenig, und es tut mir unglaublich gut, für den Bruchteil einer Sekunde das Entsetzen in ihrem Gesicht zu sehen. Es sieht aus, als würde sie gegen die Sonne blinzeln.

Ich löffle einfach weiter mein Eis.

Sie hat mich sofort erkannt. Sie braucht nur einen Atemstoß, um sich zu fangen. Und dann wirft sie mir einen vernichtenden, mörderischen Blick zu.

Ich habe das Gefühl, zu erstarren. Dieser Blick ist eine schärfere Waffe als mein Einhandmesser. Er hat die Kraft, Stahl zu schmelzen, Neubauten einstürzen zu lassen und mich völlig zu verunsichern und stumm zu machen. Menschen werden zu Insekten, wenn sie sie so anguckt. Und genau das will sie damit erreichen.

Als ich ein Kind war, fühlte sich das an, als würde sich der Boden unter mir öffnen und ich in einen Höllenschlund fallen. Dort unten warteten böse Geister darauf, mich zu bestrafen. So etwas musste sie nicht selber tun, dafür hatte sie ihre Schergen.

Ihre Frisur ist stets geordnet, ihre Kleidung immer sauber und korrekt. Wie oft hat sie mir gesagt, wohin die Hände gehören. Man streicht sich nicht dauernd die Haare aus dem Gesicht. Überhaupt berührt man sich selbst nie im Gesicht. Man fingert nicht an seiner Kleidung herum. Man steckt die Hände nicht in die Hosentasche.

Himmel, ich wusste meist gar nicht, wohin mit meinen Händen, außer, dass sie kraftlos und schlapp neben mir baumelten, konnte ich nichts mit ihnen anfangen. Sie waren im Weg. Peinlich. Schmutzige Werkzeuge. Hilfsarbeiter. An ihnen klebte all das, was sie jemals berührt hatten.

Jetzt greift sie sich selbst ins Gesicht, wischt eine lose Haarsträhne zur Seite weg und streicht überm Bauch ihr Dirndl glatt. Es ist ein Triumph für mich. Es ist mir tatsächlich gelungen, sie zu verunsichern!

Sie steht an einem Scheideweg. Wird sie auf mich zeigen und rufen: »Da ist er, der sechsfache Mörder, den alle suchen! Sein letztes Opfer war ein strenggläubiger Christ aus Norddeich. Da ist mein missratener Sohn. Ergreift ihn!«

Ich bleibe ruhig stehen und schlecke weiter mein Eis. Ja, ich genieße diesen Moment.

Dann höre ich eine weibliche Stimme. »Huhu!«

Ich drehe mich um. Peinlicher geht's nicht. Bärchen und Kerstin, die beiden Damen, die ich im Schlenkerla kennengelernt habe und fälschlicherweise für Polizistinnen hielt.

»Das ist doch unser Priesterschüler! Der vor dem Dreier weggelaufen ist. Na, Kleiner, hast du es dir anders überlegt? Lauf nicht gleich wieder weg!«

»Vielleicht wird der doch besser Priester«, feixt Bärchen, und Kerstin lacht: »Wer uns zwei verschmäht, muss schwul sein!«

Meine Mutter hat sofort wieder Oberwasser. Sie verzieht die Mundwinkel. Ihre Lippen werden noch schmaler als sie sowieso schon waren. Wie eine Adlige, die auf das peinliche, ungebildete, niedere Volk herabschaut und mit denen nichts zu tun haben will, wendet sie sich von uns ab und trägt die Nase noch höher als zuvor.

Ich will jetzt sofort verschwinden. Ich habe weder Lust, mich Bärchen und Kerstin zu stellen, noch meiner Mutter. Ich bin fertig mit Bamberg. Ich will nur noch zurück.

Endlich weiß ich, was ich will. Jetzt kann ich das Therapieziel, von dem Bärbel gesprochen hat, festlegen: Ich will nicht mehr zum kleinen Kind werden, wenn ich meiner Mutter gegenübertrete. Ich will der erwachsene, starke Kerl sein, der ich bin. Am liebsten Dr. Bernhard Sommerfeldt. Nie wieder darf ich ihr erlauben, mich zum kleinen Johannes Theissen zu machen.

18

Ich rufe in der Firma an, um meinen Ex-Schwiegervater daran zu erinnern, dass ich ihm das Leben nur unter einer bestimmten Bedingung gelassen habe.

Ich bekomme tatsächlich meine alte Sekretärin Rosi Lang an den Apparat. Sie hatte schon für meinen Vater gearbeitet, später hat sie für mich gearbeitet, und nun ist sie Karl-Heinz' Sekretärin. Dient sie jedem Herrn, oder, ein fürchterlicher Verdacht schleicht sich in diesem Moment ein, hat sie, mit der freundlichen Stimme und dem sanften Wesen, vielleicht von Anfang an für die Gegenseite gearbeitet? Hat sie geholfen, mich abzusägen? Wie viele Briefe habe ich – ihr blind vertrauend – unterzeichnet, ohne sie zu lesen? Stand sie die ganze Zeit schon auf Karl-Heinz' Gehaltsliste?

»Johannes«, fragt sie, »bist du das? Ich erkenne doch deine Stimme. Wie geht es dir? Wo bist du?«

Ich antworte ihr nicht, sondern verlange: »Ich will Karl-Heinz sprechen.«

»Ja, äh … aber, wen soll ich melden? Ich darf eigentlich im Moment keine Gespräche zu ihm durchstellen. Er ist schwer in …«

»Ach, Rosi«, sage ich gespielt mitleidig, »sag ihm einfach, Roman Polanski sei am Telefon. Dann wird er sicherlich sofort für mich zu sprechen sein.«

»Roman Polanski? Der Regisseur?«

Ich schlucke *Nein, der Nasenschlitzer* herunter und sage: »Ja, genau der.«

Sekunden später ist Karl-Heinz am Apparat.

»Was ist mit dir?«, frage ich. »Ich denke, du willst eine Erklärung abgeben und der Welt erzählen, wie genau du mit deiner Brut die Firma übernommen hast …«

»Johannes! Sei doch vernünftig!«

»Ich heiße nicht Johannes. Mein Name ist Dr. Bernhard Sommerfeldt. Wenn ich gnädig bin, stirbst du schnell. Wenn du mich wütend machst, dauert es länger. Hast du das kapiert, du Arsch?«

Er stottert. Das tut mir gut. Ich mache ihm wirklich Angst.

»Ich habe dich nicht verraten! Sie … sie wissen nicht, wie du jetzt aussiehst«, stammelt Karl-Heinz. »Du … du brauchst doch be… stimmt Geld. Du bist doch auf der Flucht. Ich k… kann dir Geld zukommen lassen. Eine halbe Million ist gar kein Problem. Ich …«

Ich lache so gemein, wie ich nur kann. »Du bietest mir Geld an? Du, der mir alles genommen hat? Eine halbe Million? Ich hätte dir die ganze Nase abschneiden sollen!«

»Ich … ich … ich mache das natürlich! Aber es w… wird der Firma schaden. Wir richten damit alles zugrunde … Die Marke wird auf ewig beschmutzt sein und …«

»Das ist mir alles scheißegal! Ich wurde beschmutzt. Durch euch. Und ich will, dass mein Name reingewaschen wird. Die Marke interessiert mich nicht, du Klappsmann!«

»Es ist nicht so leicht, eine Pressekonferenz zu organisieren … Du … du willst doch nicht, dass ich deine Mutter da mitreinreiße oder deine Frau … Herrje, dabei werden wir doch alle nur verlieren!«

»Meine Frau? Sprichst du von deiner Tochter? Ich sage dir jetzt mal genau, was du zu tun hast: Innerhalb der nächsten vierundzwanzig Stunden wirst du den Journalisten Holger Bloem anrufen und ihm die ganze Geschichte erzählen. Für jede Lüge, die du von dir gibst, schneide ich dir einen Finger ab. Klar?«

Er bekommt kein Wort mehr heraus, sondern nur gurgelnde Grunzlaute.

»Ich denke, ich habe mich klar und deutlich ausgedrückt. Vierundzwanzig Stunden. Keine Minute länger. Und nicht irgendein Journalist, sondern Holger Bloem, wenn dir dein armseliges Leben etwas wert ist. Und wenn du mit ihm sprichst, denk an deine Finger, alter Knabe. Für jede Lüge einen. Mit der rechten Hand fange ich an. Du bist doch Rechtshänder, oder? Und die halbe Million zahlst du trotzdem. Es ist der kleine erste Teil einer großen Abrechnung. Halt das Geld bereit.«

19

Es ist erstaunlich leicht, Holger Bloem zu erreichen. Ich hatte erwartet, erst zwei Sekretärinnen oder Vorzimmerdamen überzeugen zu müssen, bevor ich den Chefredakteur des Ostfriesland-Magazins ans Telefon bekomme. Irrtum.

Er hebt einfach selbst ab und sagt freundlich-verbindlich: »Bloem, Ostfriesland-Magazin.«

»Ich bin der Mann, den Sie den *Schlitzer* genannt haben oder auch weniger schmeichelhaft *krankes Gehirn, gefährlichen Psychopathen, Serienkiller ...*«

Er unterbricht meine Aufzählung, dabei bin ich noch lange nicht fertig.

»Dr. Sommerfeldt?«

»Ja, der bin ich. Oder kennen Sie noch mehr *geisteskranke Mörder*?«

»Offen gestanden sind Sie nicht der erste für mich, Herr Sommerfeldt. Ich begleite Ann Kathrin Klaasens Arbeit seit Jahren. Aber Sie sind mir – das gebe ich gerne zu – der unheimlichste.«

»Ich nehme das jetzt mal als Kompliment«, sage ich.

Er irritiert mich, weil er so ruhig bleibt. Da ist nicht die geringste Aufregung in der Stimme zu spüren. Keine nervöse Vibration der Stimmbänder. Nicht der Hauch einer Schnappatmung. Er spricht bedächtig, aber doch mehr, als würde er gerade mit einem Kleingärtner reden, der einen Preis für seine Rosenzüchtung gewonnen hat, und nicht, als hätte er einen gesuchten Mörder am Apparat.

Er fragt ernsthaft: »Was kann ich für Sie tun?«

»Ich möchte, dass Sie meine Geschichte richtig aufschreiben.«

»Wie darf ich das verstehen – richtig?«

»Die Wahrheit! Ich will, dass Sie die Wahrheit schreiben.«

»Das ist im Prinzip immer mein Anspruch.«

»Gut. Ich habe Ihr Blatt immer gemocht, bis Sie begonnen haben, so einen Scheiß über mich zu schreiben.«

»Scheiß? Wollen Sie behaupten, dass Sie unschuldig sind?«

»Nein, das bin ich nicht.«

»Sie haben also alle sechs Morde, wegen denen Sie gesucht werden, begangen?«

»Ja, das leugne ich nicht. Wäre ich sonst geflohen? Glauben Sie, ich spiele hier *Richard Kimble auf der Flucht*?«

Zum ersten Mal höre ich Bloems Atem.

»Sie wissen, wovon ich rede?«, hake ich nach.

»*Auf der Flucht* mit Harrison Ford und Tommy Lee Jones habe ich erst vor kurzem gesehen. Ich kenne aber auch noch die alte Serie mit David Janssen.«

Ich pfeife durch die Lippen. Ich rede gern mit gebildeten Menschen. »Wussten Sie, dass das alles auf einem wahren Fall beruht?«

»Nein, ich hatte keine Ahnung.«

»Ein Mediziner, Sam Sheppard, sollte seine Frau umgebracht haben. Auf dem Weg zur Hinrichtung entgleiste der Zug. Er floh und …«

Bloem unterbricht mich. »Rufen Sie wirklich an, um mit mir über Filme zu reden?« Da ich nicht sofort antworte, fährt er fort: »Ich glaube, Sie sind inzwischen ein sehr einsamer Mann, Doktor Sommerfeldt.«

Er betont *Doktor* provozierend.

»Nein, ich rufe an, weil ich will, dass Sie die Wahrheit schreiben.«

Bloem seufzt. »Was ist denn die Wahrheit?«

»Ich wurde in Bamberg hereingelegt. Ich hatte ein ganz anderes Leben geplant. Ich wollte ein guter Mensch sein. Ich wäre gern ein echter Arzt geworden. Meine Frau, mein Schwiegervater und der Liebhaber meiner Frau haben gemeinsam ein Komplott geschmiedet, um mich fertigzumachen und sich die Firma unter den Nagel zu reißen.«

Warum nenne ich nicht auch meine Mutter? Schone ich sie? Schütze ich sie selbst jetzt, in diesem Gespräch? Wie kann ich von Bloem verlangen, er solle die Wahrheit schreiben, wenn ich selber nicht wage, sie auszusprechen?

»Ohne die Scheiße in Bamberg wäre ich nie zu Dr. Sommerfeldt geworden«, schreie ich und komme mir blöd dabei vor. Wer in diesem Gespräch laut wird, hat doch schon verloren, denke ich.

»Haben Sie«, fragt Holger Bloem, »Tido Lüpkes getötet?«

»Ja.«

»Dann war er also Ihr siebtes Opfer?«

»Zählen Sie die Stechmücken, die Sie in einem Sommer erschlagen, Herr Bloem?«

Er geht nicht darauf ein, sondern hakt nach: »Warum haben Sie ihn getötet?«

»Warum töten Sie Mücken?« Ich beantworte meine Frage selbst: »Weil sie Sie stören, stimmt's, Herr Bloem? Sie übertragen Krankheiten. Kennen Sie jemanden, der sich für den Schutz der Malaria-Mücke einsetzt? Ich nicht.«

»Er war Elternsprecher in der Schule, in der Ihre Lebensgefährtin …«

»Lassen Sie Beate aus dem Spiel!«, gifte ich und ärgere mich darüber, dass ich mich so echauffiere. »Gucken Sie sich in Bamberg um, wenn Sie mich verstehen wollen.«

»Ich habe das Gefühl«, sagt Bloem vorsichtig, und jetzt hüstelt er zum ersten Mal, »dass Sie mir einiges zu erzählen haben. Ich würde gerne ein Interview mit Ihnen machen, mir Ihre ganze Geschichte anhören.«

Ich antworte viel zu schnell und begeistert: »Ja!«

»Wann und wo?«, will Bloem sofort wissen.

Ich lache demonstrativ, um Zeit zu gewinnen. »Es wird nicht ganz so leicht wie sonst, wenn Sie einen Tourismusdirektor befragen, was seine Region so Attraktives zu bieten hat … Zunächst wird mein Ex-Schwiegervater, Karl-Heinz Lorenz, Sie anrufen, weil er Ihnen etwas zu sagen hat. Danach ich. Wir legen dann Ort und Zeit fest. Oder hat mein Schwiegervater bereits mit Ihnen gesprochen?«

»Nein. Aber beantworten Sie mir eine Frage: Warum ich? Wer garantiert Ihnen, dass ich Ihnen keine Falle stelle und gleich die Polizei informiere?«

»Nett, dass Sie es von sich aus ansprechen, Herr Bloem. Ich weiß, dass Ihnen ein sehr gutes Verhältnis zu Kommissarin Klaasen und ihrer Truppe nachgesagt wird.«

Bloem ist vorsichtig geworden. Ich höre es an seiner Stimme. »Also – warum ich?«

»Weil ich Sie für einen Gentleman halte, und ich Ihren Stil mag.«

»Das ehrt mich, aber das glaube ich Ihnen so nicht.«

»Lieber Herr Bloem, es ist in Ihrem eigenen Interesse, mich nicht zu verpfeifen. Sie sind doch jetzt schon ein gefragter Interviewpartner, und Ihre Artikel werden im ganzen Land gedruckt …«

»Nicht nur da«, gibt er zu.

Ich weiß, dass auch die ausländischen Zeitungen bei ihm Schlange stehen. Wenn ich seinen Namen google, finde ich in englischen, französischen, polnischen Zeitungen oft Artikel von Holger Bloem über mich und meine Taten.

»Sehen Sie, wenn Sie der Einzige sind, der mit mir geredet hat, wird Sie das für die Medien noch interessanter machen. Sie werden mit mir und meinem Fall Karriere machen! Sie können ein Buch über mich schreiben. Es wird die Bestsellerlisten stürmen.«

»Das war nie mein Ziel«, behauptet Bloem.

Ich lasse ihm die Ehre, gehe darauf gar nicht näher ein, glaube ihm aber kein Wort.

»Wir werden«, prophezeie ich, »ein Setting wählen, das mir freies Geleit garantiert. Aber sprechen Sie zunächst mit meinem Ex-Schwiegervater.«

Ich knipse das Gespräch weg.

20 Ich mache mir einen Ostfriesentee. Komischerweise zieht mich mein Heimweh nicht dorthin, wo ich geboren wurde, sondern dorthin, wo ich die schönste Zeit meines Lebens verbracht habe, wo ich mich geliebt fühlte, geachtet war, ein schönes Leben hatte, als Dr. Bernhard Sommerfeldt.

Ja, ich habe Heimweh nach Ostfriesland. Hier, in meiner Gelsenkirchener Operationsbasis, geht es mir im Prinzip ganz gut. Im Prinzip. Hier bin ich in der Mitte, zwischen meiner größten Angst und meiner größten Sehnsucht.

Ich möchte so gerne mein Leben als Dr. Sommerfeldt zurück, zusammen mit Beate. Am liebsten würde ich meine Praxis wieder öffnen. Menschen behandeln. Mit Beate über Bücher diskutieren. Den wunderbaren Sex genießen. Am Meer spazieren gehen, der Nordsee lauschen und mich dem Wind aussetzen. Aber dort, wo ich mich am wohlsten fühle, wo ich jetzt am liebsten wäre, ist auch die Gefahr am größten, verhaftet und einkassiert zu werden.

Wie konnte ich in diese schreckliche Situation geraten? Gejagt von meiner Vergangenheit, habe ich mir eine glückliche Zukunft verbaut und die schöne Gegenwart in Schutt und Asche gelegt.

Leider gibt es in Gelsenkirchen kein Marzipan von ten Cate. Und wer das einmal gegessen hat, der ist für jedes industriell hergestellte Zuckerzeug verdorben.

Die vierundzwanzig Stunden, die ich meinem Ex-Schwiegervater gegeben habe, sind um. Keine Erklärung in den Zeitungen, keine Interviews im Fernsehen. Ich suche überall nach Spuren seines Geständnisses, dabei weiß ich schon, wie blöd das ist. Wenn er mit der Wahrheit herausgekommen wäre, gäbe es überall riesige Aufmacher. Das könnte man garantiert nicht übersehen.

Schade. Jetzt muss ich ihn mir selbst vorknöpfen. Dabei hätte ich so viel anderes zu tun … Ein Teil von mir ist echt sauer auf ihn und will ihn zur Rechenschaft ziehen, ja, ist geradezu heiß darauf, ihn zu bestrafen. Aber da gibt es auch eine warnende Stimme, die mich fast höhnisch darauf hinweist, dass ich den Rachefeldzug gegen Karl-Heinz, seine Tochter und ihren neuen Mann nur benutze, um mich nicht den eigentlichen Monstern zu stellen, vor denen ich richtig Angst habe: meiner Mutter und … ja, verdammt, Beate.

Man kann die beiden überhaupt nicht miteinander vergleichen, aber ich habe doch ein Problem damit, mich ihnen zu stellen. Ist das alles nur eine Flucht? Ich versuche, solche Gedanken beiseitezuwischen.

Holger Bloem fährt morgens gern mit dem Fahrrad in die Redaktion. Ich kenne seine Strecke genau. Es wäre ein Leichtes, ihn unterwegs abzupassen. Aber ich will ihm nicht mein Gesicht zeigen.

Ich werde meinen Ex-Schwiegervater nicht einfach so umbringen. O nein. Holger Bloem soll alles hautnah miterleben. Er soll ein Buch schreiben, und er soll Stoff dafür bekommen!

Bis Emden fahre ich mit dem Zug und komme um 23.09 Uhr dort an. In Emden nehme ich mir ein Taxi und lasse mich zu Meta nach Norddeich fahren. Ich setze mich nicht auf den Beifahrersitz, sondern hinten rein und tue so, als würde ich gleich einnicken.

Den fünfzig Jahre alten Musikschuppen kennt jeder, und niemand wundert sich, wenn man nachts ein Taxi dorthin nimmt.

Ich gebe großzügig Trinkgeld und lasse mir eine Quittung ausstellen. Wahrscheinlich wegen meiner langen Haare fragt mich der junge Fahrer, ob ich in einer Band spielen würde.

»Ja«, lüge ich, »ich bin der Bassist.« Während er die Quittung ausstellt, will er den Namen der Band erfahren.

»Mein ist die Rache«, sage ich.

Er tut so, als würde er die Band kennen und sie auch ganz gut finden.

»Wir machen Hardrock und Metal.«

Er nickt, gibt aber zu, mehr auf Folk zu stehen.

Ich winke ab. »Ist mir zu soft und zu leise.«

Ich kann nicht anders. Ich muss ein wenig am Deich spazieren gehen, meinen Gedanken nachhängen und tief durchatmen. Gibt es irgendwo auf der Welt so viele Sterne am Himmel wie hier?

Ich bin an einer völlig einsamen Stelle. Hier bin nur ich und mit mir ein paar Vögel. Ich ziehe mich aus und gehe nackt ins Watt. Zwischen meinen Zehen quillt der Matsch schon beim ersten Schritt hoch. Jedes Mal, wenn ich den Fuß hochziehe, gibt es ein schmatzendes Geräusch.

Ich gehe sehr bewusst und ganz vorsichtig. Ich spüre Lebewesen unter meinen Füßen. Dieser Meeresboden ist so lebendig!

Die Stille hüllt mich ein, und es ist, als würde der Wind mich von meiner Schuld befreien. Meine Haut reinigen und meine Körperbehaarung durchkämmen.

Durch kleine Pfützen gehe ich immer weiter, als würde irgendwo da draußen in der Unendlichkeit die Erlösung warten. Ich höre das archaische Versprechen des Meeres: Ich komme wieder, und ich werde alle Spuren, die du hinterlassen hast, beseitigen.

Das Meer in seiner majestätischen Macht relativiert alles.

Ich laufe über Muscheln, die von meinen Fußsohlen in den

Schlick gedrückt werden. Das feine Krachen des Perlmutts, wenn es Risse bekommt, erinnert mich an das Knistern und Knacken, wenn heißer Tee auf Kandis gegossen wird und er in der Tasse zerspringt.

Ich breite die Arme aus und lasse mich rückwärts fallen. Mein ganzer Körper sinkt in den kühlen, feuchten Schlamm. Jetzt ist der Geruch besonders intensiv.

Ich schaue nach oben zu den Sternen, und es ist, als könnte ich die Erdumdrehungen fühlen.

An meinen Beinen krabbelt etwas hoch. Kleine, zittrige Beinchen auf meiner Haut. Vielleicht ein winziger Krebs? Auch unter meinem Rücken bewegt sich etwas. Ein Wattwurm?

Ich weiß nicht, wie lange ich so hier liege. Es ist ein Einswerden. Einen Moment lang bin ich glücklich.

Ich wasche mich im Priel, lege mich ins Deichgras und spüre, wie der warme Wind meine nasse Haut trocknet.

Im Diekster Köken werden gerade die letzten Tische abgeräumt. Es ist eine laue, warme Sommernacht. Bei den Fahrradständern wähle ich das für mich passende Rad aus. Es ist mit einem roten Zahlenschloss gesichert. Für Fahrraddiebe ist so ein Zahlenschloss mehr ein Geschenkband als ein Hindernis. Ich brauche keine sechzig Sekunden, um das Schloss zu knacken. Jedes Mal, wenn ich die richtige Zahl gewählt habe, klickt es metallen.

Die Zahlenkombination ist äußerst clever gewählt. Viermal die Null. Wer soll darauf nur kommen?

Ich radle zu Holger Bloem nach Süderneuland.

Ich sehe ihn durchs Fenster mit seiner Frau Angela und mit ihrem Kartäuserkater. Die Bloems machen sich gerade bettfertig. Ich fürchte, Holger Bloem würde es mir nicht verzeihen, wenn ich seine Frau erschrecke, deswegen verbringe ich die Nacht in seinem Garten. Ich will ihn abpassen, wenn er morgen früh das Haus verlässt.

Ich liebe diese Nächte in Ostfriesland. Selbst hier in der Siedlung spürt man das Meer, den metallischen Geschmack der Luft, als würde das Watt ausatmen.

Es tut mir gut, in Bloems Garten zu sitzen. Ich fühle mich stark und durchtrieben. Der Ausflug ins Watt hat mich mit Energie und Zuversicht aufgeladen.

Gegen vier Uhr morgens steige ich noch einmal aufs Rad und fahre in den Rosenweg zu Beate. Bei ihr ist noch alles dunkel. Ich schleiche ums Haus und habe das Gefühl, ihre Anwesenheit zu spüren.

Sie schläft. Am liebsten würde ich mich in ihre Träume schleichen und ihr sagen: *Komm zu mir. Lass uns gemeinsam abhauen. Scheiß auf alles! Wir fangen irgendwo ganz von vorne an. Geld habe ich genug.*

Es wäre ein Leichtes, ins Haus einzusteigen. Die untere Etage steht leer, die Vermieter sind immer noch im Urlaub. Vermutlich auf der Suche nach Lebewesen zwischen Bahngleisen. Am liebsten würde ich ins Haus einsteigen, mich hochschleichen zu Beates Bett. Ich stelle mir vor, wie ich in ihrem Zimmer stehe und ihr beim Schlafen zuschaue. Ich habe Lust, sie zu berühren, ohne sie zu wecken. Ich würde sie gerne zudecken und ihrem Atem lauschen.

Aber was mache ich, wenn sie wach wird? Wird sie sich erschrecken, anfangen zu schreien, oder wird sie froh sein, mich endlich wiederzusehen? Ihre Bettdecke hochheben und mich bitten, zu ihr zu schlüpfen?

Ich schaue zum Baumhaus hoch. Irgendwo bellt ein Hund. Ich fahre wieder zurück nach Süderneuland und verbringe die Nacht in Bloems Gartenmöbeln.

Vielleicht ist es besser so. Vielleicht muss ich vernünftig sein.

Mein Herz sagt mir etwas anderes. Ich will Beates Körper spüren, ihre Haut riechen. Bei ihr sein!

Bloems Gartenmöbel sind ganz bequem. Ein paarmal schlafe ich sogar ein. Einmal weckt mich ein Igel und dann eine Dohle, die sich wohl sehr für den glänzenden Kupferverschluss meines Arztkoffers interessiert, in dem sich die Sterne spiegeln, als hätte ich kleine Brillanten einarbeiten lassen.

In Bloems Garten spiele ich meine Möglichkeiten durch. Soll ich ihn in den Kofferraum seines eigenen Autos verfrachten, um ihn mit nach Franken zu nehmen? Ich stelle mir vor, wie ich diesen Mistkerl Karl-Heinz zwinge, Bloem die Wahrheit zu erzählen, während mein Messer zwischen seinen gespreizten Fingern Tango tanzt, und jedes Mal, wenn er lügt, ich das Blut spritzen lasse.

Ja, in meinem Kopf fühlt sich das gut an. Doch Bloem wird es nicht mitspielen. Er ist ein Schöngeist, der über Schiffe und eine Landschaft schreiben kann, dass es zum sinnlichen Erlebnis wird. Würde er mich dafür verachten und alles, was Karl-Heinz aussagt, gegen mich kehren und anzweifeln? Würde er es später *Aussage unter Folter* nennen und mich einen *brutalen Verbrecher und Psychopathen*?

Gibt es andere Wege? Ich bin einfach hierher gefahren, in der Hoffnung, es irgendwie richtig anstellen zu können, doch jetzt, nachdem ich vor Beates Haus gestanden und ihre Anwesenheit gespürt habe, würde ich am liebsten die Uhr zurückdrehen und die letzten Monate aus meinem Leben streichen.

Wie schön muss das sein, wenn man Filme dreht, und der Regisseur kann sagen: »Das machen wir noch mal, Kinder, das war nichts. Eins, die Zwote!«

Im Leben geht so etwas nicht. Einfach die Uhr zurückdrehen, zu dem Tag, an dem ich Beates Ex, Michael Pelz, hingerichtet habe. Wie konnte sie nur auf so einen Kretin reinfallen? Ich wollte es gar nicht wirklich tun. Ich wollte nur die Fotos von ihm, diese schmutzigen kleinen Sexbildchen, mit denen er versucht hat, meine Beate zu erpressen.

Ja, verdammt, denke ich, es war richtig, richtig, richtig! Ein Mann muss seine Frau vor so etwas beschützen. So wie ein Vater seine Kinder beschützen muss. Es ist ein archaisches, biblisches Recht.

Alles in mir bäumt sich gegen das aufkeimende Schuldgefühl auf. Was ich getan habe, war richtig. Ich bin stolz darauf! Wenn es mir nur gelingen könnte, Bloem das zu vermitteln ...

Ein Geräusch lässt mich aufschrecken, als würde Metall über Steinboden geschoben. Im Bruchteil einer Sekunde habe ich mein Messer in der Hand und stehe kampfbereit.

Ein Igel flieht vor mir. Er hat sich an dem Futternapf der Katze zu schaffen gemacht. Ich wünsche ihm viel Glück. Ich fühle mich ihm sehr verbunden. Er ist wie ich auf der Flucht und sehr, sehr stachelig, damit man ihm nicht zu nahe kommen kann.

Ich muss eingenickt sein. Ich werde von Kaffeeduft wach. Ich sehe Holger Bloem mit seiner Frau frühstücken.

Wenn du wüsstest, wie ich dich um die Selbstverständlichkeit beneide, mit der du das tust. Vor nicht allzu langer Zeit war ich wie du. Anerkannt, ja, beliebt. Und meine Beate hat mich ähnlich angesehen wie deine Angela dich. Im Blick dieses Wissen: Wir gehören zusammen. Ich lebte damals schon unter falschem Namen, übte einen Beruf aus, ohne die Berechtigung dafür zu haben, und in Franken hatte ich angeblich Millionenschulden hinterlassen. Aber was ist das alles gegen Mord?

Dein Leben ist solider gebaut, Bloem. Journalistenschule. Vernünftige Ausbildung. Du weißt genau, was du tust, und niemand zweifelt deine Qualifikation an.

Ich darf nicht so lange durchs Fenster hineinschauen. Wenn ich ihn mit Angela sehe und dann noch den Kater, nimmt mich das zu sehr für ihn ein. Vielleicht muss ich hart mit ihm umgehen. Er hat üble Sachen über mich geschrieben. Ich kann ihm das nicht durchgehen lassen. Aber ich bin dafür, dass Menschen immer eine zweite Chance bekommen. Er kann es wieder gutmachen.

Auch meinem verfluchten Schwiegervater habe ich eine neue Chance gegeben. Ich fürchte nur, er hat sie leider vergeigt.

Angela Bloem verlässt das Haus vor Holger.

Prima. So soll es sein. Das Schicksal ist mir hold. Sie wäre bei dem, was wir beide zu erledigen haben, nur im Weg. Und vielleicht würdest du sehr schnell merken, dass ich Frauen nichts zuleide tun kann. Diese Schwäche solltest du besser nicht kennen …

In dem Moment läuft es mir heiß den Rücken runter. Ich bin zwar der meistgesuchte Mann Deutschlands, aber ich fürchte nicht die Zielfahnder des BKA, sondern ich weiß, dass mir niemand so gefährlich werden kann wie diese Ann Kathrin Klaasen. Aber könnte ich sie niederstechen, wenn sie vor mir stünde? Oder würde sie mir einfach Handschellen anlegen und lächelnd sagen: »Ich weiß doch, dass du nicht Dr. Bernhard Sommerfeldt bist, sondern nur das kleine Würstchen Johannes Theissen. Mach jetzt keinen Ärger. Zeig mir deine Hände. Hast du sie auch richtig gewaschen?«

Ja, verdammt, sie könnte mich mit einem Blick entwaffnen.

Bloem trinkt noch einen Kaffee im Stehen, dann geht er raus zu seinem Fahrrad und macht sich am Fahrradschloss zu schaffen. Ich setze meine Teufelsmaske auf und begrüße ihn ostfriesisch-knapp mit einem »Moin«.

Moin kann alles heißen. Das Spektrum reicht von: »Hallo, mein Freund, schön, dich zu sehen« bis zu: »Verpiss dich, du Arsch, bevor ich dir die Fresse einschlage!«. Es kommt nur auf die Betonung an. Viel mehr Worte als *Moin* braucht man in Ostfriesland eigentlich nicht für eine angemessene Unterhaltung …

Damit die Situation zwischen uns gleich klar wird, lasse ich mein

Einhandmesser ausklappen. Mein rechter Arm hängt lässig nach unten. Die Messerspitze zeigt zum Boden.

Bloem kommt aus der gebückten Haltung hoch. Er schaut mich erstaunt an, bleibt aber ruhig. »Moin.«

Ich taste ihn mit Blicken ab. Ich bin mir sicher, dass er keine Waffe trägt.

Er zeigt auf mein Messer: »Wie ich sehe, haben Sie Ihr Werkzeug bereits mitgebracht. Darf ich meins auch auspacken? Sollen wir das Interview gleich jetzt und hier führen? Ich brauche einen Block und einen Stift.«

Ich mag dieses ostfriesische Understatement. Alles erst mal runterholen. Die machen einen Papst zum Kardinal, einen Popstar zum talentierten, durchaus hoffnungsvollen Nachwuchstalent, und eine Sturmflut ist hier *'n büschen Wind.*

»Schließen Sie das Rad ruhig wieder ab«, schlage ich vor. »Ich glaube, das brauchen Sie heute nicht.«

»Eigentlich«, sagt Holger Bloem schulterzuckend, »hatte ich heute etwas anderes vor. Ein ziemlich volles Programm. Das neue Ostfriesland-Magazin ist in der Endredaktion.«

»Steht auch was über mich drin?«

»Nun, als Cover eignen Sie sich nicht gerade. Da zeigen wir doch lieber die Schönheiten Ostfrieslands.«

Er grinst mich unverschämt an. Hat er keine Angst vor mir, oder zieht er hier eine coole Show ab?

»Daraus wird nichts werden. Rufen Sie an. Sagen Sie, dass Sie krank geworden sind – kann ja jedem mal passieren.«

Bloem streicht sich über sein Henriquatre-Bärtchen. »Da ich der Wahrheit verpflichtet bin, sollte ich vielleicht besser sagen, dass ich gerade ein wichtiges Interview führe. Das wird doch hier ein Interview, oder sollte ich in der Redaktion lieber melden, dass ich mich als Geisel in der Hand eines Verbrechers befinde?«

»Ich denke, Herr Bloem, wir setzen das Gespräch im Haus fort.«

Bloem wirkt merkwürdig entspannt: »Ich mache uns gerne einen Kaffee. Aber wie wäre es, wenn Sie diese alberne Maske absetzen? Ich weiß doch, wer Sie sind. Ich habe noch nie jemanden interviewt, der mir sein Gesicht nicht gezeigt hat.«

»Da haben Sie mir einiges voraus, Herr Bloem. Ich weiß oft selber nicht, wer ich bin.«

Bloem wirkt zufrieden, zeigt mir seine offenen Hände und sagt: »Wenn das nicht bereits der Beginn eines guten Interviews ist … Darf ich Sie hineinbitten?«

Die Wohnung ist so eingerichtet, dass man sich drinnen gleich wohl fühlt. Er lädt mich ein, auf dem Sofa Platz zu nehmen. Ich stelle mein Arztköfferchen auf den Tisch.

Ohne mich zu fragen, ob er es darf, und ohne sich erst rückzuversichern, was er sagen soll, ruft er im Büro an und sagt ohne weitere Erklärungen: »Ich komme heute etwas später.«

Er schaut mich an, so, als würde er erwarten, dass ich ihm eine Uhrzeit nenne. Das mache ich aber nicht. Ich will ihm nicht zu viele Sicherheiten geben.

Vielleicht, denke ich, wird es ein paar Tage dauern. Tage, die du gefesselt und geknebelt hinten im Kofferraum verbringen wirst. Erst mal sehen, wie es läuft …

»Geben Sie mir Ihr Handy«, verlange ich. Er tut es widerstrebend. Ich schalte Bloems Handy aus und stecke es ein.

Ich hebe die Maske ein Stück an, um den Kaffee trinken zu können. Nach der Nacht draußen tut mir das heiße Getränk gut. Holger Bloem fragt mich, ob ich frühstücken wolle. Ich lehne ab. Ich will reden.

»Hat«, frage ich, »mein Ex-Schwiegervater Karl-Heinz Lorenz Sie angerufen?«

Bloem schüttelt den Kopf. »Nein, aber ich ihn.«

»Und?«

»Es war ein merkwürdiges Gespräch. Er behauptete, keinerlei Kontakt zu Ihnen zu haben. Er hätte Sie zum letzten Mal vor ewigen Zeiten gesehen, bei einem Geburtstag Ihres inzwischen wohl dementen Vaters. Er habe immer gewusst, dass Sie in der Tiefe Ihrer Seele ein schlechter Mensch seien. Ein Bankrotteur. Wörtlich sagte er: *Kriminelles Arschloch.* Er habe sich nur Sorgen um seine Tochter gemacht, sonst hätte er bereits nach dem ersten Kennenlernen jeden Kontakt zu Ihnen abgebrochen.

Offiziell leitet wohl seine Tochter jetzt die Geschäfte Ihrer Firma, aber ich habe natürlich ein bisschen recherchiert. In Wirklichkeit macht er es. Ich habe ihn mit einigen Fragen konfrontiert, unter anderem damit, wie er in den Besitz der Firma gekommen ist. Er hat mich sehr barsch auf eine offizielle Stellungnahme seiner Rechtsanwälte hingewiesen, die der Presse damals zur Verfügung gestellt wurde. Was mir auch komisch vorkommt«, fährt Holger Bloem fort, »Sie werden von der Polizei gesucht, Ihre Frau ist aber wieder verheiratet.«

»Ja, sie hat mich für tot erklären lassen.«

»Sie hat es versucht. Das ist aber ein schwieriger Prozess und wohl schiefgegangen. Sie sind in Ihrer Abwesenheit geschieden worden. Wussten Sie das gar nicht?«

»Ich hätte Probleme gehabt, an irgendwelchen Gerichtsverfahren teilzunehmen …«

»Ja«, grinst Holger Bloem, »das kann ich mir wohl vorstellen.«

Er sitzt am Tisch, hat einen Stift in der Hand, rückt sein Papier zurecht und wirkt, als würde er sich wohl fühlen. Hat er gar keine Angst?

Ich frage ihn: »Wie ist das für Sie, sich mit mir hier so zu unterhalten?«

Ich habe das Messer immer noch in der Hand und kratze mit der Spitze über die Tischkante.

»Nun, es wäre mir lieber, Sie würden die Maske absetzen und nicht weiter meine Möbel zerkratzen. Ich würde auch gerne ein paar Fotos machen. Irgendwie muss ich ja beweisen können, dass wir uns getroffen haben. Sonst behauptet hinterher noch jemand, ich hätte mir das Interview aus den Fingern gesogen.«

Ich merke, dass ich plötzlich gar nicht mehr hier sein will. Ich will zurück nach Franken und das Versprechen einlösen, das ich meinem Ex-Schwiegervater gegeben habe. Ich muss vorsichtig sein, sonst überträgt sich die Wut, die ich auf ihn habe, auf Holger Bloem, und ich lasse ihn mein Messer schmecken.

»Also, Herr Lorenz war recht verschwiegen und abweisend. Aber wissen Sie, was die Witwe Lüpkes mir erzählt hat?«

»Ich bin gespannt.«

»Sie behauptet, ihr Mann habe versucht, einen Auftritt von Bettina Göschl in der Schule zu verhindern. Sie behauptet, Bettina sei der Schwarzen Magie verfallen. Als Beweis führt sie unter anderem das Lied *Die kleine Hexe Hexefix* an. Unter dem Deckmäntelchen der Leseförderung sei von Ihrer Lebensgefährtin Beate Herbst der Satanismus an der Schule gefördert worden. Ihr Mann habe versucht, die Kinder zu beschützen. Auch andere üble sogenannte Kinderbuchautoren hätte Beate Herbst versucht, für Auftritte an der Schule zu engagieren. Immer wieder war vom Bödecker-Kreis die Rede, der solche Autoren vermittle.«

»Der Teufel hat ihn nicht getötet, ich habe es getan«, stelle ich klar.

Holger Bloem zeigt auf die Maske: »Ja. Mit dieser Maske. Für die gute Frau Lüpkes ist der Teufel eine sehr reale Gestalt. Er versucht, Menschen zu beherrschen und in unser Leben einzudringen, um unseren Geist zu verwirren.«

Seine Stimme ändert sich. Er fixiert mich, richtet seinen Blick auf mein rechtes Auge, als wolle er mit Röntgenstrahlen ins Innere meines Gehirns eindringen.

»Fühlen Sie sich wie der Teufel, wenn Sie so etwas tun? Tragen Sie deswegen die Maske?«

»Luzifer bedeutet übersetzt *Lichtträger*.« Ich zitiere John Milton: »Better to reign in hell than serve in heaven.«

Holger Bloem geht nicht darauf ein. »Sie weichen ins Philosophische aus. Die simple Frage ist doch: Haben Sie Tido Lüpkes getötet, weil er der Leseförderung im Weg war? Das ist wohl das kurioseste Mordmotiv, von dem ich je gehört habe.«

Ich merke, dass ich mit diesem Interview nicht weiterkomme. Ich müsste jetzt Beates Namen nennen, müsste sagen, dass es mir darum ging, sie zu schützen, und dass ich jeden umlegen werde, der ihr etwas Böses tun will. Aber dann ist sie Teil des Interviews, Teil der Hetzjagd, und die, die mich nicht kriegen, werden sich an ihr abarbeiten. Nein, das kann ich nicht tun.

Ja, wenn Beate mit mir fliehen würde, dann ginge das, dann könnten wir der ganzen Welt den Stinkefinger zeigen. Aber wenn sie weiter hier als Lehrerin bleiben will, geht das nicht.

Um ein deutliches Zeichen zu setzen, schlage ich die Klinge in den Tisch. Ich lasse das Messer los. Es vibriert.

Zum ersten Mal sehe ich eine leichte Verunsicherung in Bloems Gesicht. Merkt er jetzt, dass er sein Blatt überreizt hat?

Ich brülle ihn an: »Ich habe gesagt, wir reden nicht über Beate! Es geht um Bamberg und was dort geschehen ist!«

»Ich weiß«, sagt Holger Bloem. »Sie glauben, dass man Sie dort reingelegt hat und …«

Ich ziehe das Messer aus der Tischplatte und richte die Klinge auf Bloems Nasenspitze. Er weicht nicht zurück, sondern bleibt stur sitzen.

»Wenn Sie wirklich wollen«, sagt er, »dass ich Ihre Geschichte aufschreibe, sollten Sie mich vorher nicht umbringen.«

»Es reicht«, sage ich. »Wir gehen.«

»Wohin?«

Ich bitte ihn höflich, aufzustehen und sich umzudrehen. Er tut es. Aus meinem Arztköfferchen hole ich schwarzes Gaffaband. Ich klebe Bloem erst die Hände auf dem Rücken zusammen. Ich will seinen Mund zukleben. Noch während ich das tue, versucht er, mich mit Worten abzuhalten.

»Ein Interview funktioniert nicht, wenn ich nicht sprechen k…«

Mit der Messerspitze zwischen seinen Schulterblättern schiebe ich ihn vor mir her zum Auto. Wir sind hier ganz gut durch Hecken und Bäume geschützt. Die Nachbarn kriegen nichts mit.

Ich bitte ihn, hinten in den Kofferraum zu steigen. Ja, ich bitte ihn.

Er dreht sich um und starrt mich an. Mit Blicken versucht er, mich davon zu überzeugen, dass das keine gute Idee ist.

»Steigen Sie ein«, verlange ich. »Es wird eine lange Fahrt werden.«

Ich gehe noch mal ins Haus zurück und hole ein Kissen. Ich lege es ihm unter den Kopf. Ich mache es ihm wirklich so bequem wie möglich.

»Wollen Sie auch eine Decke?«, frage ich.

Er schüttelt den Kopf.

Ich mochte Mercedes eigentlich nie. Vielleicht, weil mein Vater immer Mercedes gefahren ist und sich alle zwei Jahre einen neuen bestellt hat. Aber jetzt, da ich Holger Bloems Mercedes fahre, lerne ich die Bequemlichkeit neu schätzen. Bis nach Franken sind es gut siebenhundert Kilometer. Da machen sich gute Sitze bemerkbar.

In Emden fahre ich auf die Autobahn. Bloem verhält sich im Kofferraum still. Ich frage mich, ob das, was ich tue, richtig ist. Bringe ich den Journalisten jetzt nur gegen mich auf, oder schütze ich mich davor, dass er mich verrät? Wenn ich ihn irgendwann laufen lasse, wird er dann Partei für mich ergreifen oder mich fertigmachen? Wird er mir je verzeihen, was ich ihm gerade antue? Versteht er meine Gründe, oder liegt er jetzt da hinten und verflucht mich?

Wir sind noch nicht bis Leer, da beginnt er, Geräusche zu machen. Er klopft. Ich vermute, er tritt mit den Knien gegen den Kofferraumdeckel. Es ist ein dumpfes, aber metallisches Geräusch.

Das Klopfen wird wilder. Irgendwas stimmt nicht. Ich habe Sorge, dass er mir erstickt.

Ich steuere einen kleinen Rastplatz für Lkws mit einem Toilettenhäuschen an. Wir sind hier allein, aber ich habe keine Ahnung für wie lange. Ich steige aus und öffne den Kofferraum. So, wie Holger Bloem krumm da drin liegt und mich anschaut, will er mir etwas sagen. Ich schneide das Gaffaband an seinen Ohren durch und reiße es von seinen Lippen.

Er spuckt. In seinem Bart sind Reste hängen geblieben. An seinen Lippen ebenfalls.

»Erstens«, sagt er, »muss ich zur Toilette. Zweitens ist mein Arm eingeschlafen, und ich kriege hier drin keine Luft. Drittens werde ich hier hinten nicht länger bleiben, und Sie werden mir auch nicht mehr den Mund zukleben. Wenn ich etwas über Sie schreiben soll, dann geht das nur auf Augenhöhe. Ich muss meine Unabhängigkeit als Journalist wahren können. Hier drin fühle ich mich als Ihr Gefangener und verweigere jede Mitarbeit.«

Ich lache. »Sie stellen mir Bedingungen? Sind Sie sich Ihrer Lage überhaupt nicht bewusst?«

»Ja, ich stelle Bedingungen!«, blafft Bloem zurück und spuckt wieder aus. Er versucht aufzustehen, was ihm mit auf den Rücken gefesselten Händen nicht leichtfällt.

Ein hellblauer Renault hält direkt vor dem Toilettenhäuschen. Ich knalle den Kofferraum einfach wieder zu.

Bloem tritt von innen gegen den Kofferraum und versucht wütend, sich bemerkbar zu machen. Der Wagen hoppelt rauf und runter. Außerdem schreit er: »Ich werde hier gegen meinen Willen festgehalten! Rufen Sie die Polizei!«

In dem blauen Renault sitzen zwei Frauen. Ich schätze, Mutter und Tochter. Die eine Anfang sechzig, die andere Anfang vierzig. Sie sehen schön aus, entspannt und fröhlich. Die Ältere zündet sich eine Zigarette an, was der Jüngeren offensichtlich nicht gefällt, sie wedelt den Qualm mit den Händen weg.

Ich bücke mich und öffne den Kofferraum noch einmal ein Stückchen. Ich tue so, als würde ich etwas herausnehmen. Ich schaue ihm in die Augen und zische: »Mach keinen Scheiß, Bloem, sonst stirbst du, und die Typen in dem Renault muss ich dann leider auch umlegen. Das willst du doch nicht, oder?«

Ich habe ihn verunsichert. Er legt den Kopf zurück aufs Kissen.

Ich schließe den Kofferraum. Bloem bleibt still.

Ich gehe vor dem Auto auf und ab, als müsse ich mir ein wenig die Beine vertreten. Wenn ich mich nicht täusche, bedeutet die Mutter ihrer Tochter gestisch, ob ich nicht ein Mann wäre, an dem sie Spaß hätte. Ich wette, die Tochter trennt sich gerade von ihrem Typen, und die Mutter will ihr zeigen, dass das Leben deshalb noch lange nicht zu Ende ist, dass es noch mehr Männer gibt und dass das Leben Spaß machen kann.

Tolle Mutter, denke ich, und beneide die Tochter.

Als die beiden Frauen den Parkplatz verlassen haben, öffne ich den Kofferraum und lasse Bloem heraus.

»Wir haben jetzt sowieso ein Problem«, sage ich zu ihm. »Jetzt wissen Sie, wie ich aussehe. Ich habe mir so verdammt viel Mühe gegeben, nicht mehr dem Fahndungsfoto zu ähneln …«

Ich schneide seine Handfesseln durch und begleite ihn zur Toilette. Er reckt sich und macht ein paar Körperübungen, bis wir am WC sind.

»Dieses Künstleroutfit steht Ihnen viel besser als diese Scheiß-Teufelsmaske«, sagt er zu mir, während er am Urinal steht.

Er dreht sich wieder zu mir um und betrachtet mich wie ein Fotograf, der den richtigen Winkel für einen Schnappschuss sucht, um die Schokoladenseite seines Modells zu zeigen.

»Van Dyck, der flämische Barockmaler. Clever. Kein Arzt sieht so aus. Und einen gejagten Verbrecher stellt man sich auch anders vor.«

Ich gebe ihm recht. »Diese Fahndungsfotos sind natürlich eine große Hilfe. Man macht aus sich einfach einen anderen Typ, versucht sich so weit wie möglich von der Vorlage zu entfernen.«

»Das ist Ihnen echt gelungen«, lobt Bloem mich. Fehlt nur noch, dass er mir auf die Schulter klopft.

Wir verlassen die Toilette. Er geht ganz selbstverständlich zur Beifahrertür und schaut mich übers Autodach an. »Fahren Sie, oder soll ich mal übernehmen? Ist ja eine lange Tour bis Bamberg. Außerdem sollte ich noch mal im Verlag anrufen, damit man sich keine Sorgen macht, und ich würde auch gerne meine Frau informieren. Wenn sie nach Hause kommt und …«

»Das ist hier kein Zug durch die Gemeinde«, sage ich streng. »Wir befinden uns nicht auf einem Besäufnis oder Kegelausflug.«

Bloem stützt sich aufs Autodach, verzieht den Mund und schrubbt mit dem Handrücken an seinen Barthaaren herum. »Dieses Zeug klebt widerlich«, schimpft er.

»Damit ich weiterhin in diesem Outfit unerkannt herumlaufen kann, werde ich Sie töten müssen, Herr Bloem.«

»Wir drehen uns im Kreis«, mault er. »Entweder, Sie wollen mich als Mitwisser, der die Wahrheit schreibt, oder Sie wollen keinen

Mitwisser und bringen mich um. Ich finde, Sie sollten sich langsam entscheiden. Das wird mir zu blöd hier.«

Die Ostfriesen gelten im Allgemeinen als recht furchtlos. Sie trotzen den Stürmen des Meeres, aber Holger Bloem benimmt sich, als hätte er noch einen Trumpf im Ärmel, von dem ich nichts weiß.

Er steuert jetzt tatsächlich den Wagen, und ich sitze neben ihm. Ich habe das Messer in der Hand, aber es kommt mir nicht so vor, als sei das wirklich nötig. Richtig mulmig wird mir erst, als sich von hinten ein Polizeiwagen nähert und uns auf der linken Spur überholt. Was mache ich, wenn dort gleich *Bitte folgen* aufleuchtet? Wissen die irgendetwas? Hat uns doch ein Nachbar gesehen und sie informiert?

Mein Herz schlägt bis zum Hals hoch. Mein Mund wird trocken. »Langsamer fahren«, fordere ich. Er tut es. Der Polizeiwagen verschwindet schnell aus unserer Sicht.

Eine Weile schweigen wir. Nach einer gefühlten Ewigkeit zeigt Holger Bloem auf den Kilometerstand und sagt: »Wir sollten bald tanken. Es wäre jetzt nicht besonders günstig, wenn wir ohne Sprit liegenbleiben.«

Da gebe ich ihm recht. Wir nehmen den nächsten Rasthof. Mein nervöser Magen könnte auch ein bisschen Nahrung vertragen, denke ich.

Ja, ich riskiere es tatsächlich, mit Bloem zu tanken und mit ihm die Raststätte aufzusuchen. Ich esse ein erstaunlich gutes Jägerschnitzel, die Pommes frites lasse ich liegen. Dazu trinke ich einen Kaffee. Bloem nimmt eine Rinderroulade mit Salzkartoffeln und Blaukraut, das in Norddeutschland Rotkohl heißt.

Zwei Lkw-Fahrer betreten den Raum, schauen sich nach allen Seiten um und suchen sich einen Tisch in der Nähe der Tür aus. Ich beobachte sie. Sie könnten ebenso gut zu einem Mobilen Einsatzkommando gehören. Als hätte Bloem meine Gedanken gelesen, fragt er: »Wie fühlt sich das an, wenn man niemandem mehr trauen kann?«

»Man gewöhnt sich nicht daran«, sage ich. »Man findet sich auch nicht damit ab. Man leidet daran, glauben Sie mir. Aber inzwischen habe ich damit eine Menge Erfahrung. Ich war nämlich viel zu gutgläubig. Habe Menschen vertraut, die mir übel wollten. Meine eigene Familie. Das tut besonders weh.«

Er schaut, als hätte er echt Verständnis für mich, dabei stochert er in seinem Essen herum, schneidet ein gutes Stück von der Rinderroulade ab und schiebt es in den Mund.

»Den meisten Menschen in Ihrer Situation«, sage ich, »wäre der Appetit vergangen.«

Er zuckt mit den Schultern und spricht mit vollem Mund: »Bei mir ist das anders. Mich macht Stress eher hungrig.«

»Sie hauen ja auch rein, als wäre es Ihre Henkersmahlzeit.«

»So ähnlich schmeckt es auch.«

Bloem macht auch im Herausgehen keinerlei Versuch, irgendwen auf uns aufmerksam zu machen. Entweder ist er ein verdammt raffinierter Hund, oder ich habe ihn wirklich mit im Boot …

Es ist irgendetwas in seiner Art, das mich zum Reden bringt. Er fährt die meiste Zeit auf der linken Spur, wenn die Fahrbahn dreispurig wird, wählt er die Mittelspur. Wir fahren hundertvierzig, hundertfünfzig Stundenkilometer. Es gibt keinen Stau, und nur einmal eine verengte Fahrbahn durch eine Baustelle. Wir kommen ausgesprochen gut durch.

Es sprudelt geradezu aus mir heraus. Gerade sein Schweigen bringt mich immer mehr zum Reden. Je weniger Fragen er stellt, umso besser komme ich in den Redefluss. Ich weiß, dass er am liebsten mitschreiben würde. Er kann auch kein Tonbandgerät einschalten. Er ist nur darauf angewiesen, sich zu merken, was ich erzähle. Und ich erzähle ihm viel. Von meiner Kindheit. Von dem

Leistungsdruck. Von der gefühlskalten Mutter und schließlich von der Ehe mit Miriam.

»Heute fühlt es sich für mich an«, höre ich mich sagen, »als hätte ich meine Mutter geheiratet, nur eben in jünger. Damit hat sich mein Leid nur verlängert. Ich hatte Liebe als kühle Abweisung kennengelernt. Schließlich habe ich Verachtung mit Zuneigung verwechselt.« Ich muss selbst darüber lachen, aber genau so war es. »Wenn ich spürte, dass ich nicht anerkannt werde, dass all meine Bemühungen fruchtlos sind, dann war es wie ein Nachhausekommen. Ich wollte so gerne Arzt werden, aber als mein Vater dement wurde, musste ich die Firma übernehmen und mein Studium abbrechen. Ich tat, was man von mir erwartete. Ich übernahm die Verantwortung, und natürlich konnte ich nicht gut genug sein. So gut wie mein Vater schon mal gar nicht.«

Zum ersten Mal seit einigen Stunden spricht Holger Bloem wieder. Er hält das Lenkrad mit beiden Händen, seine Augen sind konzentriert auf die Fahrbahn gerichtet, und er sagt etwas, das mir sehr guttut: »Ich habe einige Ihrer Patienten gesprochen. Sie waren für viele wirklich ein sehr guter Arzt. Einige bedauern noch heute, dass Sie nicht mehr in Norddeich praktizieren. Es gibt noch heute Patientinnen, zum Beispiel die Dame, die Sie damals im Zug behandelt haben, die glauben nicht mal daran, dass Sie wirklich die Morde begangen haben. Es passt nicht in das Bild, das sie von Ihnen haben. Einige Ihrer Patienten verehren Sie richtig.« Bloem lächelt. »Hauptsächlich wohl Patientinnen. Aber auch ein paar Männer schwören auf Sie. Unter anderem Kommissar Rupert.«

»Ja, ich weiß. Er ist sehr leicht zu gewinnen. Ich habe ihm gesagt, dass es für Männer nicht gut ist, im Sitzen zu pinkeln, weil dann Urinreste in der Blase zurückbleiben und sie eine Prostataentzündung bekommen können. Seitdem liebt Rupert mich geradezu.

Endlich hat er seiner Frau gegenüber ein stichhaltiges Argument, warum er im Stehen pinkeln muss.«

Bloem lacht.

In Haßfurt parken wir nahe der Stadthalle und gehen Kaffee trinken.

Ich gebe Bloem sein Handy zurück. Da ich seinen PIN-Code nicht kenne, bitte ich ihn, es wieder einzuschalten.

»Ich hoffe, dass uns niemand ortet«, sage ich. Er zuckt nur mit den Schultern. »Wer sollte das tun und warum?«

Ich teile Holger Bloem meinen Plan mit. Immerhin ist er Bestandteil des Plans. Er erklärt sich einverstanden.

Ich will ihm die Telefonnummer meines Ex-Schwiegervaters geben, aber er hat sie sogar noch in seinem Handy. »Kein Problem«, lächelt er. »Ich rufe ihn ja nicht zum ersten Mal an.«

Ich muss die Sätze nicht für ihn auf einen Zettel schreiben. Ich weiß genau, er kriegt es auch so hin.

Er tippt auf die Nummer. »Hier ist Holger Bloem. Schöne Grüße von Polanski. Er sagt, Sie hätten Bargeld für ihn. Ich würde es gerne abholen. Ich komme mit dem Wagen direkt zu Ihrem Gutshof.«

»Ich bin noch in der Firma.«

»Auch gut. Dann hole ich Sie da ab. Ich komme zu Ihnen rein und hole das Geld. Sind Sie allein? Ich möchte nicht gerne gesehen werden.«

»Es gibt vorne einen Eingang für die Mitarbeiter und einen Hintereingang. Dort werde ich Ihnen die Tür öffnen. Bei mir ist nur noch meine Sekretärin, Frau Lang.«

Ich zeige Holger Bloem mit dem Finger, dass ich das nicht akzeptiere, und er reagiert perfekt. »Schicken Sie sie nach Hause. Wenn ich einen Polizisten oder Security-Mann sehe, blase ich die Aktion sofort ab. Ich muss Ihnen wohl nicht sagen, Herr Lorenz, dass wir es mit einem gefährlichen Menschen zu tun haben.«

»Nein, das müssen Sie nicht. Ich habe alles vorbereitet. Ich dachte, er würde selber kommen.«

»Er ist doch nicht blöd«, sagt Bloem und lächelt mich dabei an.

Das war nicht abgesprochen. Mit der Frage hatte ich nicht gerechnet. Es scheint Bloem fast Spaß zu machen, so als hätte er mir gerade eins ausgewischt. Nachdem er das Gespräch weggeklickt hat, schalten wir das Handy wieder aus.

»Ich hoffe, Sie machen sich nicht strafbar, Herr Bloem«, sage ich ehrlich.

Er scheint da nicht sehr besorgt zu sein. »Man wird das Ganze unter Umständen später als Stockholm-Syndrom subsummieren«, lächelt er, und dann, als hätte ich keine Ahnung, wovon er redet, erklärt er es: »Als die Deutsche Botschaft in Stockholm eingenommen wurde, haben sich einige Geiseln mit den Geiselnehmern solidarisiert. Dies wurde später als Stockholm-Syndrom bekannt. Menschen, die sich in der Hand von Entführern befinden, neigen dazu, sich mit ihnen zu identifizieren …«

»Das ist nicht neu für mich«, sage ich, »so ähnlich geht es auch Kindern in einer Familie. Sie identifizieren sich mit denen, von denen sie abhängig sind. Sie halten die verrücktesten Dinge für normal.«

»So ist es Ihnen ergangen?«, fragt Bloem.

»So ergeht es den meisten Kindern«, antworte ich.

Ich zahle für uns, und wir gehen ein paar Meter zwischen dem Oberen und dem Unteren Turm spazieren. Interessieren die schönen Fachwerkhäuser Bloem wirklich, oder schaut er sich nach Hilfe um?

»Haßfurt«, sagt er, »komisches Wort. Ist hier so viel Hass?«

Als Franke kann ich ihm das natürlich erklären. »Es stammt vom germanischen Hasufurth, das heißt so viel wie *Weg durch den Nebel.*«

»Nebelfurt«, übersetzt Bloem das Wort.

Er weiß es also genau. Dieses Verhalten habe ich bei vielen Ostfriesen kennengelernt. Sie stellen sich dümmer, als sie sind, und testen so ihr Gegenüber aus. Er brennt genauso wie ich darauf, die Sache hinter sich zu bringen.

Ich sage: »Man weiß nie, wie lange die bescheuerten Klamottendesigner arbeiten. Manchmal fangen die erst mittags an, und dann geht es bis in die Nacht. Wir hatten auch Spezialisten, die konnten nur zu Hause arbeiten.« Ich klopfe mir gegen die Stirn. »Ich habe das alles akzeptiert. Aber ich wette, Karl-Heinz hat die Hälfte davon sowieso rausgeschmissen. Vermutlich entwirft seine Tochter jetzt die Kleider, oder sie klauen die Modelle einfach irgendwo … Mir kann es ja egal sein.«

Ich schlage ihm vor, die Stadtpfarrkirche St. Kilian zu besuchen. Ich will ihn mit Werken von Tilman Riemenschneider locken. Bloem ist ein gebildeter Mann. Er kann nicht nur mit dem Namen Riemenschneider etwas anfangen, sondern hat auch den gleichnamigen Roman von Tilman Röhrig gelesen.

Wie sehr habe ich das vermisst! Die Gespräche über Literatur und Kunst. In dieser wahrlich schwierigen Situation diskutieren Bloem und ich über Riemenschneider, den größten Künstler der deutschen Renaissance, sind schnell bei den Bauernkriegen und der Reformation. Die Grundfesten des Landes wurden damals erschüttert, und hier sind die Spuren.

Während Bloem darüber spricht, wird mir klar, wie viel Riemenschneiders Konflikte mit mir und meiner Beate zu tun haben.

»Man muss sich das mal vorstellen«, sagt Bloem. »Würzburg im Jahre 1492. Er soll die Skulpturen von Adam und Eva für den Eingang der Marienkapelle machen, und ihm steht eine Bäuerin Modell. Nackt. Damals.«

Bloem spricht weiter. Meine Gedanken schweifen ab. Der Skandal, der Riemenschneider und seine Beziehung zu der Frau, die in meinem Kopf immer nur Eva heißt, so unmöglich gemacht hat, wie nah ist das alles an den Problemen, die Beate und ich hatten? Die nackte Bäuerin als Eva und die Grundschullehrerin, fotografiert in Dessous ... Es ist mehr als fünfhundert Jahre her, und doch hat sich nicht viel verändert ...

Gemessenen Schrittes gehen wir zum Auto zurück. Holger Bloem fährt uns hin. Ich sehe, dass er mit etwas beschäftigt ist. Er braucht eine Weile, dann sagt er: »Sie vertrauen mir so weit, dass ich da reingehe, einen Koffer voller Geld hole ...«

»Mit einer halben Million«, konkretisiere ich.

»Und dann zu Ihnen rauskomme und Ihnen den Koffer übergebe? Ich könnte da drin einfach die Polizei rufen, abhauen, das Geld mit diesem Karl-Heinz Lorenz teilen oder ...«

»Ja, das könnten Sie. Wenn du mit der Kohle wieder rauskommst, kannst du Du zu mir sagen«, lache ich. »Aber ich habe gar nicht vor, dich alleine reingehen zu lassen. Du bist nur mein Türöffner. Sobald wir drin sind, werden wir nicht nur das Geld bekommen, sondern er wird uns alles erzählen, was er weiß.«

»Und dann? Wie geht es dann weiter?«, will Holger wissen.

»Dann werde ich euch beide in seinem Büro fesseln und kne-beln, um einen gewissen Vorsprung zu bekommen. In ein, zwei Stunden rufe ich die Polizei an oder Rosi Lang, die befreit euch. Um deinen Wagen musst du dir keine Sorgen machen. Ich stelle ihn irgendwo ab. Du kriegst ihn zurück. Ich organisiere mir ein anderes Auto. Ich muss sowieso ständig die Kisten wechseln.«

»Logo«, sagt Holger und lächelt erleichtert.

Ich rutsche auf dem Beifahrersitz ganz tief nach unten, so dass man mich nicht sehen kann, als der Wagen vorfährt, denn ich rechne natürlich damit, dass Karl-Heinz hinterm Fenster steht, uns beobachtet, ja, möglicherweise sogar Fotos macht.

Holger steigt aus. Die Hintertür ist tatsächlich nur angelehnt. Holger öffnet die Tür einen Spalt und schaut zum Auto. Ich gebe ihm ein Zeichen. Er soll ruhig schon reingehen.

Er tut es. Er lässt die Tür einen Spalt offen, so dass ich in den Flur sehen kann. Das Chefbüro ist oben.

Mein Ex-Schwiegervater kommt ihm entgegen. Ich sehe seine Füße, wie er die Treppe hinabsteigt. Das ist mein Moment.

Ich nehme zwar mein Arztköfferchen mit, aber ich setze die Teufelsmaske nicht mehr auf. Das ist jetzt sinnlos.

Mein Schwiegervater rennt gleich die Treppe wieder hoch. Ich an Holger vorbei hinter ihm her. Schon hat der feine Herr Lorenz die Klinge am Hals.

»Wenn sich hier irgendwelche Leute verstecken, werde ich sie umlegen. Alle. Ich hoffe, du hast Rosi nach Hause geschickt.«

»Natürlich …«

Es gefällt mir, dass er immer noch einen dicken Wundverband auf der Nase trägt. Der Zeigefinger seiner rechten Hand ist eingegipst. Als ich ihm das Gewehr abgenommen habe, muss ich den Finger wohl mehrfach gebrochen haben. Wie schön!

Holger stupst mich an, deutet auf mein Messer und schüttelt den Kopf. Ich lasse die Hand mit der Klinge sinken.

Gemeinsam betreten wir das Büro, gehen an dem Schreibtisch vorbei, an dem Rosi Lang stets gesessen hat. Ihr Arbeitsplatz macht einen sehr aufgeräumten Eindruck. Dahinter ist das eigentliche Chefzimmer. Hier hat mein Vater seine Gäste empfangen, und später habe ich von hier aus versucht, die Firma zu leiten. Ich gebe zu, ich war nicht oft da.

Der Raum ist etwa so groß wie meine Wohnung in Gelsenkirchen. Große, schwere Ledersessel, eine breite Couch. Es gibt auch einen Schreibtisch, darauf liegt noch die Meerschaumpfeife mit dem schönen Bernsteinmundstück im offenen Etui. Ich erinnere mich an das Weihnachtsfest, an dem ich sie meinem Vater geschenkt habe.

Um den runden Eichentisch stehen sechs gepolsterte Stühle. An den Wänden hängen Bilder, wie ich sie nicht kannte. Junge Models in bunter Kleidung. Viele Dirndl.

Auf dem Schreibtisch steht eine Adidas-Sporttasche. Herzogenaurach ist nicht weit.

Karl-Heinz will sich hinter den Schreibtisch setzen, aber das erlaube ich nicht. So versucht er nur, in eine besonders gute Position uns gegenüber zu kommen und eine Barriere zwischen sich und uns aufzubauen. Außerdem traue ich ihm zu, dass er eine Waffe in der Schublade hat. Ich rechne damit, dass er sie jeden Moment zieht.

Es gibt noch einen Nebenraum, dort hat mein Vater manchmal auf dem Sofa gelegen, ferngesehen oder sich ausgeruht. Er nannte es *mein Rückzugszimmer* oder auch *Meditationsraum*. Wahrscheinlich gehörte mein Vater zu den wenigen Leuten, die in ihrem Meditationsraum stets Zigarren und Cognac griffbereit hatten.

Karl-Heinz zeigt auf die Sporttasche: »Willst du nachzählen?«

Ich versuche, so spöttisch wie möglich zu antworten: »Nein. Ich vertraue dir.«

Ich packe ihn im Nacken und drücke ihn auf einen Stuhl am Besprechungstisch, nehme seine Hand und knalle sie auf die Tischplatte. Schon steckt mein Messer zwischen seinem Zeige- und Mittelfinger.

Er spreizt die Finger aus Angst vor der Klinge so weit wie möglich auseinander. Prima. Das gibt mir die Möglichkeit, sie in den Zwischenräumen tanzen zu lassen. Das Tock Tock Tock gefällt mir. Jedes Mal zuckt er zusammen.

»Was soll das?«, fragt er, und Holger Bloem tadelt mich: »Mir gefällt das nicht.«

»Mir scheißegal, was euch gefällt oder nicht«, kontere ich. »Jetzt wird nach meinen Regeln gespielt. Ich hatte dir vierundzwanzig Stunden Zeit gegeben, Holger Bloem die Wahrheit darüber zu erzählen, wie ihr euch die Firma unter den Nagel gerissen habt. Du hast es nicht getan. Es gibt nur einen Grund, warum du überhaupt noch lebst. Kennst du ihn?«

Er hat so viel Angst, dass er nicht mal antworten kann. Er schüttelt nur den Kopf und starrt auf mein Messer.

»Weil ich dir noch eine Chance geben wollte. Ich bin nämlich im Gegensatz zu dir ein netter Kerl. Aber dies ist deine letzte Chance.«

»Es reicht«, sagt Holger Bloem hart. »Das schaue ich mir nicht länger an. Ein Interview mit jemandem, der bedroht wird, führe ich nicht.«

Er spricht mit einer Stimme, die keinen Widerspruch duldet. Aber so leicht bin ich nicht einzuschüchtern. Ich versetze ihm einen Stoß gegen die Brust. Er taumelt zwei Schritte rückwärts. Dort steht ein Stuhl mit Armlehnen, und schon sitzt Holger Bloem drin. Er will aufstehen. Dabei stützt er sich mit beiden Händen ab, so dass meine Faust freie Bahn hat.

Ich halte das Messer in der Rechten, und mit einem linken Haken treffe ich Holgers Kinn. Sein Kopf fliegt nach hinten. Er ist für einen Moment benommen. Das reicht aus.

Als er die Augen wieder öffnet, habe ich ihn mit Gaffaband fixiert.

»Ich glaube, das mit dem Du überlegen wir uns noch mal«, sagt er. Er sieht wirklich zerknirscht aus. Er hatte nicht damit gerechnet, dass ich ihn attackieren würde. Als hätte unsere gemeinsame Autofahrt und unsere Gespräche über Riemenschneider etwas an meinen Absichten geändert …

Mein dämlicher Ex-Schwiegervater sitzt da und zittert, als habe er Malaria.

»Du wirst ihm jetzt alles erzählen«, prophezeie ich, »oder ich stech dich vor seinen Augen ab. Hast du das kapiert?«

Ich drücke mein Messer über den kleinen Finger seiner rechten Hand.

»Für jede Lüge einen Finger«, sage ich. »Du erinnerst dich?«

Endlich habe ich Oberwasser. Jetzt beherrsche ich die Situation und dazu noch genau in diesem Zimmer. Ich fühle mich gut, stark, bin Herr der Lage. Habe das Gefühl, vor einem Durchbruch zu stehen.

Ich habe keine Schritte gehört. Wahrscheinlich hätten draußen Panzer vorfahren können, und es wäre mir nicht aufgefallen. Aber was nun passiert, ist viel schlimmer. Die Tür öffnet sich, und meine Mutter steht im Rahmen. Sie trägt ein champagnerfarbenes Kostüm und dazu passende Schuhe. Alles schlichtes Understatement, aber doch so, dass jeder weiß: diese Frau ist vermögend, hat Macht und Einfluss.

»Was«, fragt sie, »soll er denn deinem Journalisten erzählen?«

Ich schaue nur auf ihre Schuhe. Ich schaffe es nicht, in ihr Gesicht zu sehen. Ich habe Angst vor diesem Blick.

»Schau mich an, wenn ich mit dir rede!«, zischt sie. In ihrer Stimme liegt die ganze Verachtung, die sie für mich und vermutlich für den Rest der Männerwelt hat. »Du bist eine Schande für die ganze Familie! Du hast die Firma ruiniert. Hunderte Arbeitsplätze wären verlorengegangen, wenn Karl-Heinz nicht eingegriffen hätte. Wie gut, dass dein Vater geistig umnachtet ist. Er hätte das nicht ertragen. Herrgott, nimm das Geld und verschwinde! Komm nie, nie wieder!«

»Ich … ich …« Verflucht, jetzt fange ich auch noch an zu stottern. Ich hatte auswendig gelernt, was ich ihr sagen wollte. Ja, verdammt, jeden einzelnen Satz habe ich wie in Stein gemeißelt in mein Gedächtnis gehämmert. Aber ich habe nicht damit gerechnet, dass sie hier auftaucht. Und jetzt ist mein Kopf leer. Leer! Einfach leer. Keinen einzigen meiner bedeutungsschwangeren Sätze habe ich parat, um ihn ihr entgegenzuschleudern.

Sie sieht mich fordernd an. »Ja, was ist?«

Ganz ruhig atmen. Erst denken, dann reden. Wenn ich es wenigstens einmal schaffe, ihr ins Gesicht zu schauen. Ich versuche es. Es ist ein Fehler.

Wenn ich jetzt Dr. Bernhard Sommerfeldt wäre, hätte Karl-Heinz einen Finger weniger, und vielleicht würde ich ihm auch mit einem sauberen Stich das Leben nehmen. Aber der bin ich gerade nicht, sondern ich schrumpfe zu Johannes. Zum kleinen Johannes Theissen.

Ich würde gerne abhauen, einfach wegrennen, aber das geht nicht. Sie versperrt mir, einfach dadurch, dass sie da steht, den Weg nach draußen. Ich müsste schon aus dem Fenster springen. Wir sind im ersten Stock. Ich überlege es tatsächlich. Ja, es würde mir leichter fallen, aus dem Fenster zu springen, als an ihr vorbeizulaufen. Ich fürchte den körperlichen Kontakt, den ich mir früher als Kind so sehr gewünscht habe.

Sie ahnt es. Sie tritt zur Seite und gibt mit einer noblen Handbewegung den Weg zur Treppe frei.

Es tut mir leid, dass ich Holger mit dem Gaffaband gefesselt habe. Ich kann ihn jetzt nicht mitnehmen. Es kommt mir vor, als würde ich ihn geradezu im Stich lassen, als würde ich den Kampfesgefährten, den Freund, verraten. Dabei ist er das nun wirklich nicht. Ich wünsche mir nur so sehr, einen Freund zu haben. Und irgendwie ist mir dieser gebildete Mensch in seiner aufrechten Art ans Herz gewachsen.

Ich nehme nicht mal das Geld mit. Ich stürme die Treppe hinunter. Hinter mir zischt meine Mutter: »Versager!«

Bilde ich mir das nur ein, oder hat sie das wirklich gesagt?

Unten habe ich Mühe, die Autotür zu öffnen. Ich bin so konfus, dass ich das Messer fallen lasse. Ich hebe es schnell wieder auf, schaue mich um, ob es niemand gesehen hat und stecke das Messer ein. Ich will nur noch weg.

Oben über mir öffnet meine Mutter ein Fenster und ruft: »Hast du nicht etwas vergessen?«

Sie wirft die Adidas-Tasche nach unten. Sie kracht auf das Dach von Holgers Mercedes.

Jeder anderen Mutter würde man unterstellen, sie habe das Geld heruntergeworfen, damit ihrem Sohn die Flucht gelingt. Sie hat es getan, um mich zu erniedrigen. Um mir zu zeigen, dass ich nicht mal dazu ohne ihre Hilfe in der Lage bin.

Ich zögere noch kurz, ob ich das Geld überhaupt mitnehmen soll. Erniedrige ich mich damit selbst noch weiter, oder wäre es idiotisch, es dazulassen? Dieser kurze Triumph *Ich brauche euer Drecksgeld nicht* würde sich doch irgendwann gegen mich kehren. Würde ich es nicht sehr bald schon bereuen?

Liebe und Anerkennung wurden mir verweigert. Aber das Geld, das kann ich mir nehmen. Ein kleiner Ausgleich. Es gehört mir doch sowieso.

Ich werfe die Tasche in Bloems Wagen auf den Rücksitz und starte. Ich will nur noch weg, weg, weg!

21

Seit zwei Tagen bin ich wieder in meinem weißen Turm in Gelsenkirchen. Ich verhalte mich ruhig, verlasse das Gebäude nur selten. Ich gehe nicht mal runter in die Stadtbibliothek.

Ich bin nur einmal im *Plaza Madrid* essen gegangen. Tapas und eine Paella. Dazu einen Rioja.

Eigentlich mag ich das Lokal, weil es so spartanisch ist. Aber ich habe mich unwohl gefühlt. Das Essen schmeckte, der Wein war gut, die Musik gefiel mir, und die anwesenden Gäste haben mich auch nicht gerade runtergezogen. Aber ich habe mich nicht wohl gefühlt, sondern beobachtet. Um es überhaupt auszuhalten, spielte ich ein bisschen an meinem Handy herum und setzte mir Kopfhörer auf, um die eigene Musik zu hören. Dabei mag ich diese lateinamerikanische Musik, die im Lokal gespielt wird, eigentlich sehr gern.

Der Kopfhörer war ein Versuch, mich abzuschotten. Schließlich bin ich fast geflohen. Es war, als würden mich die Blicke der Gäste erdolchen.

Immer wieder spule ich die Szenen in meinem Kopf ab. Wie Bloem sich mir gegenüber verhalten hat, im Gegensatz zu meinem Ex-Schwiegervater, diesem Intriganten. Und dann das Auftauchen meiner Mutter. Dieser Blick, der alles verändert hat.

Ich habe das Geld nicht gezählt. Ich bin mir auch so sicher, dass es exakt eine halbe Million ist.

Ich esse nicht viel und trinke fast nur Leitungswasser. Es ist, als müsste ich mich innerlich und äußerlich reinigen. Ich habe ständig das Gefühl, schmutzig zu sein, dusche mehrmals am Tag und schrubbe mir meine Finger mit Seife und einer Nagelbürste wund. Auch meine Unterwäsche muss ich ständig wechseln. Gestern Abend hatte ich das Gefühl, es sei gut, alle Wäsche zu verbrennen, und mich völlig neu einzudecken. Ich war fast so weit, auf dem Balkon ein Feuer zu entzünden. Nur die letzten Reste Vernunft, die mich warnten, das würde garantiert die Polizei anlocken, hinderten mich daran. Ich ekle mich vor mir selbst.

Ich habe das Geld in der Mitte des Tisches aufgestapelt. Eine kleine Pyramide ist entstanden. Aber auch das muntert mich nicht auf.

Auf dem Weg zurück nach Gelsenkirchen habe ich zweimal den Wagen gewechselt. Von Essen dann ein Taxi nach Wattenscheid genommen und schließlich den Rest mit der Straßenbahn. Meine Spuren sind recht gut verwischt.

Bloems Fahrzeug ist in Karlsruhe gefunden worden. Na bitte. Wer soll da auf Gelsenkirchen als meinen Zufluchtsort kommen? Ich hatte sein Handy ins Handschuhfach gelegt. Ich hoffe, er versteht es als nette Geste.

Aber in den Medien ist es merkwürdig ruhig. Keine Informationen darüber, dass ich Bloem entführt habe. Nichts über meinen Besuch in Franken. Es ist, als sei das alles nicht geschehen, als hätte ich im Fieberwahn hier oben im *Weißen Riesen* das alles nur geträumt. Aber Träume materialisieren sich nicht in Bargeld. Ich habe hier tatsächlich eine halbe Million auf dem Tisch liegen und fühle mich als Versager.

Als mein Handy plötzlich klingelt, kriege ich fast die Panik. Wie lange habe ich diesen Ton nicht mehr gehört? Es ist, als hätte mein Handy so eine Funktion gar nicht.

Ich benutze ständig andere Geräte mit immer neuen Karten und Identitäten. Ich hatte fast vergessen, dass man auf einem Handy auch angerufen werden kann, so viel bin ich damit im Internet gesurft, habe E-Mails erhalten, Apps installiert … Und jetzt will mich tatsächlich jemand sprechen. Es kann eigentlich nur einer dieser verbotenen Werbeanrufer sein. Schließlich hat ja niemand meine Nummer.

Ich gehe ran und sage vorsichtig, mit verstellter, geradezu mädchenhafter Stimme: »Ja?«

Ich bin ganz stolz auf mich. Ich finde mich ganz gut, dass ich mich nicht mit einem ostfriesischen *Moin* verraten habe und auch nicht in ein fränkisches *Grüß Gott* verfallen bin.

Es meldet sich eine tiefe Stimme: »Mein Name ist Heiner Graff. Es war nicht schwer, Sie zu finden, Herr Doktor Sommerfeldt. Vermutlich haben Sie kein Interesse daran, dass alle Welt erfährt, wo Sie sich jetzt aufhalten. Ich denke, wir sollten uns treffen und über alles reden. Was meinen Sie?«

»Ich kenne keinen Doktor Sommerfeldt. Wer sind Sie? Ist das ein Telefonscherz?«

»Jeder kennt Doktor Sommerfeldt. Er ist der meistgesuchte Verbrecher unseres Landes.«

»Und Sie glauben, ihn gefunden zu haben?«

»Reden wir nicht um den heißen Brei herum. Ich habe Fotos von Ihnen gemacht. Ich weiß, wo Sie wohnen. Werten Sie meinen Anruf als freundliche Geste.«

Ich will das Gespräch einfach wegklicken und die Wohnung verlassen, aber das ergibt keinen Sinn. Wenn er von der Polizei wäre, hätten sie das Haus längst umzingelt und würden versuchen, zu stürmen.

»Wie sind Sie an diese Telefonnummer gekommen?«

Der Mann am anderen Ende der Leitung lacht. Seine Stimme

klingt, als hätte er seit Jahren zu viel geraucht und würde an Atemnot leiden. Er macht ein paar pfeifende Atemzüge. Dann hört es sich an, als würde er ein Asthmaspray benutzen.

»Sie sollten in Ihrem Handy die Bluetooth-Funktion vorsichtshalber ausschalten«, sagt er nach einer kurzen Verschnaufpause. »Ich habe im *Plaza Madrid* zwei Tische weiter gesessen und konnte Ihr gesamtes Gerät auslesen.«

Ich bin völlig geplättet und kann zunächst gar nichts sagen.

Er röchelt: »Das ist im Grunde eine ganz einfache, ja fast primitive Technologie zum schnurlosen Datenaustausch über kurze Entfernungen. Sie haben über Ihren Kopfhörer Musik gehört. So war Ihr Gerät offen, und ich konnte mich ganz simpel bei Ihnen einloggen.«

Er lacht. Sein Lachen wird zu einem Husten. »Das soll ja hier kein Lehrgang über Kommunikationstechnologie werden, Herr Sommerfeldt. Ich denke, wir haben ganz andere Probleme.«

»Wer sind Sie, und was wollen Sie?«, frage ich.

»Ich glaube, ich habe mich bereits vorgestellt. Mein Name ist Heiner Graff. Ich bin Privatdetektiv und ganz in Ihrer Nähe. Ich schlage vor, wir treffen uns bei Ihrem Lieblingsspanier. Dann kann ich Ihnen das mit dem Handy auch noch mal genauer erklären, damit Sie den gleichen Fehler nicht noch mal machen …«

»Wann?«

»Ich bin schon da. Ich habe mir Datteln und Feigen im Speckmantel bestellt. Köstlich! Auch die Boquerones fritos sind klasse. Oder mögen Sie keine frittierten Sardellen? Ich habe mir auch noch ein paar Pimientos de padrón bestellt. Aber die lassen noch auf sich warten.«

»Ich komme«, sage ich.

Jeans, T-Shirt, ein leichtes Sommerjackett und Laufschuhe. Ich stecke mir ein Geldbündel lose in die linke Hosentasche, und in die rechte Jackentasche lasse ich mein Messer gleiten. Leichtfüßig verlasse ich das Gebäude. Zum *Plaza Madrid* gehe ich zu Fuß, vorbei am Grillo-Gymnasium, das jetzt, in der Dunkelheit, auf mich wirkt wie Draculas Schloss.

Wenn ein Privatdetektiv mich finden konnte, dann kann mich auch die Polizei finden. Ich muss hier weg. Eine merkwürdige Trauer erfasst mich. Gelsenkirchen ist mir ans Herz gewachsen. Der *Weiße Riese* ein Stück Heimat geworden.

Wo soll ich hin? Und wie, verdammt, hat er herausfinden können, wo ich bin? Das ist das Wichtigste. Sobald er mir gesagt hat, wie er drauf gekommen ist, kann ich den Fehler vielleicht korrigieren. Und dann räume ich den Typen aus dem Weg. Er muss mir zuerst Rede und Antwort stehen.

In der Wohnung meiner Nachbarin Bille ist Krach. Ich höre sie schreien, sie habe die Schnauze voll von seinen Weibergeschichten.

Prima, denke ich. Lass dich nicht länger von ihm verarschen, Mädchen.

Am *Plaza Madrid* schaue ich erst einmal durch die Scheiben rein. Ja, ich kann ihn schon von draußen sehen. Ich erinnere mich nicht daran, dass er gemeinsam mit mir im Restaurant war. Er trägt ein marineblaues Oberhemd, hat einen runden Kopf, eine Glatze und einen birnenförmigen Körper. Ich vermute, dass er vierzig Kilo zu schwer ist. Er wird Probleme mit dem Herzen und mit der Lunge haben. Zu Fuß verfolgen könnte dieser Mann mich nicht. Aber das hat er offensichtlich auch gar nicht vor.

Inzwischen sind seine Pimientos de padrón gekommen. Als ich das Lokal betrete, lässt er gerade eine grüne, in Olivenöl gebratene Paprikaschote zwischen seinen Lippen verschwinden. Grobkörniges Salz klebt an seinem Kinn und seiner Unterlippe. Er wischt sich die Finger mit einer Serviette ab.

Großzügig bietet er mir einen Platz gegenüber an, und ich solle ruhig zugreifen. Bei einem guten Essen, behauptet er, könne man doch die Dinge in Ruhe besprechen.

Ich muss mir eingestehen, dass ich ziemlich aufgeregt bin. Ich kann gar nichts essen. Er winkt mit seinen wurstigen Fingern den Kellner herbei und ordert: »Das Gleiche noch mal«, und schaut mich an, um mein Einverständnis zu erwirken. »Und bringen Sie uns doch eine Flasche von diesem Rotwein«, er hebt sein Glas hoch.

Ich bin baff, wie bräsig der da sitzt und so tut, als ginge es hier um gutes Essen.

»Ich vertrage die Crianza ganz gut«, sagt er. »Weißwein ist nicht so mein Ding, davon kriege ich zu schnell Sodbrennen. Aber ich finde, man schmeckt, dass die Weine in Eichenfässern gereift sind.«

»Ich weiß, was eine Crianza ist«, sage ich. Ich ärgere mich. Verteidige ich hier meine Kenntnisse als Feinschmecker? In welche Rolle drängt mich dieser Typ? Ich darf mich darauf nicht einlassen.

»Wie haben Sie mich gefunden?«

Er wiederholt meine Fragen. »Was will ich von Ihnen? Wie habe ich Sie gefunden? Sie stehen sehr unter Druck, junger Mann. Versuchen Sie, ein wenig das Leben zu genießen. Wer weiß, wie lange es noch dauert … Diese Pimientos hier sind ganz hervorragend.«

Ich nehme den Stängel einer Paprika zwischen Zeigefinger und Daumen und bewege sie hin und her.

»Haben Sie echt keine Ahnung, wie ich Sie gefunden habe?« Er verzieht den Mund und wischt sich mit dem Handrücken die Lippen ab. Salzkörner fallen auf den Boden. »Ihr Schwiegervater, also, Ihr ehemaliger Schwiegervater, hat mich beauftragt, Sie zu suchen. Er hat mir Bilder gezeigt. Sie sehen darauf genauso aus wie jetzt. Sie sind mit der Überwachungskamera gemacht worden, in Haßfurt, als Sie ihm«, er tippt mit seinem Zeigefinger gegen seine Nase. »Ich glaube, das hat er Ihnen sehr übelgenommen.«

Ich zeige mit der Paprikaschote auf ihn: »Aber Sie haben mich doch nicht aufgrund dieses Fotos gefunden.«

»Nein«, lacht er. »Sie wissen es wirklich nicht … Haben Sie sich gar nicht gefragt, warum Ihre Mutter Ihnen die Tasche nachgetragen hat?«

Es läuft mir heiß den Rücken herunter. Ich kann kaum atmen. Die Welt um mich herum beginnt zu trudeln. Es ist, als würden sich die Wände auf mich zubewegen. Das Gesicht meines Gegenübers zerläuft, als sei dies alles ein Bild von Salvador Dalí. Jede klare Struktur der Welt scheint aufgehoben. Alles fließt und tropft.

Die Paprika fällt mir aus der Hand. Ich brauche beide Hände, um mich am Tisch festzuhalten.

»In der Tasche war ein Peilsender. Ihre Mutter hat ihn höchstpersönlich eingearbeitet. Zumindest hat sie das mir gegenüber behauptet. Das Geld ist übrigens echt, auch nicht irgendwie markiert oder so. Sie haben die Polizei völlig aus dem Spiel gelassen.«

Immer, wenn ich von meiner Mutter etwas bekommen habe, klebte da etwas Mieses dran, denke ich. Es war nie gut für mich. Immer mit irgendwelchen Verpflichtungen verbunden, Schuldgefühlen oder unklaren Abmachungen. Aber das ist ja wohl der Gipfel! Meine Mutter wirft mir die Tasche aufs Autodach, um mich zu verpfeifen … Wie hätte es auch anders sein können? Habe ich wirklich einen Moment geglaubt, dass sie mir etwas Gutes tun wollte? Dass sie wollte, dass ich nicht mittellos auf der Flucht bin?

Ich drücke beide Füße fest auf den Boden, versuche, meine Atmung unter Kontrolle zu bekommen und meinen Blick zu fokussieren. Ich kann jetzt hier nicht einfach ohnmächtig werden.

»Nun haben Sie mich ja gefunden. Was soll jetzt werden?«

Ich schaffe es, diesen Satz einigermaßen über meine Lippen zu kriegen, zumindest glaube ich das.

Der Rotwein kommt. Dadurch gewinne ich ein bisschen Zeit.

Graff probiert mit Kennermiene und lächelt dann den Kellner an, er möge eingießen, der Wein sei in Ordnung und nicht verkorkt.

Der Kellner gießt auch mir ein, dann hebt Graff das Glas, um mit mir anzustoßen.

»Und was haben Sie jetzt vor?«, frage ich.

Langsam bekommt sein Gesicht wieder eine feste Struktur. Ich klammere mich aber immer noch an der Tischplatte fest.

»Wissen Sie«, sagt er und klingt jovial, »ich bin nicht immer Privatdetektiv gewesen. Ich war bei der Kripo. Ja, ich wollte wirklich einer der Guten sein. Und dann habe ich mich in die falsche Frau verliebt – so was soll ja vorkommen. Das Leben, das sie gewohnt war, konnte ich ihr mit meinem Gehalt jedenfalls nicht bieten. Ich habe mich bestechen lassen, und ich bin aufgeflogen.« Er winkt ab und isst noch eine Feige im Speckmantel. »Ach, lassen wir die alten Geschichten. Jedenfalls habe ich jetzt eine Detektei. Die Leute finden es ganz gut, mit einem Exbullen …«

Er spricht das Wort *Exbulle* wie eine Ehrenbezeichnung aus.

»Normalerweise überführe ich untreue Ehemänner. Es ist nicht ganz so öde, wie es sich anhört. Ich komme ziemlich dabei rum. Dreihundertfünfzig am Tag plus Spesen.«

Seine Worte helfen mir, zu Sommerfeldt zu werden. Ich greife in die rechte Jackentasche und befühle das Einhandmesser. Gleich geht es mir besser.

Ich atme tief durch und werde wieder zu einem selbstsicheren, klardenkenden Erwachsenen.

Ich nasche von den Tellern, auch, um ihm zu zeigen, wie cool ich bin. Ich probiere vom Wein, lasse ihn langsam über meine Zunge rollen, deute mimisch an, dass er ganz o. k. ist, ich aber durchaus

Besseres gewohnt bin, und dann frage ich: »Und wie soll es jetzt weitergehen? Sie wissen, wo ich bin. Wollen Sie nun die Polizei verständigen, oder hat meine Mutter das vor?«

Plötzlich wird mir klar, dass ich mit dem Rücken zur Tür sitze. Der Drang, mich umzudrehen, um zu schauen, ob sie vielleicht schon zur Tür hereinkommt, wird unwiderstehlich. Ich muss es einfach tun.

Heiner Graff sagt: »Niemand aus Ihrer Familie hat ein Interesse daran, dass die Polizei Sie kriegt, Herr Sommerfeldt. Ich darf Sie doch so nennen, oder?«

Ja, das ist mir sogar ganz recht, denn mit Sommerfeldt werdet ihr alle nicht fertig.

Ich nicke.

Er sieht aus, als sei es ihm peinlich. Er holt weit mit den Händen aus: »Wissen Sie, Herr Sommerfeldt, es macht mir überhaupt nichts aus, untreue Ehemänner zu überführen. Bei Frauen ist es übrigens viel schwieriger, die sind deutlich raffinierter ... Ich spüre auch Jugendliche auf, die von zu Hause ausgerissen sind. Aber die Welt ist in den letzten Jahren nicht besser geworden. Ihr Schwiegervater hat mir vorgeschlagen, ich solle Sie aufspüren und dann töten.«

»Ernsthaft?«

»Ja, genau so ist es. Ich solle es selbst machen oder einen professionellen Killer beauftragen, das sei ihm egal. Ich bekomme Fünfzigtausend, sobald Sie unter der Erde sind.«

»Fünfzigtausend?« Ich komme mir dämlich vor, weil ich einfach nur die Zahl wiederhole. Ich staune ihn an, dass es so billig sein soll.

Er verzieht den Mund und zuckt mit den Schultern, als sei es ihm mir gegenüber peinlich, wie preiswert ich aus der Welt zu räumen bin.

Ich zeige auf ihn, dann auf mich. »Sie wollen mich töten?«

»Von wollen kann überhaupt keine Rede sein. Ich habe den Auftrag. Aber im Moment wissen nur wir beide, wo Sie sich aufhalten.«

Er will mir einen Deal vorschlagen.

»Ich könnte Ihnen das Doppelte zahlen, wenn Sie mich leben lassen.«

»Ja, das könnten Sie. Zweifellos. Ich könnte auch den gesamten Inhalt der Tasche von Ihnen verlangen plus noch etwas oben drauf. Aber darum geht es nicht.«

»Sondern?«

Er greift in seine Jackentasche. Es ist eine Handbewegung, die mich normalerweise zu einer Gegenreaktion veranlassen würde. Doch ich bin mir sicher, dass er keine Pistole aus dem Holster zieht, um mich mitten in diesem spanischen Restaurant zu erledigen, sondern es ist ein unschuldiger Griff, so, wie wenn man einen Kugelschreiber zieht. Und tatsächlich, schon hat er ein Foto in der Hand. Er legt es auf den Tisch.

Es ist eine schöne, junge Frau, schulterlange, rostbraune Haare, dunkelbraune Augen, markante Wangenknochen, ein dünner Hals, ein Goldkettchen. Großer Mund mit geschwungenen Lippen, aber ganz sicher nicht aufgespritzt, sondern natürlich. Ich kann ihr Alter nur schwer schätzen. Sie ist fünfundzwanzig, höchstens dreißig.

»Wer ist das?«, frage ich.

»Meine Tochter.«

Da ich keine Ahnung habe, was er von mir will, versuche ich einen Scherz: »Sie ist unsterblich in mich verliebt, und Sie sind gekommen, um uns zu verkuppeln?« Ich lache. »Dann würden Sie mein Schwiegervater. Na, das verspricht ja eine spannende Familienkonstellation zu werden.«

Er beugt sich vor und spricht leiser. Im Hintergrund läuft ein Song über Comandante Che Guevara.

»Das«, sagt er, »besprechen wir besser in Ruhe.« Er schaut sich nach rechts und links um, so als würde ihm erst jetzt klarwerden, dass wir nicht alleine sind.

Er hebt das Glas, stößt mit mir an, lehnt sich zurück und fragt mich lautstark, als sei es ihm wichtig, dass alle Gäste es hören, nach meiner Meinung zu Schalke und den nächsten Spielen.

Ich habe in Gelsenkirchen schnell gelernt, dass es klug ist, sich über Fußball gut zu informieren und sich mit dem jeweiligen Tabellenstand auszukennen. Es kann auch nicht schaden, zu einzelnen Spielern und deren Verhalten eine Meinung zu haben. Hier gibt es Menschen, die den ganzen Tag über Fußball reden können, und andere, die sich dem komplett verweigern.

Ich zähle ein paar verpatzte Torchancen auf, während der Kellner die bestellten Datteln, Feigen und Pimientos bringt.

Wir halten uns nicht mehr sehr lange im *Plaza Madrid* auf. Ich bin auch vorsichtig mit dem Wein. Ich will einen klaren Kopf behalten. Wir naschen noch ein bisschen und zahlen dann. Er lädt mich großzügig ein.

Wir gehen durch die Abendluft nebeneinander her in Richtung *Weißer Riese*, als sei es zwischen uns abgemacht, dass wir das Gespräch in meiner Wohnung fortsetzen. Einerseits zieht es mich sehr dahin, ich möchte nämlich die Tasche zerschneiden, den Sender suchen und zerstören. Aber andererseits will ich Graff, falls er so heißt, nicht mit zu mir nach oben nehmen. Er wird den heutigen Abend nicht überleben.

Ich schätze ihn auf gut hundertzwanzig, vielleicht hundertdreißig Kilo. Ich stelle es mir nicht leicht vor, seinen Leichnam aus dem Hochhaus herauszubringen, um ihn irgendwo zu verscharren. Außerdem möchte ich nicht gerne mit ihm im oder am Gebäude gesehen werden. Es ist schon blöd, dass wir zusammen beim Spanier waren. So wenig Zeugen wie möglich, denke ich.

Wir schlendern etwas unschlüssig ums Gebäude herum. Ahnt er meine Gedanken? Ich gehe in Richtung Munckelstraße. Er folgt mir.

»Wir haben hier einen schönen Stadtgarten«, sage ich.

»Ich liebe Gärten, solange ich sie nicht selber pflegen muss«, grinst er.

Er gibt sich mir gegenüber kumpelhaft. Im Gehen spricht er langsam, bedächtig. Seine Lunge rasselt, als bereite ihm jeder Schritt Schwierigkeiten. Trotzdem zündet er sich eine Filterzigarette an. Er benutzt ein altes, goldenes Feuerzeug. Das macht ihn mir fast schon wieder sympathisch. In der Zeit der Wegwerffeuerzeuge hat einer so etwas …

Er wirft das Feuerzeug einmal hoch, schnappt es wieder auf und kommentiert es selbst: »Ein Geschenk meiner Frau. Gott hab sie selig. Mir ist es immer ein bisschen peinlich, so ein protziges Zuhälteraccessoire zu benutzen. Meine Frau stand auf so etwas. Sie mochte auch schwere Goldketten.« Er fährt mit seiner Hand in sein Hemd und holt ein paar Glieder einer schweren Goldkette hervor. »War mal recht günstig«, sagt er, »ist bei den Goldpreisen heute vermutlich ein Vermögen wert.«

Nicht schlecht, denke ich. Ich könnte es wie einen Raubüberfall aussehen lassen. Auf keinen Fall werde ich ihn durch einen Stich ins Herz töten. Ich will mich schließlich nicht verraten.

»Wer weiß von dem Peilsender? Wem haben Sie erzählt, wo ich bin?«, frage ich.

Er tippt sich gegen die Stirn. »Niemandem. Wissen ist Macht.«

»Wer garantiert mir, dass Sie mich nicht doch verraten, wenn Sie alles von mir bekommen haben, was Sie wollen?«

»Sie sind ein misstrauischer Mensch, Herr Theissen.«

»Nennen Sie mich nicht so …«

Er bleibt stehen, schnappt nach Luft, schaut mir in die Augen und grinst: »Soll ich Sie lieber Polanski nennen?« Er gibt sich die Antwort selbst. »Nein, ich finde, Sommerfeldt passt zu Ihnen. Wissen Sie, eigentlich finde ich das toll. Endlich gibt es in diesem Land mal wieder ein Thema, worüber sich alle aufregen. Egal, welche Religion sie haben, welche Hautfarbe, welcher Partei sie angehören – alle hassen und jagen diesen Dr. Sommerfeldt. Ich glaube, Serienkiller wie Sie schmieden irgendwie die menschliche Gemeinschaft auch zusammen. Die Jagd auf Sie und die Empörung über Ihre Existenz stellen den kleinsten gemeinsamen Nenner dar.«

»Interessanter Gedanke«, kontere ich.

»Ich weiß nicht, warum Sie die Morde begangen haben, und offen gestanden interessiert es mich auch nicht. Aber vielleicht können wir das Ganze ja professionalisieren. Was glauben Sie, wie viele betrogene Ehefrauen mich fragen, ob ich ihren Kerl nicht beseitigen könnte, weil sie bei einer Scheidung höchstens die Hälfte kriegen. Wenn ich es aber richtig mache, würden sie hundert Prozent bekommen und seine Risiko-Lebensversicherung oben drauf. Die Menschen haben Angst, dass sie keine Rente mehr kriegen oder viel zu wenig, deswegen schließen sie gefährlich hohe Lebensversicherungen ab.« Er lacht. »Wer so was tut, muss genau wissen, wie die Erbreihenfolge aussieht!«

Ich sage es hart, weil ich dieses Drumherum-Gelaber kaum noch aushalte: »Was wollen Sie von mir, verdammt?«

Statt mir eine klare Antwort zu geben, wirft er die halbgerauchte Zigarette weg und zündet sich im Laufen eine neue an.

Ich bin nervös, aber er ist es auch. Mein Magen übersäuert, und in meinem Kopf ist ein Geräusch, als würden Glasscherben gegeneinanderreiben. Wie zufällig erreichen wir den Stadtpark.

Ist er wirklich so arglos, oder hat er irgendwelche Vorsichtsmaßnahmen getroffen, die ich noch nicht erkannt habe?

Drei Kanadagänse begrüßen uns. Vielleicht wissen sie genau, dass sie von mir nicht viel erwarten können, wenn überhaupt, dann einen durchgeschnittenen Hals und einen warmen Platz auf meinem Grill. Mich lassen sie in Ruhe. Aber sie schnappen und zerren an Graffs Hose herum. Riechen sie irgendetwas? Hat er seine fettigen Finger daran abgewischt?

Er versucht, sie zu verjagen, doch die Kanadagänse nehmen ihn als Gegner nicht ernst. Seine Handbewegungen sind zu läppisch, seine Stimme ist zu hoch.

Ich zeige ihm, wie es geht. Ich springe mit ausgebreiteten Armen vor die Viecher und knurre mit tiefer Stimme. Sofort hauen sie ab.

Es ist, als sei auch zwischen uns beiden damit einiges klargestellt.

»Also, meine Tochter hat einen schrecklichen Mann geheiratet.« Graffs Erzählung wird geständnishaft. Er versucht, einen Arm um mich zu legen, um mich näher zu ziehen und in mein Ohr zu flüstern, aber ich reagiere geradezu allergisch auf solche Berührungen.

»Ich weiß nicht, was sie in dem Typen sieht, wenn sie ihn anschaut. Sie ist völlig abhängig von ihm, ist ihm hörig. Er behandelt sie schlecht, aber …«

»Was ist mein Part in diesem Spiel?«

»Ich träume nachts davon, ihn windelweich zu prügeln. Ja, am liebsten würde ich ihn erschießen.«

Er fasst in seine Seitentasche und zieht einen kleinen Damenrevolver heraus, der in seiner großen, fleischigen Hand geradezu niedlich aussieht. Er zeigt mir die Waffe, als staune er selbst darüber, so etwas zu besitzen oder als hätte er sie noch nie gesehen.

»Ja, manchmal habe ich davon geträumt. Offen gestanden, sehr häufig. Ich pumpe das ganze Magazin in ihn rein. Aber meine Tochter würde mir das natürlich nie verzeihen. Ich würde mein Kind verlieren.«

»Es gibt Scheidungsanwälte«, sage ich.

Er staunt mich an. Während er spricht, verlaufen Speichelbläschen in seinem rechten Mundwinkel zu einem milchigen Brei. Er winkt ab: »Sie wird sich nicht scheiden lassen. Sie … Ach Gott, das ist eine lange Geschichte.«

Er steckt die Pistole wieder ein und geht weiter, als wolle er nichts mehr mit mir zu tun haben, als sei es ihm unangenehm, jetzt hier mit mir im Park zu sein. Er beschleunigt seine Schritte. Ich tue es ebenfalls. Aber wir sind noch lange nicht bei der Gehgeschwindigkeit, die ich normalerweise draufhabe.

»Das ist doch nicht Ihr Ernst. Sie wollen, dass ich Ihren Schwiegersohn für Sie erledige?«

»Damit würden Sie aus mir einen glücklichen Menschen machen. Sie arbeitet …« Er wird noch leiser, ich kann ihn kaum noch verstehen. Tränen bilden sich in seinen Augen, und ich weiß, der Mann macht mir nichts vor, er sagt die Wahrheit.

»Was ist? Hat er eine Nutte aus ihr gemacht?«, frage ich.

»Sie arbeitet in einem Escort-Service. Können Sie sich vorstellen, was es für einen Vater heißt …«, seine Lippen zittern, »wenn seine Tochter zu einer Edelprostituierten geworden ist? Ständig den Kopf voller Koks hat und wer weiß was für Drogen noch? Zweimal ist sie zu mir geflohen. Aber ich durfte keinen Arzt rufen, keine Polizei, nichts. Sobald der Entzug kam, hatte er sie wieder. Es ist ein Teufelskreis, der … Ich habe seit fast einem Jahr nichts mehr von ihr gehört. Er verbietet ihr den Umgang mit mir, weil er«, er lacht ein glucksendes, trauriges Lachen, »behauptet, ich hätte einen schlechten Einfluss auf sie.«

»Ein Vater lässt sich so etwas nicht verbieten«, behaupte ich.

Er nickt, wischt sich Speichel von den Lippen und gibt mir mit großen Gesten recht, zu denen ihm aber keine Worte einfallen. Er ringt nach Luft, und dann sagt er: »Ich bin Privatdetektiv. Die eigene Tochter zu beschatten, glauben Sie mir, das macht keine Freude. Sie sieht nicht mehr so aus wie auf dem Foto. Sie ist um Jahre gealtert. Er hat mehrere Mädchen laufen.«

Er zieht seine Brieftasche aus der Jacke und öffnet sie. Es ist noch ein buntes Foto seiner Tochter darin. Es zeigt sie mit höchstens dreizehn oder vierzehn Jahren, lachend, mit Zahnspange.

Er fischt eine aufklappbare Visitenkarte heraus und gibt sie mir. Ich stecke sie in die Arschtasche meiner Jeans.

»Man kann sie im Internet buchen. Sie ist eine kluge, gebildete junge Frau. Amerikanische und japanische Geschäftsleute buchen sie für ihren Europaaufenthalt, nehmen sie mit in die besten Hotels, zu Empfängen, ganz so, als sei sie ihre Freundin oder ihre Gattin …«

»Und den Koks verkauft sie ihnen auch gleich, oder?«, frage ich.

Er senkt nur die Augen. Ich kann es mir nicht leisten, aber ja, verdammt, er tut mir leid. Das ändert nichts daran, dass ich ihn töten muss.

Wir sind sehr weit im Inneren des Parks. Hier ist kaum noch jemand zu sehen. Das ist das Schöne an ängstlichen Menschen: Sie trauen sich im Dunkeln, nachts, nicht mehr in einen Park. Und die meisten sind zum Glück klammheimliche Schisser.

»Sie darf nie erfahren«, sagt er, »dass ich Ihnen den Auftrag gegeben habe.«

»Warum nicht? Weil Sie vor Ihrer Tochter nicht als der Schwächling dastehen wollen, der Sie sind? Nicht in der Lage, sie rauszuhauen? Wenn sie meine Tochter wäre, hätte ich dem Kerl längst alle Knochen im Leib gebrochen und ihm verboten, das Land noch einmal zu betreten.«

»Das sagen Sie so. Sie kennen den nicht. Das ist ein ganz hartgesottener Bursche, der …«

»Ja, das glaube ich gerne. Dann wäre er eben im Stehen gestorben.«

Er lächelt und verzieht den Mund. Sein Atem rasselt. »Ja, ich weiß, ich habe mich in Ihnen nicht getäuscht. Ihnen macht es nichts aus, jemanden ins Jenseits zu befördern. Wir könnten ein gutes Team sein, wir zwei …«

»Wer sagt mir«, frage ich ihn, »dass Sie sich später nicht doch noch die Belohnung abholen? Ich muss jede Verbindung zwischen mir und der Polizei abbrechen.«

Die schrecklichen Geräusche in meinem Kopf werden unerträglich. Ich kann kaum noch hören, was er sagt. Es kratzt und knirscht und reibt ganz fürchterlich.

Ich stoße ihn in ein mannshohes Gebüsch. Er stolpert und fällt, versucht, sich mit ausgebreiteten Armen an Blättern und Zweigen festzuhalten. Hölzer krachen unter ihm, und er liegt am Boden. Schon hat er mein Messer am Hals.

»Ich werde meinen Teil unserer Abmachung einhalten«, verspreche ich. »Ich hole mir den Typen. Er ist schon so gut wie tot. Möge er lange in der Hölle schmoren. Hoffentlich nutzt deine Tochter die neue Chance und fällt nicht gleich wieder auf den nächsten Drecksack rein. Aber dich muss ich leider töten. Ich kann es mir nicht leisten …«

Er versucht, zu sprechen. Es kommen nur gurgelnde Laute heraus. Mit der linken Hand reißt er Blätter von einem Ast, als würde das etwas ändern.

Ich nehme ihm den Damenrevolver ab. Er ist nicht mal auf die Idee gekommen, danach zu greifen.

Ich stecke die Waffe ein. »Du willst ein Privatdetektiv und Exbulle sein?«, frage ich. »Deine Instinkte gehen gegen null.«

»Wenn Sie mich töten«, krächzt er, »sind Sie erledigt.«

»So? Warum denn? Ich denke, keiner weiß etwas davon?«

»Mir fehlen vielleicht Ihre Killerinstinkte, aber ich bin kein Idiot.« Ich nehme das Messer von seinem Hals, damit er besser sprechen kann, aber ich halte die Spitze auf seine Brust gerichtet. Trotzdem drückt er sich mit beiden Armen langsam hoch.

Vielleicht muss ich ihn gar nicht töten, sondern er wird einfach einen Herzinfarkt bekommen, denke ich.

»Glauben Sie«, fragt er, »dass ich verrückt genug bin, um den gefährlichsten Mann unseres Landes, der mindestens sechs Leute auf dem Gewissen hat, zu erpressen – einfach so, ohne irgendwelche Versicherungen?«

»Was für Versicherungen?«

Ein dünner Ast wippt die ganze Zeit vor seinem Gesicht auf und ab. Er bricht ihn jetzt durch und schaut mich an, als hätte er damit gleichzeitig sein Durchsetzungsvermögen bewiesen.

»In meinem Job habe ich es ständig mit irgendwelchen Gangstern und Kleinkriminellen zu tun. Oder auch einfach mit Auftraggebern, die mich hereinlegen wollen. Ein befreundeter Rechtsanwalt, für den ich schon eine Menge tun konnte, hat einen verschlossenen Umschlag. Darin sind alle Informationen, die man braucht, um dich hoppzunehmen, Sommerfeldt.«

Ich drücke die Klinge fester gegen seine Brust. Ich piekse richtig in sein Fleisch. Aber er hält tapfer durch, als könne er mir so seine Kämpferqualitäten beweisen.

»Ich dachte, niemand weiß etwas. Du hast mich also angelogen.«

»Wenn ich mich nicht alle zwölf Stunden melde, öffnet er den Umschlag und informiert die Polizei. Mittags um zwölf und nachts um zwölf. Töte mich nur«, lächelt er und schaut auf seine goldene Rolex, die prima zu dem Feuerzeug und der Goldkette passt, »und du hast noch knapp zwanzig Minuten, um zu verschwinden. Glaub mir, mein Freund hält die Zeiten ein. Er weiß, dass es um Leben und Tod geht.«

»Du bluffst! Das kennst du nur aus irgendeinem Film. Du bist gar nicht clever genug, um so etwas selbst zu machen ...«

Er grinst mich an. »Sagt mir ein Mann, der mit einer Sporttasche voller Geld rumläuft, in der ein Peilsender versteckt ist.«

»Ist die Rolex echt?«, frage ich.

Er greift hin. »Ja.«

»Auch ein Geschenk deiner Frau?«

»Ja.«

»Und da wunderst du dich, auf was für Typen deine Tochter abfährt? Die Uhr, das Feuerzeug, die Goldkette, dazu ein korrupter Bulle, der zum Privatdetektiv wird, und ich wette eine Säuferkarriere hast du auch hinter dir, oder?«

Er nickt. »Ich hab es heute aber im Griff.«

»Na klar. Und ich soll mich auf einen Ex-Alki verlassen, mit dem ich gerade ein Gläschen Rotwein getrunken habe.«

»Ich habe es wirklich im Griff. Ich ...«

Ich lasse die Klinge meines Einhandmessers zurückschnappen. »Irgendwie mag ich dich«, höre ich mich selbst sagen und staune über meine eigene Aussage. Was tue ich hier? Ich kann den doch nicht laufen lassen!

»Wir können ja«, schlägt er vor, »irgendwo zusammen noch was trinken gehen.«

»Was hast du meinem Ex-Schwiegervater erzählt? Die wollten doch sofort von dir wissen, wo ich bin, oder nicht?«

»Ich glaube, ich erwähnte es schon: Wissen ist Macht. Ich habe ihnen gesagt, dass du die ganze Zeit unterwegs bist, keinen festen Punkt ansteuerst.«

Jetzt kommen die kanadischen Wildgänse gucken, was wir hier

machen. Eine reckt ihren Hals und schnattert laut, als wolle sie ihre Freunde rufen.

»Die blasen hier gerade zum Großangriff auf uns …«

Ich muss ihm hochhelfen. Alleine schafft er es gar nicht. Als er dann ächzend wieder auf beiden Beinen steht und sich Blätter und Gestrüpp aus den Klamotten klopft, fragt er: »Kann ich dann jetzt meine Dienstwaffe wiederhaben?«

»Dienstwaffe?«

Er verzieht das Gesicht. »Das ist eine Gaspistole …«

Ich gebe sie ihm tatsächlich. Spinne ich? Oder vertraue ich diesem Mann wirklich?

»Kauf dir 'ne anständige Knarre, Heiner. Mit so einer Kugel stoppst du vielleicht eine dieser lächerlichen Gänse hier. Aber bestimmt keinen wütenden Zuhälter.«

»Das«, sagt er hoffnungsvoll, »wirst du doch auch für mich erledigen. Oder?«

»Ja, verdammt«, sage ich, »ich mach's.«

»Und jetzt brauche ich ein Pils«, sagt er.

»Na, da bist du ja hier im Pott genau richtig. Pils zapfen können die hier.«

Das Glasklirren in meinen Ohren hat aufgehört und das, obwohl ich ihn gar nicht getötet habe. Ich frage mich, was das zu bedeuten hat.

22 Ich sitze hier und schreibe es auf, um es zu verstehen. Es kommt mir so absurd vor. Ja, ich habe ihn tatsächlich mit zu mir nach Hause genommen. Da liegt er jetzt, der dicke alte Mann, und schnarcht seit Stunden.

Sein Zimmer im Maritim, von hier aus geschätzt zweihundert Meter Luftlinie, auf gleicher Höhe, steht leer. Irgendwie sind wir plötzlich unzertrennlich geworden.

Er hat von meiner Mutter und meinem Ex-Schwiegervater den Auftrag erhalten, mich umzubringen. Stattdessen bittet er mich, seinen Schwiegersohn zu killen. Ist die Welt verrückt geworden? Finden die eigentlichen Massaker und Verbrechen in den Familien statt? War das schon immer so?

Ich mache Kaffee und schaue mir den Escort-Service, für den seine Tochter arbeitet, im Internet an. Die Frauen werden tatsächlich als Miet-Ehefrau, Leih-Geliebte oder unkomplizierte Affäre angeboten.

Es gibt nur ein Foto von einem Mann. Er sieht smart aus, wie ein junger Hollywood-Schauspieler, und teilt uns seine Lebensweisheiten mit:

Ein One-Night-Stand kann ein ganzes Leben zerstören. Plötzlich stellt sie Ansprüche, telefoniert hinter einem her. Eine verdächtige SMS kann eine Ehe zerstören. Ganze Firmen sind so den Bach runtergegangen. Deshalb schwören wir auf Diskretion. Niemals werden wir Sie kontaktieren, egal, auf welchem Weg. Wenn Sie Wünsche haben, wenden Sie sich an uns. Diese Einbahnstraße wird immer erhalten bleiben. Das garantiert Ihnen höchste Sicherheit. Unsere Damen sind gebildet und gesund, verführerisch und leidenschaftlich, aber keine Professionellen, sondern bei uns leben Frauen ihr Hobby aus.

Das glaubst du doch selber nicht, du Pfeife! Aber schön, wie du versuchst, eine Illusion heraufzubeschwören – die Illusion von Sicherheit – und trotzdem soll alles so sein wie bei einer richtigen Affäre. Hier kauft sich keiner eine billige Hure, hier wird Abenteuer versprochen. Knisternde Erotik. Die Fotos suggerieren Gespräche in guten Restaurants, strahlende Frauen, edle Weine, keinerlei Hinweis auf irgendwelche Drogen, oder ich verstehe die versteckten Signale nicht.

Das Ganze ist auf äußerst edel gemacht. Man kann sich aus zwei Dutzend Mädels eine aussuchen. Ich nehme an, dass die Biographien gefaked sind. Graffs Tochter nennt sich hier Chantal, hat angeblich eine französische Mutter und einen deutschen Vater, ist in Paris aufgewachsen, hat Literatur studiert und dann »nach der Lektüre von *Fifty Shades of Grey* das trockene Studium gegen das wilde Leben eingetauscht«.

Das ist wohl ein versteckter Hinweis, dass sie für S/M-Spiele zur Verfügung steht.

Ich trinke bereits die zweite Tasse schwarzen Kaffee. Heiner wird vom Kaffeeduft wach und erhebt sich mühsam vom Sofa. Er ist strubbelig und riecht mörderisch aus dem Mund.

Die zerschnittene Sporttasche liegt auf dem Boden. Den Peilsender habe ich zerschlagen und im Besteckkorb der Spülmaschine bei siebzig Grad den Rest gegeben.

Heiner zeigt auf die Geldscheine, die immer noch auf dem Tisch aufgestapelt sind. »Sollen wir die zum Frühstück abräumen?«

»Nein. Ich schau gerne hin. Es tut der Seele irgendwie gut, diesen Stapel zu sehen. Es ist eine kleine Entschädigung für meine verpfuschte Kindheit. Deine Tochter«, sage ich, »steht als Sklavin für S/M-Spiele zur Verfügung.«

Er greift sich an den Magen, als sei das am frühen Morgen zu viel für ihn. »Woher weißt du …«

Ich zeige auf die Homepage: »Na, ich kann doch lesen.«

Entweder hatte er die Worte so weit noch nicht interpretiert, oder sein Verstand weigert sich, die Tatsachen anzuerkennen.

Das kenne ich auch von mir selbst. Zu gerne blende ich Dinge aus, die mir nicht gefallen oder einfach nur weh tun, wenn man sie weiß.

»Ich habe mehrfach gesehen, dass sie Verletzungen hatte. An den Handgelenken. Am Hals. Ich habe gedacht, er schlägt sie …«

»Vielleicht … Hast du je gesehen, dass er sie schlägt?«

»Nein, dann hätte ich wahrscheinlich die Contenance verloren und wäre auf ihn losgegangen.«

»Mit deiner Gaspistole?«, spotte ich.

Er winkt ab.

Ich wundere mich. Er hat tatsächlich *Contenance* gesagt. Gleichzeitig kapiere ich, dass er diesen Trommelrevolver mit den Gaspatronen nur zu seiner eigenen Sicherheit trägt. Damit kann er sich einen überlegenen Gegner kurzfristig vom Leib halten. Großen Schaden kann er damit nicht anrichten.

»Du hattest Angst«, sage ich, »ihn mit einer richtigen Waffe in einem unbedachten Moment zum Sieb zu machen, stimmt's?«

Er hustet und nickt. »Ja, ich hatte Angst vor mir selbst. Ich bin nicht so frei wie du.«

Ich staune. Sein Satz trifft mich wie ein Lob und gleichzeitig wie eine Ohrfeige. »Frei?«, protestiere ich. »Ich kann nicht mal zum Zahnarzt gehen, ohne Gefahr zu laufen, verhaftet zu werden.«

»Ja, da hast du wohl recht, mein Freund«, sagt er. »Dein Bamberger Zahnarzt hat der Kripo sämtliche Unterlagen zur Verfügung gestellt. In einer Fachzeitschrift für Zahnärzte war der Status deines Gebisses abgebildet, mit der Aufforderung, vorsichtig zu sein, wenn ein Mann in deinem Alter neu in der Praxis erscheint. Sie sollen dich sofort weitermelden. Ich würde mir an deiner Stelle in Deutschland keinen Zahn ziehen lassen. Die verhaften dich, noch bevor die Betäubungsspritze wirkt.«

Ich wiederhole: »Der Status deines Gebisses … Mit diesem formalkorrekten Deutsch fällt man im Ruhrgebiet unangenehm auf«, erläutere ich ihm. »Hier sagt man *von deinem Gebiss*. Es sagt auch keiner *wegen dieses Scheißes hier*, sondern …«

Er unterbricht meinen Redeschwall: »Ja, mein Freund«, – mir fällt auf, wie oft er *mein Freund* sagt – »auch das ist über dich bekannt, dass du die Literatur liebst. Ich würde Buchläden an deiner Stelle meiden. Sie wissen sogar, dass du gerne Romane liest. Eine Kommissarin Klaasen war in Franken und hat sich dein Buchregal angeschaut. Es gibt eine Liste deiner Lieblingsautoren. Sie hat sich lange mit deiner Mutter unterhalten. Ich glaube, die weiß mehr über dich als du selbst. Dein Wohnort hier, so sicher er dir erscheinen mag, in der Anonymität dieses großen Hauses, passt hundert Prozent zu deinem psychologischen Profil. Die Bibliothek da unten – lass mich raten. Du bist da Kunde.« Ich gebe ihm recht.

»Und im Stadttheater gegenüber kennt dich auch schon jede Garderobiere, stimmt's?«

Ich bin baff darüber, wie klar er analysiert.

Er freut sich, weil er mir demonstrieren kann, was er draufhat. »Jetzt musst du nur noch ein, zwei der Hauptdarstellerinnen verführen und ihre eifersüchtigen Ehemänner erdolchen, dann …«

»So verrückt bin ich nicht.«

Heiner Graff sucht seine Zigaretten.

»In meiner Wohnung wird nicht geraucht«, stelle ich klar.

»Ich brauche morgens immer erst einen Starter«, hustet er.

»Ja, das glaube ich gerne. Dann geh halt raus auf den Balkon.«

Er holt sich selber eine Tasse aus dem Regal und gießt sich Kaffee ein. »Hast du Milch und Zucker?«

»Nein. Ich trinke schwarz.«

»Schwarz wie deine Seele«, kommentiert er. »Der Kaffee ist viel zu stark, Mensch, der schlägt mir gleich auf den Magen. Ich brauche heißes Wasser, ich muss ihn verdünnen.«

Ich zeige auf den Wasserhahn. »Da kommt heißes und kaltes Wasser raus.«

»Für jemanden, der eine halbe Million auf dem Tisch liegen hat, könntest du dir wirklich einen besseren Zimmerservice leisten. Frühstückst du nie etwas? Croissants oder so? Ein Mettbrötchen oder …«

»Lass uns die Sache so schnell wie möglich hinter uns bringen«, sage ich. »Deine Tochter zu finden, ist leicht. Ich könnte sie hier buchen, irgendwohin einladen, in ein schönes Hotel nach Köln, Frankfurt oder Berlin, und ihr dann entweder den Arsch versohlen oder sie töten, mit ihr ein paar Linien Koks durchziehen oder …«

»Hör auf!«, fährt er mich an und haut mit der Faust auf die Arbeitsplatte meiner Einbauküche.

»Aber den Typen zu schnappen, das scheint mir nicht ganz so leicht zu sein. Der lässt sich nicht einfach irgendwohin beordern. Ich weiß nicht, wo seine Zentrale ist, wo er wohnt oder …«

»Der ist nicht blöd. Er hat mehrere Immobilien. Eine Zweihunderfünfzig-Quadratmeter-Eigentumswohnung in Berlin …«

Ich pfeife anerkennend durch die Lippen.

»Mietwohnungen in Köln-Kalk, ein Penthouse in Hamburg ...«

»Das interessiert mich alles nicht. Wo kriege ich den Vogel?«

Graff lächelt. »Das ist es ja gerade, mein Freund. Darum bist du der ideale Killer für meinen Plan. Er hat sich, vermutlich von dem Geld, das meine Tochter erarbeitet hat, auf Langeoog eine Ferienwohnung gekauft. In der Barkhausenstraße. Anna Düne. Im Moment hält er sich gern dort auf.«

»Zusammen mit deiner Tochter?«

»Nee. Das glaube ich eher nicht. Der spielt da den Bürgerlich-Anständigen. Vielleicht ist er auf der Suche nach neuen Schönheiten für sein Unternehmen. Als Loverboy ist er wohl der Bringer.«

Ich wundere mich. Ich hatte mir diesen Typen als versifften, bis zum Hals tätowierten Rocker vorgestellt. Aber er scheint doch mehr die Marke erfolgreicher Geschäftsmann im maßgeschneiderten Anzug zu repräsentieren.

»Ist er jetzt dort?«

»Ich habe ein genaues Bewegungsprofil von ihm erstellt. Er ist im Sommer mindestens zwei Wochen auf irgendeiner ostfriesischen Insel. Borkum, Norderney, Juist, häufig natürlich auf Langeoog. Nur Baltrum meidet er aus irgendeinem Grund. Vielleicht ist ihm die Insel einfach zu klein.«

»Er ist also auf Langeoog?«

»Ich würde mein gesamtes Erspartes darauf setzen. Er fährt immer nur zurück, wenn es irgendwo kriselt, er eingreifen muss oder Geld in Sicherheit gebracht werden soll.«

Jetzt gehen mir plötzlich viele Lichter auf. »Na klar. Ich soll ihn in Ostfriesland für dich töten.«

Er lächelt mich breit an und schlüpft in seine Hose. Er schnallt den Gürtel unterm Bauch stramm zu. »Jeder wird denken, dass du zurückgekommen bist. Und dass der Schlitzer wieder irgendein Stück Scheiße aus dem Weg geräumt hat. So gerate ich meiner

Tochter gegenüber nie in den Verdacht, es gewesen zu sein. Ich kann sie trösten. Ich kann ihr helfen, einen Entzug zu machen.«

Ich fühle ihm auf den Zahn. »Ganz nebenbei wird sie, glaube ich, ein beträchtliches Vermögen kassieren, wenn sie mit ihm verheiratet ist, oder?«

Er winkt ab, als spiele das überhaupt keine Rolle für ihn. »Ich weiß nicht, wie viele seiner Schlösser Traumschlösser sind. Wie viele Hypotheken da drauf sind oder nicht. Es ist mir auch egal. Ich will nur meine Tochter zurück.«

Ja, verdammt, das glaube ich ihm. Er klingt ehrlich. Ein Vater, der sich Sorgen um seine Tochter macht. Herrje, wenn ich mir vorstelle, ich wäre in seiner Situation, dann würde sich der Typ schon längst die Radieschen von unten begucken. Ich habe Leute schon wegen ganz anderer Vergehen umgebracht.

Wie muss sich ein Vater fühlen, dessen Tochter drogensüchtig gemacht und dann auf den Strich geschickt wird? Wie kann er überhaupt noch so ruhig hier sitzen? Ich empfinde mich als seine letzte Chance.

Geld spielt in dem Fall vielleicht wirklich keine Rolle. Es geht ihm um seine Tochter, obwohl er ein, zwei Milliönchen für das erfahrene Leid auch ganz gerne mitnehmen würde.

»Dass du diesen religiösen Fanatiker umgelegt hast, stört mich nicht weiter. Im Gegenteil. Jeder erwartet jetzt sowieso, dass du in Ostfriesland noch mal zuschlägst. Es ist doch irgendwie dein Revier, oder?«

»Ja, aus deiner Perspektive stimmt das alles«, sage ich. »Aber für mich ist Ostfriesland ein gefährliches Pflaster.«

Er hält die Tasse unter den Wasserhahn und lässt heißes Wasser reinlaufen. Dann probiert er seinen Kaffee und verzieht das Gesicht. »Vergiss nicht, dass du mich hast.«

»Dich?«

»Ja, mein Freund, mich. Ich könnte zur Polizei gehen, weil ich es mit meinem Gewissen nicht länger vereinbaren kann.«

In meinem Kopf beginnt alles zu trudeln. Ich muss mich an der Tischkante festhalten. Meint der das ernst?

Er zieht sein marineblaues Oberhemd an und streicht die Ärmel glatt. »Ich habe den Auftrag der Familie erhalten, dich zu suchen, und es ist mir gelungen, dich zu finden. Irgendwo in Franken. Such dir was aus. Bamberg. Hirschaid. Haßfurt. Ich habe gesehen, wie du um das Haus deiner Mutter geschlichen bist.« Er lacht. »Die werden dich mit einem Riesenaufgebot in Franken suchen. Deine Mutter und dein Schwiegervater werden tierisch sauer auf mich sein. Aber wen interessiert das schon? Von der Geldtasche werde ich nichts sagen …«

»Und was erzählst du deinen Auftraggebern? Willst du ihnen den Stinkefinger zeigen?«

»Ich werde ihnen sagen, dass ich dich aufgespürt habe, aber dass du mir entkommen bist.«

Ich klatsche ihm Beifall.

»Diese Ann Kathrin Klaasen«, sagt Heiner Gräff und knöpft sein Hemd zu, »ist inzwischen zur Zielfahnderin geworden. Von wegen, Ostfriesland! Sie hat sich eine Truppe zusammengestellt. Sie sind dir überall auf den Fersen. Das heißt, wir können sie auch weit weglocken.«

»Wenn ich diesen Zuhälter – wie heißt das Arschloch eigentlich mit bürgerlichem Namen? – also, wenn ich den …«

Er wirft ein: »Heiko Mahr.«

»Wenn ich den erledigt habe, dann wird der Boden für mich auf Langeoog heiß. Das ist das Problem so einer Insel. Man kommt nur schwer wieder runter. Die Fähre lässt sich leicht kontrollieren. Der kleine Flugplatz ebenfalls.«

Da hat Gräff schon gute Vorarbeit geleistet: »Die letzte Verbindung von Langeoog zum Festland ist um 19 Uhr ab Bahnhof mit Anschluss zur Fähre. Freitags um 20 Uhr. Oder du tötest ihn nachts und fährst morgens mit der ersten Fähre um 7 Uhr 10 nach Bensersiel.«

An seinem Plan ist etwas dran. Die ganze Sache gefällt mir. Außerdem hätte ich die Möglichkeit, vorher noch einmal nach Beate zu schauen. Dieser Mord würde auch von ihr ablenken, denn im Gegensatz zu Tido Lüpkes hat dieser Heiko Mahr nun wirklich gar nichts mit ihr zu tun. Da lässt sich kein Zusammenhang konstruieren. Wahrscheinlich würde ich sie damit sogar entlasten.

Wenn seine Vergangenheit durchleuchtet wird, und darin werden Ann Kathrin Klaasen und ihre Truppe geradezu akribisch sein, wird herauskommen, dass es sich nicht um den nettesten Menschen handelt. Auch bei den anderen wird ja inzwischen von vielen Leuten unterstellt, dass ich eine gerechte Sache erledigt habe. Das Ganze würde also auch meinem Ruf nutzen.

Trotzdem sage ich: »Ich muss wissen, ob er wirklich auf der Insel ist. Nur auf Verdacht kann ich nicht dahin fahren. Ich brauche schon Gewissheit, ihn dort anzutreffen.«

Graff lässt sich schwer auf den Stuhl fallen und atmet aus. »Wenn ich nicht bald eine rauche, flippe ich aus. Ich kriege richtige Aggressionen.«

»Nikotinentzug als Killerinstinkt«, grinse ich.

Er legt mir sein Handy auf den Tisch. »Mahr kontrolliert seine Mädchen mit einer Handy-App, die ihm ständig ihren Standort verrät. Das Ganze ist wahrscheinlich als Sache für eifersüchtige Liebespaare gemacht worden oder für Eltern, die wissen wollen, wo ihre Kinder sind.«

Kenn ich. Das hat meine Sprechstundenhilfe Cordula auch mit mir gemacht.

»Ich weiß genau, wovon du redest. Diese Apps sind brandgefährlich, nicht nur für Leute mit Kontrollzwang und Verliebte, sondern auch für Gangster, da sie jeden meiner Wege verfolgen können.«

Er geht gar nicht darauf ein, sondern erzählt weiter: »Meine Tochter hat mir in einem schwachen Moment mal davon erzählt. Ist schon zwei, drei Jahre her. Ich war bei ihnen zu Besuch. Er hat mit der großen Penthouse-Wohnung angegeben, und rate mal, was ich gemacht habe …«

Ich pfeife anerkennend durch die Lippen. »Du hast dich bei ihm eingeloggt?«

»Bingo! Ich kann dir auf fünf Meter genau sagen, wo er sich jetzt befindet, sofern er sein Handy eingeschaltet hat, und glaub mir, das hat er immer eingeschaltet.« Er klickt seine App an und lächelt. »Entweder sitzt er vor dem Café Leiß, oder er ist innen drin, aber dann in der Nähe des Eingangs. Ich nehme mal an, er pellt gerade sein Frühstücksei.«

»Okay«, sage ich. »Ich hole ihn mir.«

23

Wir frühstücken noch zusammen. Heiner Graff holt Brötchen und Aufschnitt, ich mache auf seinen Wunsch hin Ostfriesentee, obwohl das mit dem Wasser hier schwerfällt. Ich habe es mit Thiele- und mit Bünting-Tee probiert, aber richtig schmeckt er doch nur in Ostfriesland. Das Wasser hier ist einfach zu hart.

Heiner hat eine große Tüte mitgebracht. Ich schätze, da sind ein Dutzend Brötchen drin. Ein Schokocroissant guckt oben raus. Außerdem hat er einen Kringel Fleischwurst dabei. Er stellt ein Riesenglas Nutella wie eine Trophäe auf den Tisch. »Das hast du doch bestimmt nicht da.«

In der Tat wäre ich nie drauf gekommen, Nutella zu kaufen.

Er isst sechs Brötchen und bestreicht sich dann Croissants mit Nutella. Er krümelt sich voll, klopft danach seine Kleidung aus, lobt den Tee als köstlich. Im Grunde kann er gar nichts schmecken, so viel Kluntje und Sahne hat er reingehauen.

Als wir uns verabschieden, umarmt er mich und tätschelt meinen Rücken. Einen kurzen Moment zögere ich noch. Es gibt durchaus eine Stimme in mir, die mich warnt: *Das hier ist ein schwerer Fehler. Stich ihn einfach ab und wirf ihn in den Rhein-Herne-Kanal.*

Doch ich tue es nicht und lasse ihn ziehen.

Trotzdem erwische ich mich dabei, dass ich ihm traurig hinterhersehe, wie er zum Maritim-Parkplatz geht, um sein Auto zu holen. Es ist, als hätte ich mich von einem treuen Freund verabschiedet, den ich vielleicht nie wiedersehen werde.

Meine Gefühle verwirren mich. Lasse ich da gerade den Mann gehen, der mich nur benutzt, um seine eigenen Probleme zu klären und mich dann ans Messer liefern wird? Oder ist er ein loyaler Freund und vielleicht zukünftig sogar ein Geschäftspartner?

Bevor ich nach Langeoog fahre, muss ich das Geld vom Tisch nehmen. Ein Bündel stecke ich ein. Ich zähle es nicht. Vielleicht sind es fünf-, vielleicht zehntausend Euro. Was spielt das für eine Rolle?

Einen Teil des Geldes stecke ich in eine Einkaufstüte der Mayerschen Buchhandlung und lege sie ins Gefrierfach meines Kühlschranks. Obendrauf Brokkoli und zwei Familienpackungen Eiscreme. Vanille und Kokos.

Mahr hat in Anna Düne auf Langeoog eine Ferienwohnung in der zweiten Etage. Ich versuche, nah an ihn heranzukommen. Man kann im Internet buchen, aber ich mache es telefonisch. Ich habe Glück. Es sind noch zwei Ferienwohnungen frei. Als Rudolf Dietzen miete ich mich dort ein und überweise das Geld gleich online.

Wenn man in Urlaub fährt, sollte man einen Koffer dabeihaben. Susanne Kliems *Das Scherbenhaus* gehört zu den Büchern, die ich mitnehme, aber auch zwei Romane von Jörg Fauser, *Rohstoff* und *Schlangenmaul*. Sein Harry Gelb mit seinem Gegenwartshunger bedeutet mir in letzter Zeit wieder etwas. In Norddeich hatte ich die Werkausgabe seiner Bücher.

Außerdem packe ich den fast tausend Seiten starken Lyrikband *Tarnkappe* von Christoph Meckel ein. Ich hoffe sehr, dass ich Zeit finde, seine Gedichte endlich wieder zu lesen! In Bamberg besaß ich mehrere bibliophile Ausgaben. Seine Lyrik ist ja verstreut in so vielen kleinen Verlagen erschienen, manchmal in Mini-Auflagen.

Ich habe Meckel gesammelt, gekauft, was immer ich gefunden habe. Seine Lyrik gehört zu dem, was ich verlor, als ich mein altes Leben hinter mir ließ. Einige seiner Verse hatten sich tief eingebrannt, immer wieder kamen sie mir in den Sinn. Wie glücklich war ich, eine Sammlung seiner Gedichte in der Gelsenkirchener Stadtbibliothek zu finden. Seit ich seinen Roman *Suchbild. Meine Mutter* gelesen habe, weiß ich, wie viel uns verbindet. Er fühlte sich von seiner kalten Mutter nicht geliebt. Vielleicht wurde dieser Verlust für ihn zur Antriebskraft für seine Poesie.

Hat dieses Fehlen mich stattdessen zum Mörder gemacht?

Vielleicht, weil ich die Fauser-Romane eingepackt habe, vielleicht auch, weil ich mich gerade genauso fühle, will ich seinen Song *Der Spieler* hören, den er für Achim Reichel geschrieben hat. Ich lade ihn mir auf mein Handy und höre ihn sofort.

Er hat alle Zahlen durch und auf allen verloren.
Er weiß: Wenn er jetzt verliert,
ist er selbst verloren.

Noch während ich weiterpacke, singe ich mit: »Komm rüber, Spieler, Spieler komm rüber …«

Ist es das? Manövriere ich mich immer weiter an den Abgrund? Fordere ich das Schicksal immer wieder aufs Neue heraus? Werde ich erst frei sein, wenn ich endgültig verloren habe? Hat Fauser diesen Song für mich geschrieben? Enthält er eine Botschaft für mich?

Natürlich weiß mein Verstand, dass das nicht sein kann. Fauser ist seit dreißig Jahren tot. Und trotzdem höre ich heute seine Botschaft wie eine Warnung und fühle mich ihm verbunden.

So war es eigentlich immer. Ich habe Bücher gelesen wie Briefe an mich. Jedes Gedicht schien an mich adressiert zu sein. Die wirklich guten Autoren haben mich mitgenommen. Ja, verdammt, ich war mit Hemingway fischen, saß mit Fallada im Knast und habe mit Remarque die Schlacht überlebt. Am Ende sind wir ein Cocktail aus all den Erfahrungen, die wir gemacht, den Filmen, die wir gesehen, den Liedern, die wir gehört, den Büchern, die wir gelesen haben.

Jetzt, da ich durch meine Wohnung laufe und die Fahrt nach Langeoog organisiere, um Heiko Mahr umzubringen, beginne ich wieder, mich als literarische Figur zu sehen. So werde ich angstfrei. Es hilft mir. Es kommt mir vor, als würde ich mein eigenes Leben lesen, als säße ich im Sessel und würde die Abenteuer des Helden verfolgen. Ich ahne, dass es nicht gut ausgehen wird, so wie bei Jörg Fausers Spieler, wenn er alles Gewonnene auf die 17 setzt.

Noch einmal die 17
und ich bin frei.

Das ganze Leben ist ein Spiel. Man muss nicht in ein Casino gehen, um daran teilzunehmen. Ich spiele volles Risiko, mit höchstem Einsatz. Aber was kann ich gewinnen? Die Freiheit? Beate? Bekomme ich mein altes Leben zurück?

Alles würde ich dafür tun! Wieder als Arzt in Norddeich leben zu können, mit Beate an meiner Seite, die mit Leidenschaft an ihrer Schule die Leseförderung vorantreibt.

Was interessiert mich so sehr an Susanne Kliems *Das Scherbenhaus*? Die Idee von einem Gebäude als Hochsicherheitstrakt, das dann zum Gefängnis wird? Ist es das, was der *Weiße Riese* für mich werden könnte?

Ich leihe mir einen Bus, fahre aber nicht durch bis Bensersiel. Ich schaffe es einfach nicht. Ich muss vorher einmal bei Beate vorbeischauen.

Ich weiß, dass ich damit viel riskiere. Nach dem Mord an Tido

Lüpkes wird sie vermutlich überwacht. In ihren E-Mails an Susanne Kaminski steht nichts davon. Verschweigt sie ihrer Freundin eine so wichtige Sache, oder weiß sie, dass ich mitlese und will mich nicht warnen?

Ich verwerfe diesen Gedanken, denn er verletzt mich sehr.

Baustellen und Urlaubsverkehr machen es mir schwer. Ich fahre mit dem Bus an Beates Haus im Rosenweg vorbei. Es versetzt mir einen Stich ins Herz, so sehr, dass ich mit der Hand hingreife, als müsse ich eine Speerspitze abwehren. Ich weiß gleich, dass sie nicht zu Hause ist. Sie gibt einem Haus eine Aura, eine Strahlkraft. Ja, mag man mich ruhig für verrückt erklären, wenn man das liest. Ich weiß, ob sich Beate in einem Raum befindet oder nicht. Ich spüre es, wenn ich mich dem Raum nähere.

Vielleicht ist das so, wenn man einen Menschen liebt. Aber vielleicht ist es auch nur etwas Besonderes zwischen uns. Ich weiß es nicht. Ich habe vorher eine solche Erfahrung noch nie gemacht.

In einem Roman habe ich von einer Mutter gelesen, die spürte über fünf-, sechshundert Kilometer Entfernung, dass ihr Kind in Gefahr war. Meine Mutter hätte das sicherlich nicht gespürt und wenn, dann wäre es ihr nicht so wichtig gewesen.

Ach, ich wollte doch nicht an sie denken! Ich ärgere mich, dass mein Versuch, eine Verbindung zu Beate aufzunehmen, mich innerlich wieder zu meiner kalten Mutter führt. Ich will nicht an meine Mutter denken! Im Gegenteil, ich will sie aus meinem Inneren verbannen! Sie beansprucht zu viel Raum in mir.

Wenn ich Heiner Graff, meinem neuen Freund, Glauben schenken kann, hat sie ihn tatsächlich gemeinsam mit meinem Schwiegervater beauftragt, mich zu töten. Das Ganze ist so unvorstellbar, so monströs, dass ich es selbst meiner Mutter nicht zutraue.

Meiner Exfrau Miriam ja. Ihrem neuen Mann sowieso. Aber die eigene Mutter beauftragt einen Killer, ihren Sohn zu töten, bevor die Polizei ihn schnappt? Das hat ja Shakespeare'sche Größe! Ich schüttle mich.

Als sei jetzt schon alles egal, parke ich hinter der alten Piratenschule und gehe durch den Neuen Weg. Ich will einmal das Smutje sehen. Ich hörte, sie haben dort einen neuen Koch. Aber sosehr es mich reizt, in meinem alten Stammlokal zu speisen, traue ich mich doch nicht.

Merkwürdiges Gefühl, hier in Norden durch die belebte Einkaufsstraße zu gehen, die Touristen zu sehen, mich zu fühlen wie damals, als noch alles in Ordnung war. Und doch gleichzeitig zu hoffen, dass mich niemand erkennt.

In der Osterstraße stehen zwei Zeugen Jehovas und bieten ihre Zeitschrift an. Bei den Wasserspielen reißt ein Vater seine Kinder zu Jubelschreien hin, weil es ihm gelingt, durch schnelles Drehen der Kurbel einen wundersam in der Sonne schillernden Wasserstrudel in der Glasröhre hochzujagen. »Schneller, Papa, schneller!«, kreischen sie. Er ist ihr Held, und dazu muss er keine Leute umbringen, niemanden verletzen. Einfach nur ein bisschen Zeit für sie haben.

Ich könnte diesen Mann umarmen. Ich würde ihm am liebsten ein Bündel Geldscheine schenken, damit er nicht so viel arbeiten muss, seinen Urlaub verlängern kann, um noch mehr Zeit mit seinen Kindern zu verbringen.

Vor ten Cate ist kein Sitzplatz mehr frei. Jörg Tapper in seiner Konditorenkluft spricht am Tisch mit Schweizer Touristen und erklärt ihnen seine Marzipanmischung. Ich sehe auch seine Frau, Monika Tapper. Mit ihr habe ich früher manchmal über Bücher geredet. Sie liest gerne Romane, genau wie ich. Auch sie erkennt mich nicht. Da ist kein unsicheres Zögern, kein zweiter Blick. Nein, ich bin für sie einfach nur ein Tourist. Eines von hundert neuen Gesichtern, die hier durch die Straße ziehen. Feriengäste.

Ich trete sicher auf. Ich bin unerkannt in meinem Revier. Dr. Sommerfeldt sah ganz anders aus als ich.

Doch dann zucke ich innerlich zusammen. Es trifft mich wie ein Stromschlag. Ich hoffe, dass ich nicht unwillkürlich einen Schrei ausgestoßen habe. Da ist sie – meine Beate! Schöner denn je. Der Wind spielt mit ihren nussbraunen Locken und zaubert ihr eine wunderschöne Frisur.

Sie hat braune Beine, und ihr Rock endet sehr hoch überm Knie. Eine trauernde Lebensgefährtin, die die große Liebe ihres Lebens vermisst, sieht anders aus. Hat sie früher auch schon so hochhackige Sommerschuhe getragen?

Sie hat eine große Eiswaffel mit Sahne in der Hand und ist sehr darauf konzentriert, das Eis zu schlecken. Der Typ neben ihr, das muss dieser Lars sein. Der Papa, der mit seiner Ehe nicht mehr klarkommt und sich bei der Lehrerin seines Sohnes ausheult. Er lacht auch noch laut, und mit seinem Lachen öffnet er unter mir einen Höllenschlund. Ich muss aufpassen, nicht hineinzufallen, weiß aber nicht, wo ich mich festhalten soll. Da ist nichts. Nirgendwo. Kein Halt mehr.

Mir ist schwindlig. Jetzt bloß nicht hier mitten auf der Straße zusammenbrechen! Irgendjemand würde einen Krankenwagen rufen, und bevor ich mich es versehe, fliegt meine Identität auf, und die Polizei ist da. Ich muss unauffällig sein. Unauffällig. Menschen, die auf der Straße umfallen, sind nicht unauffällig!

Da wird an einem Tisch ein Platz frei. Zwei Frauen sitzen dort. Eine steht auf und ruft ihrer Freundin zu: »Tschüs, ich muss noch schnell, bevor die Läden schließen … ich brauche dringend für meine Mutter …«

»Geh nur, ich zahle!«

Ich sehe nicht genau hin. Das ist meine Chance. Ich greife zu dem frei werdenden Stuhl und frage: »Darf ich mich setzen?«

»Das haben Sie ja bereits getan«, lautet die Antwort von gegenüber. Ich kann das Gesicht der Frau nicht erkennen. Vor meinen Augen trudelt alles und verschwimmt. Vielleicht ist sie eine feine Dame von fünfzig Jahren, vielleicht ein Teenie mit Zahnspange. Ich habe keine Ahnung, und es ist mir auch völlig egal.

Auf dem Tisch steht ein Glas Wasser. Ich greife einfach hin und schlucke.

»Ja, also, das ist doch …«

»Ich zahle das selbstverständlich«, sage ich. »Entschuldigen Sie bitte. Mir ist gerade nur ein wenig schlecht geworden.«

Das Wasser hilft. Ich höre ihre Freundin rufen: »Ist alles in Ordnung, Cordula?«

Cordula! Um Himmels willen! Ist das etwa …

Langsam gewinnen die Bilder die Schärfe zurück. Ich hoffe, dass das hier nur eine Halluzination ist, doch dann sagt sie zu mir: »Dr. Sommerfeldt? Bernhard? Bist du es? Ich hätte dich fast nicht erkannt.«

Ich lege meinen Finger quer über die Lippen und sage: »Pscht, Cordula.«

Ich weiß nicht, wie sie zu mir steht. Unser letztes Treffen ist nicht ganz optimal verlaufen. Sie hat mir ihre Liebe gestanden, und ich habe sie einfach weggeschickt. Frauen, deren Liebe verschmäht wurde, können sich übel rächen, ja, zu Mörderinnen werden. Die Weltliteratur ist voll von solchen Beispielen.

Wenn sie jetzt einfach schreit: »Da ist er, der gesuchte Mörder!« – Was dann?

Sie beugt sich vor. »Na, du traust dich was! Geht es dir besser? Ich habe Aspirin dabei und auch Ibuprofen. Manchmal leide ich unter schrecklichen Kopfschmerzen und dann …«

»Nein, nein, schon gut. Ich muss nur einen Moment sitzen, und ich brauche etwas Wasser.«

»Soll ich dir irgendwas bestellen?«

»Bitte.«

Sie hebt den Arm. Monika Tapper kommt zu uns.

»Mein Freund«, sagt Cordula, »hätte gern ein Glas Wasser.«

»Mit Sprudel oder ohne?«

»Mit«, entscheidet Cordula, ohne mich zu fragen. Ich bin dankbar dafür.

»Und außerdem einen doppelten Espresso, oder?«

Ich nicke. Dabei setze ich mich so, dass ich Monika Tapper nicht ins Gesicht schauen muss. Ich tue so, als sei auf meinem Handy gerade eine ganz wichtige Nachricht angekommen und senke den Kopf.

Monika Tapper geht ins Café zurück. Neben mir lobt jemand den Apfelkuchen und wägt ab, was dafür oder dagegen sprechen könnte, ein zweites Stück zu essen.

Cordula rückt ihren Stuhl näher zu mir, legt einen Arm um mich und deckt mich so zu einer Seite gut gegen Blicke ab. Ich bin ganz froh darüber. Ich fühle mich plötzlich unglaublich schutzlos.

»Ich wusste, dass du zu mir zurückkommst«, sagt Cordula. »Mein Gott, du riskierst wirklich sehr viel. Da, schau sie dir an, deine Beate. Da geht sie, mit ihrem neuen Macker. Schämt sich nicht mal, ihn hier in aller Öffentlichkeit zu präsentieren.«

»Die … die essen doch nur ein Eis zusammen«, stammle ich.

»Klar«, spottet Cordula. »So nennt man das jetzt. Der ist noch verheiratet. Das ist doch längst Stadtgespräch.«

»Stadtgespräch«, wiederhole ich heiser. »Und für den guten Ruf dieser Frau habe ich gemordet?«

Ich schaue hinter Beate und Lars her.

Es ärgert mich plötzlich, dass meine Beate einen so tollen Hintern und so wunderbare Beine hat. Und der wippende Rock bringt mich fast zur Verzweiflung.

Monika Tapper bringt den doppelten Espresso und das Mineralwasser. Schaut sie mich länger an als vorhin? Intensiver? Hat sie etwas gemerkt?

Es kommt mir vor, als würde meine Seele hinter Beate herlaufen, während mein Körper weiterhin hier sitzen bleibt, wie gelähmt.

So, wie Cordula früher meine Praxis wunderbar verwaltet hat, mir alle Arbeiten abnahm, von der Terminplanung bis hin zur Abrechnung, so dass ich mich ganz auf meine Patienten konzentrieren konnte, genauso macht sie es jetzt.

»Wir müssen hier weg«, sagt sie leise zu mir und bittet Monika Tapper um die Rechnung.

Ich denke, sie hat recht. Hier kann ich nicht lange bleiben. Aber wo soll ich jetzt hin?

Ich bin immer noch sehr benommen. Beate und Lars, das hat mich geflasht. In meiner Vorstellung ist Beate eine leidende, trauernde Frau. Und hier sehe ich sie so ganz anders, im Sonnenschein mit diesem Typen spazieren gehen.

Ob sie das ihrer Freundin Susanne auch so mitteilt?

Cordula zahlt, dann greift sie mir unter den Arm, als müsse sie mir hochhelfen. Ja, ich komme mir vor wie ein alter Mann. Ich schlurfe neben ihr her.

»Das war verdammt riskant«, sagt sie zu mir, als wir auf der Höhe der Schwanen-Apotheke sind. Da kommt gerade ein ehemaliger Patient von mir raus. Vor nicht allzu langer Zeit habe ich noch seine Gürtelrose behandelt. Er war in die Krummhörn gefahren, um sie von einer Heilerin besprechen zu lassen. Er hat seine Medikamente brav eingenommen, und hinterher wusste er nicht, ob die Heilerin oder die Schulmedizin seine Gürtelrose besiegt hatten.

Er schaut mir direkt ins Gesicht, aber er erkennt mich nicht. Da ist nicht das geringste Zucken in seinen Gesichtszügen zu sehen.

Cordula wohnt in Hage, nicht weit vom Lütetsburger Park. In

ihrem Renault Clio fahren wir dorthin. Die letzte Fähre nach Langeoog kann ich jetzt sowieso nicht mehr erreichen.

Ihre Eltern wohnen unten, sie oben, aber ihre Eltern machen Ferien auf Borkum. Wir haben, wie sie betont, sturmfreie Bude. Sie sagt es, als sei sie fünfzehn und würde zum ersten Mal verbotenerweise einen Freund mit nach Hause bringen.

Kaum hat sie die Tür hinter uns geschlossen und mit einer Kette zusätzlich gesichert, entlädt sich noch im Flur der Stress. Sie schnappt meinen Kopf, zieht ihn zu sich runter und beginnt, wild mit mir zu knutschen. Ihre Zunge findet einen Weg durch meine Lippen. Ich wehre mich nicht. Es ist, als würden angestaute Energien explodieren.

»Ich habe so lange darauf gewartet«, stöhnt sie und wühlt sich durch mein Hemd. Nein, sie verführt mich nicht. Sie vernascht mich regelrecht. Sie ist fordernd und energisch, als habe sie Angst, dass jeden Moment jemand versuchen könne, ihr das, was sie sich gerade erobert, wieder wegzunehmen.

Als uns der Boden im Flur trotz gewebtem persischen Läufer zu hart wird, bewegen wir uns auf allen vieren ins Wohnzimmer ihrer Eltern. Es sind richtig alte ostfriesische Möbel. Sie wirken wie in den Sechzigern gekauft und dann nie wirklich benutzt. Hier ist nichts abgeschabt, es gibt keine platten Sitzstellen. Ausstellungsstücke. Vielleicht haben sie, wie viele Ostfriesen, so ein Wohnzimmer, falls mal Besuch kommt, das Leben findet aber nebenan in der Wohnküche statt.

Ich will eigentlich mit ihr aufs Sofa, aber für solche Bequemlichkeiten hat sie keinen Sinn. Sie saugt mir Knutschflecken an den Hals und beißt mich immer wieder in die Schulter. Ihre Fingernägel hinterlassen Kratzspuren auf meinem Rücken.

Völlig erledigt lasse ich mich in den großen Schaukelstuhl sinken. Sie holt eine Karaffe Wasser mit nur einem Glas. Sie setzt sich auf meinen Schoß. Wir wippen sanft im Schaukelstuhl auf und ab und trinken gemeinsam aus dem Glas. Wir sind müde und erleichtert zugleich.

Ich habe jedes Zeitgefühl verloren, weiß nicht, ob das Ganze drei Minuten oder eine Stunde gedauert hat. Jedenfalls kann ich nicht mehr. Aber sie ist da ganz anderer Meinung. Sie möchte gerne weitermachen.

»Du bringst mich um«, stöhne ich.

Davon unbeeindruckt, beginnt sie, wieder an mir herumzuspielen.

»Bist du so ausgehungert?«, frage ich.

Sie beißt mir in die Oberlippe und sagt: »Ich habe lange darauf gewartet. Viel zu lange.«

Ich versuche, sie ein bisschen von mir wegzuschieben. Ihr Gewicht drückt heftig auf meine Beine.

»Komm, komm«, sagt sie. »Wir haben so viel nachzuholen.«

»Ich kann nicht mehr«, gebe ich zu.

Sie nickt, lehnt sich ein Stück zurück, als brauche sie eine andere Perspektive, um mich anschauen zu können. Sie lacht: »Das ist ja wohl ein Scherz, oder? Mein letzter Freund konnte dreimal hintereinander.«

»Dann geh doch zu dem zurück«, sage ich beleidigt und schiebe sie von meinen Beinen. Sie setzt sich im Schneidersitz auf den Boden, schaut mich von unten fast mitleidig an und sagt: »Entschuldige, ich wollte dich nicht beleidigen oder unter Druck setzen. Das hier soll ja kein Leistungssport sein.«

Ich stehe auf und suche das Badezimmer.

»Zweite Tür links« ruft sie hinter mir her.

Im Bad riecht es nach Mango und Zitrone. Vor dem Spiegel schaue ich mir meinen Hals und meine Schultern an. Blaue Flecken und Bisswunden. Ich muss lachen. So hat mich noch nie eine zugerichtet. Der Sex mit Cordula kommt mir vor wie eine Rache an Beate.

Als ich ins Wohnzimmer zurückkomme, steht sie vor dem *Ostfriesland-Kalender* von Martin Stromann.

»Meine Eltern«, sagt sie, ohne sich zu mir umzudrehen, »kommen in neun Tagen zurück. So lange kannst du hierbleiben. Der Putzfrau kann ich absagen. Ich hole uns, was wir zum Essen brauchen, und wir machen aus deinem Versteck hier ein Liebesnest. Ich habe noch keine neue Arbeit gefunden. Wer nimmt schon die Sprechstundenhilfe von Dr. Bernhard Sommerfeldt, die es gewohnt ist, doppeltes Gehalt zu bekommen? Ich weiß nicht, ob sie mehr Angst vor dir oder vor mir haben. Jedenfalls will mich keiner, wenn ich mich vorstelle. Obwohl Medizinische Fachangestellte eigentlich gesucht werden. Hier bist du jedenfalls eine Weile sicher.« Jetzt bewegt sie sich hüftschwingend, mit verführerischem Blick, lächelnd auf mich zu. »Lass uns ein Fest draus machen, mein Lieber. Ein einziges Fest!«

Ich weiche einen Schritt zurück, hole mir das Wasserglas und gieße nach. »War dein letzter Freund wirklich so ein wilder Hengst?«

Sie nickt, und gleichzeitig macht sie eine spöttisch-wegwerfende Handbewegung. »Vergiss den Trottel. Er war ein hirnloser Rammler, nichts weiter.«

»Junge Männer«, sage ich, »werfen manchmal blaue Pillen ein. Sie kamen deswegen in meine Praxis. Um vor ihren Freundinnen besser dazustehen, ließen sie sich Viagra oder andere sexuelle Aufputschmittel verschreiben. So gehen sie sozusagen gedopt in die nächste Runde.«

»Ja«, grinst sie, »genauso einer war er. Ich glaube, es hat ihm nicht mal wirklich Spaß gemacht. Der wollte einfach nur der Tollste sein. Aber ich«, betont sie und zeigt auf mich, »suche einen richtigen Mann. Klug. Belesen. Einen, der weiß, wer er ist, und der zupacken kann. Für den«, so verspricht sie, »tue ich alles. Deine Beate hat dich einfach nicht verdient. Das wusste ich die ganze Zeit. Ich habe echt darunter gelitten, euch beide zusammen zu erleben. Ich dachte, wann merkt er endlich, was für eine belanglose Schnalle er sich da an Land gezogen hat. Die wollte dich nicht, die wollte deinen Status.«

Es war wohl eher so, dass ich sie um jeden Preis wollte. Vielleicht ist es das, was mich mit Cordula verbindet. So, wie sie mich immer haben wollte, so sehr habe ich mich nach Beate verzehrt.

Ich kenne die Art, wie Cordula mich liebt. Es gefällt mir. Aber ich fürchte, ich kann sie nicht zurücklieben. Ich bin noch zu verletzt.

Nachts liege ich neben Cordula und denke über meine Situation nach. Zerfasert mein Leben gerade vollständig, oder finde ich endlich den roten Faden? Neun Tage in Sicherheit mit dieser Frau hier? Für viele Männer in meiner Lage wäre das wahrscheinlich ein Geschenk des Universums, und ich weiß nicht, ob ich mich als Gefangener fühle oder als Glücksritter im Paradies.

Sie rollt sich zusammen und greift im Schlaf immer wieder nach mir, fühlt zwischen den Laken nach meiner Haut, als müsse sie sich vergewissern, dass ich auch wirklich da bin.

Ja, diese Frau will mich. Aber sie ist nicht die, die ich will. Welches Drama … Warum kann nicht mal alles einfach sein?

Soll ich sie morgen mit nach Langeoog nehmen? Kommissarin Ann Kathrin Klaasen und ihre Truppe suchen einen einsamen Wolf, kein verliebtes Pärchen. Aber ich möchte Cordula auch nicht zu einer Zeugin machen und schon gar nicht zu meiner Komplizin.

Ich stehe früh auf, ziehe mich leise an und will einfach verschwinden. Doch schon sitzt sie aufrecht im Bett und fragt provozierend: »Du willst doch jetzt nicht einfach abhauen, oder? Das steht dir nicht, der Lover, der nach einem One-Night-Stand einfach so fortschleicht. Das ist mir noch nie passiert. Bitte sei du nicht der erste!«

»Ich habe noch etwas zu erledigen.«

»Und kommst du danach zurück?«

»Ja«, sage ich, aber wahrscheinlich nicht entschieden genug, denn sie schüttelt den Kopf: »Nein, bitte geh nicht. Das kannst du mir nicht antun. Ich will dich nicht noch einmal verlieren. Willst du zu der Schnepfe?«

»Zu Beate? Nein, garantiert nicht.«

»Du verlässt das Haus besser nicht. Du wirst gesucht. Und als Hippie bist du echt keine gute Nummer. Über kurz oder lang werden sie mit Fingern auf dich zeigen. Besser, du versteckst dich hier.«

Ich schüttle den Kopf. »Nein. Ich muss los.«

»Was immer du vorhast, ich begleite dich.« Sie steht auf und beginnt, sich anzuziehen.

»Was ich vorhabe, wird dir nicht gefallen.«

»Mir hat vieles nicht gefallen, was du gemacht hast. Jeden Abend, wenn du mit Beate in eurer hübschen kleinen Wohnung verschwunden bist, habe ich in meinem Bett gelegen und mir vorgestellt … ach, ich will jetzt nicht mehr daran denken.«

»Du hattest doch deinen Rammler«, werfe ich ein. Daraufhin guckt sie mich zornig an.

Was habe ich noch zu verlieren? Ich versuche es einfach mit der Wahrheit: »Ich muss nach Langeoog und dort einen Menschen umbringen.«

Sie lächelt, als würde sie das für einen Witz halten.

»Alles, was man über mich sagt, stimmt. Ich habe diese sechs Leute wirklich umgebracht. Und nicht nur die. Auch Tido Lüpkes und …«

»Ich weiß«, sagt sie. »Ich steh nun mal auf Gangster.«

In dem Moment wird mir ganz anders. Ich darf Cordula nicht unterschätzen. Ich habe es mit einer Frau zu tun, die versucht hat, ihre eifersüchtige Liebe zu mir auszuleben. Sie hat mein Handy genauso präpariert wie Heiner Graff das seines Schwiegersohnes. Und so konnte sie jeden Mord nachvollziehen. Ist sie vielleicht sogar hinter mir hergefahren und hat gesehen, was ich …? »Hast du etwa …«

Sie beißt auf ihrer Unterlippe herum, legt den Kopf schräg und schaut mich an wie ein kleines Mädchen, das beim Naschen erwischt worden ist.

»Nur das eine Mal, als du Johann Ricklef und seinen Freund auf die Bank am Deich gesetzt hast, so dass die beiden Leichen mit dem Blick nach Juist und Norderney schauten. Ich fand es großartig. Am liebsten hätte ich dir beim Schleppen geholfen. Dieser Ricklef war ja ganz schön schwer für dich, als du den hochgeschleift hast. Aber die Mühe hat sich gelohnt. Dieser Aufschrei in den Zeitungen. Die beiden Toten mit Blick aufs Meer, hindrapiert wie zwei Touristen«, sagt sie anerkennend.

»Du hast das beobachtet? Du hast das alles gewusst?«

»Ja. Ich hätte dir am liebsten geholfen, sag ich doch. Aber ich dachte, du wärst vielleicht wütend auf mich, wenn du mitkriegst, dass ich …«

Ich muss mich setzen. Ich sinke auf den Rand des Bettes zurück. »D… d… das ist nicht so romantisch, wie du dir das vorstellst«, protestiere ich. »Mit mir zusammen zu sein, das würde ein Leben auf der Flucht bedeuten. Hier in der Wohnung sind wir vielleicht neun Tage sicher, wie du sagst, aber dann … Sie würden dich genauso hetzen wie mich. Du könntest nie wieder ein normales Leben führen.«

Sie lacht demonstrativ. »Ein normales Leben? Darauf kann ich verzichten. Was meinst du denn damit? Dass ich irgendwo in einer anderen Arztpraxis froh sein muss, wenn ich einen Job kriege, der so schlecht bezahlt wird, dass ich mir nicht mal ein Auto davon leisten kann? Ich radle mit dem Fahrrad hin, um mich dann von jedem Arsch doof anmachen zu lassen, der im Wartezimmer zehn Minuten herumsitzt und sich dabei, obwohl er krankgeschrieben ist, fühlt, als würde ihm die wertvolle Zeit gestohlen? Glaubst du, dass ich das will? Ich habe auch keine Lust, mit Männern zu vögeln, die nur auf Eroberungen aus sind, damit sie überhaupt irgendein Erfolgserlebnis in ihrem erbärmlichen Leben haben. Ich will auch nicht länger bei meinen Eltern wohnen. Weißt du, wie sehr ich hier unter Beobachtung stehe? Die kurze Zeit, wenn sie in Urlaub sind, bin ich frei. Aber wehe, wenn sie zurückkommen und finden nicht alles genauso vor, wie sie es verlassen haben!«

Ich weiß darauf kaum etwas zu sagen. Ich hebe die Hände. Mir fällt nichts ein. Ich lasse sie wieder herunterfallen.

»Als ich mitgekriegt habe, wer du wirklich bist«, fährt sie fort, »habe ich dich noch mehr geliebt. Irgendwie habe ich immer gespürt, dass in dir etwas ganz Besonderes steckt. Ein Mann, der sich nicht einengen lässt.«

Ich weiß nicht, ob sie so überzeugend ist oder warum ich jeden Widerstand aufgebe. Als Beate mit mir lebte, hat sie nicht mitgekriegt, was ich getan habe. Aber Cordula wusste immer alles. Sie hat mir viel mehr Aufmerksamkeit geschenkt als Beate. Ist sie die Frau, die ich eigentlich in Beate gesucht habe? Eine echte Gefährtin?

»Ich werde auf Langeoog einen Mann töten, der Heiko Mahr heißt.«

Sie pfeift durch die Lippen. »Warum? Was hat er dir getan?«

»Er ist einer, der so ziemlich gegen alle Regeln und Gesetze unseres Landes verstößt und damit bis jetzt ganz gut durchgekommen ist.«

»Dann ist er dir ja sehr ähnlich.«

»Nein, ist er nicht. Er schickt Frauen auf den Strich.«

»O. k.«, sagt sie, »knipsen wir ihn aus! Ich bin dabei.«

Ich staune sie an und frage mich, ob sie das wirklich so meint. Vermutlich will sie einfach nur angeben, toll vor mir dastehen, mir zeigen, wie sehr sie zu mir hält.

»Das ist nicht dein Ernst«, sage ich.

»O doch. Lass mich dabei sein.« Mit erhobenem Zeigefinger fährt sie fort: »Ich bin nicht Beate. Ich bin Cordula.«

Sie sieht stolz aus und entschlossen. Sie schaut mir gerade in die Augen.

Sie fragt nicht, was für sie dabei herausspringen könnte. Sie will kein Geld, keinen Ruhm, gar nichts. Sie will einfach meine Nähe und vielleicht noch das Abenteuer.

Ich sage: »Ich habe auf der Insel eine Ferienwohnung gemietet, in dem Haus, in dem er auch wohnt.«

Das gefällt ihr. »Gut. Machen wir Urlaub auf Langeoog. Ich liebe die Insel. Wie darf ich dich nennen, wenn wir da sind? Unter welchem Namen hast du uns eingemietet?«

Sie sagt tatsächlich *uns*.

»Als Rudolf Dietzen.«

Sie stützt sich auf die Bettkante. »Rudolf Dietzen?«

»Ja. Nenn mich Rudi.« Ich will es ihr erklären. »Rudolf Dietzen war …«

Mit einer Handbewegung unterbricht sie mich und fährt fort: »… der richtige Name von Hans Fallada.«

Jetzt verblüfft sie mich wirklich. »Du hast Fallada gelesen?«

Sie stemmt die Hände in die Hüften und strahlt mich an. »Ich liebe dich wirklich. Ich habe mir all die Bücher besorgt, die du gelesen hast. Ich wollte lesen, was du liest, um dir nah zu sein. Und von Fallada hast du so ziemlich alles gelesen. Ich nur *Wer einmal aus dem Blechnapf frisst* und *Kleiner Mann, was nun?* Du stehst auf diese rauschgiftsüchtigen Dichter, was? Du hast doch auch so gern Fauser gelesen. Dabei bist du selbst völlig clean, oder ist das ein Irrtum?«

»Meine Droge«, sage ich und zeige ihr mein Einhandmesser. Ich werfe es hoch, schnappe es und lasse die Klinge herausschnellen. »Meine Droge heißt Adrenalin.«

»O. k.«, lacht sie. »Für wie viele Tage soll ich packen, Rudi?«

24

Während unserer Fahrt von Hage nach Bensersiel verziehen sich die wenigen Schäfchenwolken, und der Himmel präsentiert sich in einem strahlenden Blau, das Vogelschwärme einlädt, in geschlossenen Formationen zu fliegen. Eine Propellermaschine zieht zwei milchige Kondensstreifen hinter sich her, und Cordula sagt: »Als ich klein war, dachte ich, dass der liebe Gott den Himmel aufschneidet. Ich brauchte eine Weile, um zu verstehen, was dort wirklich geschieht.«

»Schöne Vorstellung«, erwidere ich. »Manchmal denke ich auch, alles ist nur eine aufgebaute Kulisse, und wir sind Teil eines Experiments. Wie gerne würde ich mal hinter die Kulissen gucken.«

»Meinst du, die Erde befindet sich in einem Reagenzglas? Sind wir Menschen nichts weiter als Laborratten? Und was soll in diesem Experiment bewiesen werden?«, lacht sie.

»Dass wir Vollidioten sind.«

Meine Antwort macht ihr Spaß. Wir stehen jetzt mit vielen gutgelaunten Touristen zusammen und warten auf die Fähre. Die Koffer haben wir bereits abgegeben.

Ein Kriminalschriftsteller und eine Sängerin sind von einer Touristengruppe umringt und verteilen Autogramme. Die beiden wollen auf Langeoog einen literarisch-musikalischen Abend gestalten. Offensichtlich haben sie viele Fans.

Mir gefällt das. Alles, was die Aufmerksamkeit von Cordula und mir ablenkt, ist gut.

Ich will uns ein Eis holen, aber Cordula besteht zunächst darauf, dass wir uns eincremen. Ich will das nicht, doch sie hat schon eine Tube mit Sonnenschutzfaktor 30 in der Hand und tupft mir Creme ins Gesicht.

»Du bist Arzt«, sagt sie, »du müsstest doch wissen, was Hautkrebs bedeutet. Wenn wir oben an Bord stehen, knallt die Sonne erbarmungslos runter. Das merkst du gar nicht so richtig, weil der Fahrtwind …«

Ich flüstere ihr ins Ohr: »Ich bin kein Arzt.«

Sie knufft mir in die Seite. »Das musst du mir gerade sagen. Ich war deine Arzthelferin!«

Kaum jemand will unter Deck. Die meisten Leute suchen einen Platz oben. Väter tragen ihre Kinder auf den Schultern. Die Möwen umflattern die ankommende Fähre und freuen sich auf ein Festessen. Ein Kind heult, weil eine Möwe im Sturzflug ihm die Eiswaffel gestohlen hat.

Neben mir verspricht ein Mann seiner Ehefrau: »Noch fünf Jahre, Käthe, dann haben wir es geschafft. Noch fünf Jahre, und wir fahren hier nicht mehr hin, um Urlaub zu machen, sondern wir wohnen da, wo andere Urlaub machen. Wir kaufen uns ein Häuschen in Bensersiel oder in Esens.«

Sie ist einen Kopf kleiner als er. Sie kuschelt sich an ihn und küsst sein Kinn.

Es tut mir gut, dieses verliebte Paar zu sehen, das garantiert die Silberne Hochzeit längst hinter sich hat. Und ich gönne den beiden, dass sie die Goldene erleben werden, an ihrem Sehnsuchtsort in Ostfriesland.

Hoffentlich, denke ich, reicht ihre Rente. Und wieder würde ich am liebsten einen Teil meines Geldes abgeben. Ich merke, dass ich eine Art Glücksgefühl dabei verspüre, wenn ich nur darüber nachdenke, etwas zu verschenken.

Wir stellen uns so an die Reling, dass wir sehen, wie das Festland sich immer weiter entfernt. Die meisten Menschen machen es genau anders, stehen an der Seite, an der sie beobachten können, wie die Fähre sich ihrem Ferienziel Langeoog nähert.

Das, denke ich, ist ein Symbol für mein Leben. Ich weiß, wovor ich fliehe, aber ich habe keine Ahnung, wohin. Ich bewege mich von etwas weg, bringe mich irgendwo in Sicherheit.

Cordula zieht mich näher zu sich. Ich spüre ihren weichen, warmen Körper.

»Ab jetzt«, sagt sie, »sind wir richtig zusammen.«

Ich kann es immer noch nicht glauben. Vielleicht, weil sie mich auserwählt hat, nicht ich sie. Bei Beate und mir war es umgekehrt. Und jetzt denke ich darüber nach, wie es damals mit meiner Exfrau Miriam gelaufen ist. Ja, es wird mir klar, ich wollte Miriam haben. Sie war so kalt, so unnahbar, so wenig an mir interessiert, dass ich mich total abgestrampelt habe, um sie zu bekommen. Ich war von Anfang an der Unterlegene in der Beziehung. Der, der froh sein musste, dass Madame ihm die Gnade erwies, und die mich immer hat spüren lassen, dass für sie eigentlich etwas Besseres vorgesehen war. Auf jeden Fall nicht so ein Versager wie ich.

Ich erlebe jetzt neben Cordula das Gefühl, wirklich gewollt zu sein. Schade, denke ich, dass es mit Beate nicht so war. Aber man kann sich wohl nicht aussuchen, von wem man gewollt wird.

Nachdem die Fähre auf Langeoog angelegt hat, fahren wir mit der hübschen Inselbahn bis zum Bahnhof. Wir nehmen im grünen Waggon Platz. Vom Bahnhof aus gehen wir zu Fuß. Bis zu unserer Ferienwohnung in der Barkhausenstraße ist es nicht weit.

Das Haus sieht sehr neu aus, ist mit roten Backsteinen verklinkert. Das hohe Dach wirkt, als sei es aus Kupfer. Die Wohnung ist geräumig, mit Blick auf die Eisdiele gegenüber. Die Wände sind hoch, ich schätze, gut vier Meter. Hier kann ich atmen.

Es gefällt Cordula ausgesprochen gut. »Lass uns die Hütte ein-weihen«, schlägt sie vor und wirft sich auf das breite Boxspringbett. Sie breitet ihre Arme und Beine aus, um mich zu locken. Dabei ruft sie: »Ich will alles von dir lernen! Ich war gern deine Sprech-stundenhilfe. Wie darf ich mich jetzt nennen? Assistentin? Hat ein Berufskiller eine Assistentin oder …«

»Ich bin kein Berufskiller!«

»Nein«, lacht sie. »du doch nicht! Du machst das als Hobby. Lass mich deine Gangsterbraut sein.«

Ich werde ganz sachlich: »Er wohnt auf diesem Flur. Wir werden ein Problem haben. Ich kann ihn nicht im Haus töten.«

Sie sieht mich fragend an.

Ich erkläre: »Wenn man den Leichnam hier findet, wird natürlich jeder Gast überprüft.«

»Na und? Bis dahin sind wir längst weg, und du heißt schließlich nicht wirklich …«

»Ich habe einen Fehler gemacht, Cordula«, gestehe ich ein. »Un-ter dem gleichen Namen lebe ich auch noch woanders. Damit würde meine Identität auffliegen.«

Sie klatscht sich mit der flachen Hand gegen die Stirn. »Einen Fehler gemacht, nennst du das? Das ist ein Kardinalfehler! Aber weißt du, was mich noch viel mehr ärgert?« Sie läuft jetzt vor mir auf und ab und sieht wirklich wütend aus. »Dass du mir nicht traust!«

»Wie kommst du darauf?«

»Weil du mir nicht sagst, wo du unter falschem Namen lebst. Du verschweigst mir etwas. Du vertraust mir nicht. Du …«

»Bitte, Cordula, wir sind erst seit knapp vierundzwanzig Stunden zusammen und …«

»Wenn ich dir helfen soll, geht das nur in völliger Offenheit.«

»Ich habe dich nie darum gebeten, mir zu helfen. Im Gegenteil!«

»Sind wir jetzt ein Paar oder nicht?«

»O. k., wir sind ein Paar«, gestehe ich zerknirscht. Aber ich spüre in mir einen Widerstand. Tatsächlich halte ich zurück, wo ich als Rudolf Dietzen wohne.

Plötzlich beugt sie sich vor und spricht leise, mit ganz anderer Stimme: »Gut, vielleicht muss ich dir erst beweisen, wie sehr ich zu dir stehe. Vielleicht reicht dir das alles noch nicht. Also. Ich locke ihn für dich hier raus, wohin immer du willst. Und dann murkst du ihn ab, und wir verschwinden gemeinsam wieder von hier. Wir können zurück nach Hage, den Sieg feiern und unsere Liebe. Bis meine Eltern zurückkommen, haben wir noch ein paar Tage. Oder willst du hier auf der Insel bleiben und warten, bis sie ihn gefunden haben?«

»Das ist mein Job. Besser, du hältst dich da raus. Vielleicht wird es gar nicht nötig, ihn herauszulocken. Wer hier ist, der will doch an den Strand, will spazieren gehen, Dünenwanderungen machen, Fahrradfahren. Dies ist eine ideale Fahrradinsel. Keine Autos. Lange Radwege zwischen den Dünen. Und irgendwo dort erwische ich ihn.«

»Wir«, behauptet sie. »Wir!«

Ich bin hin- und hergerissen. Einerseits will ich sie wie Beate aus allem heraushalten. Andererseits habe ich doch erleben müssen, dass das gar nicht geht. Entweder, ich werde den Rest meines Lebens einsam sein oder meine Gangsterbraut finden. Eine, die mit mir durch dick und dünn geht. Eine, die bereit ist, mit mir ein Leben auf der Flucht zu leben.

»Wir werden uns Räder leihen, und zwar Elektroräder, damit wir notfalls schneller sind als er. Und jetzt nimm mich endlich«, beschwört sie mich. »Ich bin rattendoll. Du machst mich völlig verrückt.«

Aber als ich den obersten Knopf ihrer Bluse berühre und ihn

öffne, hält sie plötzlich meine Hand fest. »Noch lieber würde ich es mit dir draußen tun«, sagt sie. »In den Dünen. Mit Blick aufs Meer.«

»Ja«, grinse ich, »für Touristen ist das bestimmt toll. Aber wir beide müssen uns in der Öffentlichkeit unauffällig benehmen. Wir sind nicht mehr Doktor und Arzthelferin, sondern …«

»Ein Gangsterpärchen«, flüstert sie und zieht mich aufs Bett.

Am Abend will Cordula ins Haus der Insel zu *De Flinthörners.*

Ich halte es erst für einen Scherz. Das ist es aber ganz und gar nicht.

Die Flinthörner sind ein Shantychor. Und was für einer! Neunzehn Männer im ausverkauften Saal auf der Bühne. Eine sangesfreudige Piratenbande mit Kopftüchern, Muschelketten und viel guter Laune.

Ihre Chorleiterin Puppa ist krank, wie sie gleich von der Bühne weg erzählen. Sie wirken echt aufgeregt, so, als bräuchte diese Männermeute eine Frau, die sie zusammenhält. Sie rufen sie unter großer Beteiligung des Publikums an, halten ein Mikrophon ans Handy und singen für sie. Sie hoffen, dass Puppa stolz auf sie ist.

Sie kommen mir vor wie kleine Jungs, die Mamas Anerkennung wollen und das rührt mich zutiefst. Ich identifiziere mich mit ihnen.

Sie bekommen Lob von Puppa, und der Saal tobt. Für mich ist das die reinste Therapiestunde. Ich spüre so sehr, was ich als Kind gebraucht hätte und worum ich heute noch oft buhle.

Dann flippt Cordula so richtig aus. Sie steht auf, klatscht und singt mit:

Und das Meer, und das Meer,
das schubst sie alle hin und her!
Und auf jedem harten Brecher
leeren sie auch noch

den Becher,
so, als ob das alles
nur Vergnügen wär.

Ich bleibe sitzen und gucke sie mir an. Sie ist voll in ihrem Element. Ihre Augen strahlen. Sie himmelt die Jungs auf der Bühne an.

Sie fordert mich auf, mitzumachen. »Shantychöre«, lacht sie. »das sind die Boygroups Ostfrieslands! Einige von denen sind zwar im rentenfähigen Alter, aber das sind die Stones schließlich auch.«

Es ist schön, Cordula so ausgelassen und fröhlich zu erleben. Es hat etwas Ansteckendes an sich.

25

Wir haben uns E-Bikes besorgt. Sie stehen keine fünf Meter von uns entfernt. Wir sitzen unten in der Eisdiele Venezia und trinken ausgesprochen guten Kaffee.

Cordula trägt ein glockenförmig geschnittenes, hellblaues Strandkleid. Sie versteht es, etwas aus ihrem Typ zu machen. Ihre fraulichen Kurven kommen darin zur Geltung. Sie wirkt aber keineswegs dick, sondern eher selbstbewusst.

Von hier aus können wir Mahr auf dem Balkon sitzen sehen. Es ist kurz vor vierzehn Uhr, und der gute Heiko Mahr frühstückt gerade. Bei ihm sitzt eine Frau, ich habe aber keine Ahnung, ob es Chantal ist. Ich habe sie nur einmal kurz von hinten gesehen. Sie trägt garantiert eine Perücke. Ihre Spaghettiträger rutschen ständig.

Sein Mittelscheitel sitzt korrekt, aber seine Haare fallen ihm immer wieder in die Stirn. Das ist Absicht, vermute ich. Er wischt sie mit den Fingern nach hinten zurück. Seine Haare sind so schwarz, dass sie fast bläulich schimmern. Das ist bestimmt nicht seine natürliche Farbe.

Er wirkt auf mich wie ein Geschäftsmann, der lieber Künstler geworden wäre und sich zumindest den Habitus eines Bohemiens zugelegt hat.

»Guck nicht so auffällig hin«, zische ich, und Cordula zuckt zusammen.

»Immerhin«, raunt sie, »ist er das erste Opfer, das ich vorher noch lebend sehe. Gott, ist das spannend!«

Ihre Hand zittert, als sie nach der Tasse greift. Sie stellt die Tasse wieder zurück und legt die Hand auf mein Knie. Sie bringt ihren Kopf ganz nah an meinen und flüstert in mein Ohr: »Wir werden ihn wirklich umbringen?«

»Ja«, sage ich. »Ich werde ihn töten. Ihn. Der Frau darf nichts passieren.«

Wir bleiben einfach in der Eisdiele sitzen. Cordula bestellt sich Erdbeeren mit Sahne. Ich habe eigentlich schon Hunger auf ein Fischbrötchen. Direkt nebenan gibt es welche im Muschelbrötchen.

Mahr reckt sich und gähnt. Er macht eine Show daraus. Sein Bademantel öffnet sich, und seine behaarte Brust wird sichtbar. Jetzt steht er auf seinem Balkon und schaut sich das Treiben unten an.

Wir haben Blickkontakt. Er weiß nicht, wer ich bin, aber ich weiß, dass ich ihn mir holen werde.

So, wie er aussieht, trainiert er, um fit zu bleiben. Es dauert keine zwanzig Minuten, und sie sind in ihrer lächerlichen, enganliegenden, neonfarbenen Fahrradkleidung unten. Ich kenne das Zeug aus alten Versandhauskatalogen. Atmungsaktive Funktionswäsche. Ich habe so etwas auch gern auf der Haut, es nervt mich nur, wie scheiße das Zeug aussieht. Ich fahre nicht gern herum wie die Leuchtreklame einer zweitklassigen Pizzeria.

Sie holen ihre Räder aus dem Fahrradständer. Sie haben sie beide beim selben Fahrradverleih ausgeliehen. Ich kann es an der Farbe erkennen. Sie fahren beide ohne Helm.

»Eitle Menschen«, sage ich zu Cordula, »verletzen sich lieber schwer, als blöd auszusehen.«

Sie grinst. Ihr erster Tag als Gangsterbraut gefällt ihr.

»Fahren wir direkt hinter ihnen her? Machen wir es jetzt?«

»Nein«, sage ich. »Natürlich nicht. Jetzt sind zu viele Menschen da. Aber wir könnten uns ein bisschen mit ihnen anfreunden. Was meinst du?«

Sie lächelt verschmitzt. Sie ist so aufgeregt, dass sie sich mehrfach mit den Fingern die Nasenflügel reibt.

Wir steigen auf die Räder und folgen ihnen. Eine Pferdekutsche kommt uns entgegen. Wir halten an und warten.

Wir fahren mit gut hundert Metern Abstand hinter Mahr und seiner Freundin her. Zwischen uns radeln noch drei Jugendliche. Erst denke ich, dass sie ins Pirolatal wollen, doch dann biegen sie ab, am Schloppsee vorbei in Richtung Melkhörndüne. Ich radle neben Cordula her.

»Vielleicht«, sage ich, »werden sie zur Meierei durchfahren. Oder ganz zum Ostende.«

»Ist das gut oder schlecht?«, fragt sie.

»Es gibt hier ein paar Orte, die für unser Vorhaben sehr geeignet sind. Das Ostende gehört dazu. Flinthörn wäre auch nicht schlecht, um jemanden verschwinden zu lassen. Der Osten ist weit und einsam. Aber im Flinthörn gibt es Dünen in so vielen unterschiedlichen Stadien, von der Sandplate bis zu großen Graudünen.«

Wir radeln an einer Herde zotteliger Langeoog-Rinder vorbei. Ein paar Tiere stehen still im Wasser. Vögel umflattern sie. Andere Rinder grasen an Land. Die mächtigen Hörner können einem Angst machen. Die Tiere selbst aber wirken friedlich und bewegen sich nur sehr langsam.

»Dahinter beginnt doch die Schutzzone für die Vögel«, sagt Cordula.

»Ist das nicht schön? Menschen dürfen da eigentlich gar nicht hin, um die Uferschnepfen, Austernfischer und Rotschenkel nicht beim Brüten zu stören. Die Langeooger können sehr sauer werden, wenn Touristen, am besten noch mit ihren Hunden, dort herumlaufen. Wenn wir ihn dort nachts verscharren, kann es Wochen, vielleicht Monate oder Jahre dauern, bis sein abgenagtes Skelett gefunden wird.«

»Und was machen wir so lange mit ihr?«, fragt Cordula.

»Ich hoffe, dass wir sie bald loswerden.«

Jetzt legt sich Cordula richtig ins Zeug und will mir beweisen, was sie draufhat. »Was hältst du davon, wenn ich ihn angrabe und so richtig heißmache?«

»Was willst du??«

»Na, dass ich das kann, habe ich dir doch wohl bewiesen, oder?«

»Und dann?«, frage ich empört und spüre, dass eine Mischung aus Bewunderung für ihre Niedertracht und gleichzeitig Eifersucht in mir aufsteigt. Verwirrt frage ich mich, ob ich mich in sie verliebt habe? Ist man eifersüchtig, wenn man sich nicht verliebt hat?

»Wenn er auf mich abfährt, wird er sie wegschicken. Überlassen wir es doch ihm, dafür zu sorgen, dass er mit mir alleine ist. Und dann ...« Sie macht eine kleine Pause und spricht dann weiter. »Ich bringe ihn dir auch genau dahin, wo du ihn haben willst. Wetten, dass er mitkommt? Nun – was wäre dir lieber? Das Ostende, oder willst du es im Flinthörn erledigen?«

»Ist das dein Ernst?«

Sie zitiert Shakespeare, um mir zu gefallen. »Die ganze Welt ist Bühne. Und alle Frauen und Männer bloß Spieler. Sie treten auf und gehen wieder ab ...« Entschlossen fährt sie fort: »Langeoog ist unsere Bühne. Spielen wir jetzt unser Spiel!«

Ich atme tief durch und bleibe ein bisschen zurück. Sie schaltet einen Gang höher und radelt mit erhöhter Geschwindigkeit hinter den beiden her. Schon ist sie auf ihrer Höhe. Ich bleibe vorsichtshalber noch ein Stück zurück.

Das Vogelparadies beginnt hier schon. Vogelschwärme rauschen über unseren Köpfen her, als wollten sie uns klarmachen, dass die Insel ihnen gehört. Einige reiten auf den Rücken der Langeoog-Rinder oder stelzen zwischen den Beinen dieser Urviecher herum.

Die Vögel bedeuten mir im Moment sehr viel. Sie säen nicht und ernten doch …

Komisch, denke ich, dass mir in der Praxis nicht aufgefallen ist, wie sehr Cordula auf mich steht. Sie muss mich doch damals schon angehimmelt haben. Sie war für mich zweifellos sehr nützlich. Ein kleines Pummelchen, auf eine merkwürdige Art völlig unerotisch. Ganz anders als jetzt.

Wenn Patientinnen mir Pralinen schenkten, als Dank, weil ich sie durch eine lange Krankheit begleitet habe, dann hat sie immer danach geschielt. Oft habe ich sie ihr gegeben, allein schon, weil ich selber nicht so viel Süßes mag. Sie muss das als zarten Hinweis auf meine Liebe zu ihr verstanden haben.

Als sie noch bei mir im Vorzimmer saß, hatte ich das Gefühl, sie hätte mindestens zwanzig Kilo zu viel drauf. Jetzt gefällt mir jedes Pfund an ihr.

Was ist los? Habe ich mich so verändert oder sie sich?

Ich hielt sie für ungebildet, harmlos, Durchschnitt. Auch das ist jetzt ganz anders.

Sie will sich tatsächlich an Mahr ranschmeißen. Sie radelt geschickt neben den beiden her. Ich höre nicht, worüber sie reden, aber sie unterhalten sich, lachen, und sie schafft es geschickt, das Tempo zu erhöhen. Es dauert gar nicht lange und Mahrs Freundin bleibt zurück, während Cordula und er nebeneinander Land gewinnen.

Neugierig geworden, was dort wirklich geschieht, schalte ich mein E-Bike in den fünften Gang und bin schon bald bei ihr. Sie hat zwar nagelneue Fahrradklamotten an, hauteng und quietsch-bunt, aber sie ist völlig untrainiert. Tapfer strampelt sie gegen den Wind und japst.

Ich versuche einen Scherz. »Seitdem ich Vollwertzigaretten aus biologisch-dynamischem Anbau rauche, huste ich nachts nicht mehr so viel«, sage ich.

Sie schaut mich an. Ihr Gesicht ist rot von der Anstrengung.

»Sie haben gut lachen«, stöhnt sie, »Sie fahren ein Elektro-Rad.«

Ich stelle mich vor: »Ich heiße Rudi.«

Sie antwortet: »Jacqueline.«

Ich biete ihr sofort einen Tausch an. Aber sie lehnt ab.

»Nee«, spottet sie. »Für ihn«, sie deutet mit der Nase nach vorn, »ist das ein Rentnermodell. Da könnte ich ja gleich einen Rollator benutzen.«

»Och«, sage ich, »mir gefällt es. Wissen Sie, es gibt nämlich eine alte Regel, die sagt, der Wind kommt immer von vorne. Wollen wir wetten«, lache ich, »wenn wir zurückfahren, hat sich der Wind ge-lassen gedreht. Und so ein Elektro-Rad hilft mir, gegen den Wind zu fahren.«

»Dafür«, krächzt sie, »geht es hier wenigstens nicht bergauf.«

Ich gebe ihr recht. »Ja, aber wenn es irgendwo bergauf geht, geht es danach auch bergab, während Sie hier nicht plötzlich den Wind im Rücken haben werden.«

Sie verzieht den Mund, achtet gar nicht mehr auf mich, son-dern guckt nur noch zu Cordula und Heiko, die sich offensichtlich blendend unterhalten und dabei immer mehr Abstand zu uns ge-winnen.

Ich frage mich, ob sie den Typen da jetzt wirklich angräbt. Hat sie echt vor, ihn seiner Freundin auszuspannen, ihn zu isolieren, damit ich ihn dann … Wie weit würde sie gehen? Was für eine Frau hatte ich in meinem Vorzimmer sitzen?

Ein Teil von ihr, denke ich, ist wie ich. Oder möchte zumindest gerne so sein.

»Okay«, sagt Jacqueline, »ich kann es ja mal ausprobieren.«

Ich wette, dass sie nicht wirklich Jacqueline heißt. Das ist doch kein richtiger Name für eine Frau. Oder wurde sie nach Jacqueline Onassis, der Witwe von John F. Kennedy, benannt?

Ich halte an und will ihr mein Rad geben. Sie kippt mit ihrem fast um.

Sie ist schlank, sieht jung und sportlich aus, aber sie ist es überhaupt nicht. Sie hat sich diese Figur erhungert.

Jetzt kann ich sehen, dass ihre Hüftknochen herausstehen und ihre Arme sehr dünn sind. Ich frage mich, wann sie sich zum letzten Mal richtig satt gegessen hat. Da kommt mir meine Cordula wesentlich gesünder vor.

Ich erkläre Jacqueline die Gangschaltung und Funktionsweise des Elektro-Rads. Sie stellt sich nicht sehr geschickt an. Ich fürchte, in Wirklichkeit hasst sie Radfahren.

»Eigentlich«, sage ich, »ist das gar nicht so Ihr Ding, hm?«

Sie kennt ihn noch nicht lange, und ich fürchte, mit den beiden läuft es nicht sehr gut.

»Sie hatten sich ein paar Tage auf den ostfriesischen Inseln bestimmt ganz anders vorgestellt, wie? Mehr so am Pool in der Sonne liegen oder mal mit dem Segelschiff rausfahren …«

Sie lächelt mich an, als sei ich der erste Mensch, der sie wirklich versteht.

»Er ist so ein Sportidiot. Schon morgens macht er Liegestütze.«

Cordula und Heiko sind schon recht weit weg. Sie werden aus unserer Perspektive immer kleiner.

»Sind Sie seine Frau, Freundin, Schwester?«, frage ich. Ich kann sie ja schlecht als sein Betthäschen ansprechen, aber ich fürchte, genau das ist sie. Er will sie für seinen Escort-Service weichklopfen.

Obwohl ich gar nicht nach ihrem Beruf gefragt habe, antwortet sie: »Ich bin Schauspielerin.« Sie wirft die Haare nach hinten.

»Schauspielerin? Ja, Sie kamen mir gleich so bekannt vor«, lüge ich. »Müsste ich Filme von Ihnen kennen?«

Sie steigt aufs Rad und wackelt beim Anfahren ganz schön. Ich radle neben ihr her, halte aber genügend Abstand. Falls sie umfällt, möchte ich nicht ihre dünnen Ärmchen zwischen meinen Speichen haben. Ich bin mir nicht sicher, was eher bricht, ihre Arme oder meine doch recht solide wirkenden Speichen.

Ich versuche einen neuen Gesprächsansatz. »Ich stelle mir das unheimlich schwer vor mit der Schauspielerei. Da wollen doch bestimmt viele Leute rein. Da zählen doch nicht nur Können und Aussehen, sondern auch Beziehungen.«

So, wie sie mich anschaut, habe ich ins Schwarze getroffen.

»Man will ja auch nicht jeden Mist spielen«, sagt sie. Dabei bekommen ihre Augen einen trotzig-aggressiven Glanz. »In letzter Zeit habe ich mehr als Model gearbeitet.«

Sie ist verzweifelt, denke ich. Ein ideales Opfer für Typen wie diesen Heiko Mahr.

»Kommen Sie aus einer Schauspielerfamilie?«, frage ich, Interesse heuchelnd.

Sie schaut mich an, als würde sie die Frage gar nicht verstehen, dabei schlingert ihr Vorderrad hin und her. Ich schlage ihr vor, einen Gang höher zu schalten. Sie tut es, dann erläutere ich: »Na ja, man kennt das doch. Es gibt ja ganze Schauspielerdynastien. Heinrich und Götz George, Hannelore und Nina Hoger. Der Vater von Hannelore Hoger war Schauspieler am Ohnsorg-Theater, wussten Sie das? Klaus Kinski und seine Töchter Nastassja und Pola, die Millowitschs …«

»Nicht jeder hat so ein Glück«, sagt sie. »Mein Vater hat sich sowieso nie für mich interessiert, den kenne ich praktisch gar nicht, und für meine Mutter sind das alles nur Hirngespinste. In ihrer Welt wird man Friseurin, Floristin oder Hausfrau.«

Sie sagt es so voller Verachtung, dass ich gar nicht anders kann, als dagegen zu reagieren. »Ich habe einige Menschen kennengelernt, die in diesen Berufen sehr glücklich geworden sind.«

Cordula und Mahr sind nicht bis zum Ostende durchgefahren, sondern haben an der Meierei haltgemacht. Ich dachte mir das schon. Sie sitzen draußen. Cordula hat einen Milchkaffee vor sich stehen und Dickmilch mit Sanddorn. Er ein Weizenbier.

Cordula cremt sich die Beine mit einem Sonnenschutzmittel ein. Dabei schlägt sie sie malerisch übereinander, gibt einiges von ihrer Pracht preis, tut aber so, als ginge es nur darum, einen Sonnenbrand zu verhindern. So, wie Mahr sie anschaut, hat er längst das Interesse an seiner Jaqueline verloren und würde viel lieber Zeit mit Cordula verbringen.

Wir sind uns schnell einig, uns alle zu duzen. Typisch für Urlaubsbekanntschaften, denke ich. Während wir dann zu viert da sitzen und ein bisschen Smalltalk betreiben, feuchtet Cordula immer wieder ihre Lippen mit der Zunge an und flirtet dreist mit Mahr, wobei sie die zornigen Blicke seiner Freundin geradezu genüsslich ignoriert. Jacqueline ist Luft für sie. Sie konzentriert sich ganz auf Heiko.

Nun macht Jacqueline einen entscheidenden Fehler. Sie ringt um Aufmerksamkeit, indem sie Negatives aufzählt. Ihre Oberschenkel brennen angeblich wie Feuer. Sie hat Angst, von dem heftigen Gegenwind eine Nasennebenhöhlenentzündung zu bekommen. An der letzten hat sie Monate herumgedoktert. Ein HNO, behauptet sie, habe ihr so richtige Hämmer verschrieben. Antibiotika, die ihr auf den Magen geschlagen seien.

Cordula benutzt die geringste Schwäche, die ihre Konkurrentin ihr bietet. Sie bleibt ganz auf der positiven Seite, macht Scherze über Ärzte: »Herr Doktor, Herr Doktor, alle Menschen übersehen mich. – Der Nächste, bitte!«

Sie isst ihre Dickmilch, als sei es ein Aphrodisiakum und stöhnt dabei genüsslich. »Müsst ihr unbedingt mal probieren!«, lacht sie. »Die Meierei ist berühmt dafür, die machen das hier selbst.«

Jacqueline verzieht angewidert das Gesicht. Das klinge schon eklig. Sie spricht es aus wie *Dreckiger Schmierschmutz*. »D i c kmilch«.

Es ist wie ein Duell der beiden Frauen um Heiko. Er lehnt sich zurück, trinkt sein Weizenbier und genießt es. So, wie er aussieht, hat er sich längst entschieden. Er ahnt ja nicht, wie falsch seine Wahl ist. Sie wird ihn das Leben kosten.

Gerade noch habe ich rasende Eifersucht auf diesen Lars verspürt, der mit meiner Beate rummacht, und hätte ihm am liebsten den Hals durchgeschnitten. Jetzt bietet sich dieser Gockel hier als Ersatz an, womit ich nicht sagen will, dass ich Lars mit dem Leben davonkommen lasse. Nie wieder lasse ich mir etwas wegnehmen. Wer das versucht, für den werden kurze Zeit später sehr existentielle Fragen geklärt sein. Er wird wissen, ob es einen Gott gibt, einen Himmel und eine Hölle. Oder ob wir einfach alle nur zu Blumenerde werden und mit dem Tod alles aus ist.

Ich frage Heiko, was er beruflich macht. »Geschäftsmann«, behauptet er und macht dabei eine vielsagende Geste, so als solle ich besser nicht weiterfragen, weil er uns nicht damit langweilen will.

»Und du?«, fragt er zurück.

»Schriftsteller«, sage ich forsch.

Er lächelt fast ein bisschen mitleidig. »Und? Kann man davon leben?«

»Zum Glück muss ich das nicht«, behaupte ich. »Glückliche Umstände haben mich in die Lage versetzt, frei von materiellem Druck zu schreiben.«

»Lottogewinn oder Erbschaft?«, hakt er lachend nach.

Ich bleibe so nah wie möglich an der Wahrheit: »Meine Eltern hatten eine Fabrik. Ich habe sie rechtzeitig verkauft. Alle wollten, dass ich den Laden übernehme, aber ... ich hatte einfach keine Lust. Ich wollte schreiben. Jetzt weiß ich, dass es die glücklichste Entscheidung meines Lebens war. Die ganze Branche ist den Bach runtergegangen.«

»Ich hoffe für dich«, lacht er, »dass du das Geld gut angelegt hast.« Schließlich gäbe es ja heutzutage so gut wie keine Zinsen mehr. Deshalb habe er sich auf Langeoog diese Ferienwohnung gekauft.

Cordula erwähnt, dass wir im gleichen Flur wohnen. Er will wissen, ob wir nur zur Miete da seien oder ebenfalls Eigentümer.

Das Gespräch langweilt Jackie, wie er sie nennt. Sie wird kratzbürstig. Sie behauptet, Kopfschmerzen zu haben. Sie möchte am liebsten ein Taxi zurück und fragt, ob man die Räder nicht einfach hier lassen könne.

»Ein Taxi«, lacht Cordula. »Auf einer autofreien Insel? Ich könnte dich auf dem Gepäckträger mitnehmen. Wenn du dich schön an mir festhältst und deinen Kopf an meinen Rücken drückst, trifft dich auch der Wind nicht so heftig.«

Damit ist ihr Punktsieg endgültig besiegelt. Jackie springt auf und geht in den Gasthof. Sie sucht die Toilette.

Cordula nutzt die Situation aus: »Ihr zwei passt irgendwie überhaupt nicht zusammen.«

»Scharf beobachtet«, lacht er. »Ich stecke gerade in einer Beziehungskrise, wollte mir eigentlich nur den Kopf freipusten lassen. Ich habe Jackie auf einer Party getroffen. Ich habe mich«, gibt er weltmännisch zu, »ein bisschen mit ihr getröstet. Seitdem klebt sie wie eine Klette an mir. Sie isst nicht, trinkt nur Mineralwasser, macht keinen Sport, und eigentlich ist ihr das ganze Leben zuwider. Kein Wunder, dass sie immer nur mies drauf ist.«

»Ich finde sie eigentlich ganz nett«, sage ich und zwinkere Cordula zu. Sie lächelt zurück: »Ich auch.«

Heiko macht eine Geste in meine Richtung, als könne ich sie gerne haben. Er hat sie längst abgeschrieben und ist scharf auf meine Cordula.

Ich bestelle mir ein paar Knackwürstchen mit Senf und auch ein Weizenbier, allerdings alkoholfrei. Ich möchte ganz klar im Kopf sein, wenn ich ihn absteche.

So, wie ich eine ganz andere Seite an Cordula kennengelernt habe, wird sie mich jetzt ganz anders erleben. Ja, die Gangsterbraut soll ihren Profikiller bekommen. Ich weiß, dass sie mich für das, was ich tun werde, bewundern wird. Gerade jetzt, während sie sich vorbeugt und Heiko etwas ins Ohr flüstert und dabei wie unabsichtlich sein Knie berührt, erscheint sie mir als die ideale Frau für mich.

26   Cordula wirkt aufgekratzt, als hätte sie mit Mahr eine Prise Koks durchgezogen. Wir sind zurück in unserer Ferienwohnung. Cordula ist in Siegerlaune.

»Du«, lacht sie, »hast doch immer nur gedacht, ich sei apollinisch. Dabei bin ich dionysisch, genau wie du!«

Ich frage mich, ob sie das auswendig gelernt hat und wie lange sie darauf gewartet hat, diesen Satz endlich sagen zu können. Will sie so vor mir gebildet erscheinen, vergleicht sich mit griechischen Göttern, oder habe ich sie einfach immer nur unterschätzt?

»Rate mal«, sagt sie verschmitzt, »wer mir seine Handynummer zugeschoben hat?«

»Im Ernst?«, frage ich zurück.

»O ja. Ich habe ein Date mit unserem Kandidaten. Ich werde ihn genau dorthin locken, wo du ihn haben willst. Ich glaube, er steht auf Sex unter freiem Himmel.«

»Du bist umwerfend«, sage ich, und das klingt so ehrlich, wie es auch gemeint ist. »Ich werde ihn töten und im Vogelschutzgebiet verscharren.«

Wenn er tot ist, bin ich frei, denke ich. Graff wird sich an unsere Abmachung halten. Ich kann noch eine Weile mit Cordula Ferien machen. Wir werden eine Menge Spaß miteinander haben, und dann fahre ich nach Franken und knöpfe sie mir vor. Einen nach dem anderen. Die Verräter. Die Schweinebande.

Ich schwelge geradezu in Mordphantasien.

Sie steht am Fenster und sieht auf die erleuchtete Barkhausenstraße. Draußen sind noch ein paar Fußgänger unterwegs. Einer singt fröhlich ein eigentlich trauriges Lied:

Der Wolf ist wild,

der Wolf ist einsam,

und so muss er wohl auch sein.

Ohne mich anzuschauen, bittet sie mich: »Lass mich es erledigen.«

»Was?«, frage ich entgeistert.

Sie dreht sich zu mir um und schaut mir gerade ins Gesicht. »Ich will ihn töten. Das wird uns für immer zusammenschweißen. Das hätte deine Beate nie für dich getan, oder? Schau mich an«, ruft sie. »Sag mir, dass du mich willst!«

»Ja, verdammt«, gestehe ich, »ich will dich!«

Jetzt liegen wir auf dem breiten Bett. Sie in meinen Armen. Wir überlegen uns, wie genau der Mord an Heiko Mahr ablaufen soll. Sie bittet mich um mein Messer. Sie will es damit tun. Gleichzeitig möchte sie mich nicht einfach kopieren, sie will einen eigenen Stil entwickeln.

Sie hält mein Einhandmesser in den Händen wie einen sakralen Gegenstand. Sie lässt die Klinge herausfahren und streichelt sie. »Du hast damit viel mehr Menschen umgebracht, stimmt's?«, fragt sie.

Ich nicke. »Ja. Sie haben mir nicht jeden Mord nachgewiesen.«

Plötzlich kniet sie im Bett neben mir, ist ganz aufgeregt und verlangt: »Zeig mir genau, wie du es gemacht hast …« Sie schüttelt sich. »Oder spritzt dabei das Blut sehr? Man wird befleckt davon und …« Sie schaut mich mit großen Augen an. »Macht dir das nichts aus?«

»Ich bin danach meist nackt ins Watt gegangen, habe mich so richtig im Matsch gesuhlt und mit Meerwasser gereinigt.«

Sie versteht diese Handlung sofort. »Es war wie ein Ritual?«, fragt sie. Ich nicke und fühle mich von ihr auf eine verrückte Art verstanden. Trotzdem mache ich noch einen Versuch: »Du musst ihn nicht für mich töten. Ich brauche so einen Liebesbeweis nicht …«

»Ich tue es nicht einfach nur für dich«, sagt sie, »sondern in erster Linie für mich. Viel zu lange habe ich mit mir machen lassen. Viel zu lange war ich Opfer. Ich will«, behauptet sie fest entschlossen, »diese Erfahrung mit dir teilen.«

»Für dich«, sage ich, »wäre die ideale Waffe eine Garrotte.«

Sie weiß nicht, was das ist.

»Es ist sehr einfach herzustellen. Ein Metalldraht. An beiden Enden ein Holzgriff. Du legst es ihm um den Hals und ziehst zu. Er hat keine Chance.«

Ich bin mir nicht sicher, ob ich das sage, weil ich es so meine oder weil ich sie auf die Probe stellen will. Ist ihr das Ganze ernst? Sie wirkt entschlossen. Trotzdem zweifle ich noch.

»Geht das schnell?«, fragt sie.

»Es kann eine Weile dauern.«

»Der erstickt dann?«

»Er wird zunächst ohnmächtig, weil die Halsschlagader abgeklemmt wird. Das Gehirn kriegt keinen Sauerstoff mehr und …«

Sie schüttelt den Kopf. »Nein, ich mache es wie du.« Sie nimmt das Messer. »Hiermit«. Sie sticht Löcher in die Luft. »Und danach laufe ich in die Nordsee und reinige mich.«

Ich zeige ihr, wie sie das Messer in die Hand nehmen muss, um kräftig zustechen zu können. »Du schneidest damit«, sage ich, »ja kein Brot.«

Ich will ihr zeigen, wie und wo sie am Körper den Stich setzen muss. Aber sie lächelt luzide. Sie hat genügend Ahnung vom menschlichen Körper. Schließlich hat sie in einer Arztpraxis gearbeitet.

Sie zeigt mir jetzt die Stelle, so, als wolle sie mich stechen. »Hier«, sagt sie. »Genau hier. Stimmt's?«

»Ja. Und dann mit einem kräftigen Druck.«

»Ich krieg das hin«, verspricht sie.

»Wann«, frage ich, »hast du zum ersten Mal davon geträumt, jemanden zu töten?«

Sie antwortet ohne zu überlegen: »Als mein erster Freund mich verlassen hat.« Sie hält sich eine Hand vor die Lippen, als sei ihr die Reaktion von damals jetzt noch peinlich. »Mein Gott, was war ich verknallt in den! Was habe ich diesen Typen vergöttert! Und dann musste ich zu Hause bleiben, weil mein Vater Geburtstag hatte. An einem Samstag. Ausgerechnet! Es gab eine große Party im Ulrichsgymnasium. Klassenfete … Er hat sich sofort eine andere aufgerissen. Er hatte ein Motorrad. So 'ne kleine, knatternde Karre. Ich habe oft hinten drauf gesessen. Zum Leidwesen meiner Eltern. Ohne Helm. Erst habe ich davon geträumt, dass er einen schweren Unfall hat und die neue Schnalle ihn natürlich verlässt. Er saß im Rollstuhl und brauchte mich. Ich habe ihn dann überall herumgefahren. Ab dann gehörte er wirklich nur noch mir. Später habe ich dann davon geträumt, dass er bei dem Unfall stirbt und ich an seinem Grab stehe.«

»Du hast gar nicht davon geträumt, ihn zu töten. Du hast es ausgelagert. Ein Unfall, irgendetwas Anonymes, womit du nichts zu tun hattest.«

»Ja, am Anfang war das so, weil ich es mir nicht zugestand, wie sauer ich wirklich auf ihn war. Ich hatte ja immer noch die Hoffnung, ich könnte ihn zurückgewinnen. Am besten natürlich als Pflegefall im Rollstuhl. Aber dann, weißt du, damals habe ich Stephen Kings *Misery* bestimmt viermal gelesen. Ich habe mich so sehr mit der Krankenschwester Annie Wilkes identifiziert. Den Kinofilm habe ich mir zweimal hintereinander angeguckt, und glaub mir, ich habe keineswegs zu Paul Sheldon gehalten, sondern zu Annie. Und als sie ihm die Beine gebrochen hat, dachte ich, ja, richtig! Neben mir im Kino saßen Mädels, die kuschelten sich in den Arm von ihrem Freund und hielten sich die Augen zu. Ich war allein dort und habe es genossen.«

»Und dann hast du dich entschieden, in einen heilenden Beruf zu gehen?«

»Ja, ich bin sehr bewusst diesen Weg gegangen und medizinische Fachangestellte geworden. Vielleicht, um gegen mein schlechtes Gewissen zu kämpfen. Aber ich hatte immer wieder diese Träume, wenn mich jemand mies behandelt hat oder …«, sie winkt ab und spricht nicht weiter.

»So etwas ist nicht ungewöhnlich«, sage ich, »Gewaltphantasien haben viele Menschen. Aber nicht jeder lebt sie aus. Willst du es wirklich tun? Dieser Mahr hat dir nichts getan.«

»Vielleicht ist es ja genau das. Ich will es professionalisieren, um es im Griff zu haben. Um mich dir näher zu fühlen.«

»Oder steht Mahr für all die, die dich mal beleidigt und verletzt haben? Sieht er deinem ersten Freund ähnlich?«

»Überhaupt nicht«, lacht sie und sieht plötzlich aus, als sei sie eine andere geworden. Ich erlebe einen Energiewechsel.

»Mein erster Freund«, sie prustet in ihre Handflächen, als könnte sie ihn so wegblasen, »interessiert mich nicht mehr. Er ist ein Furz im Wind. Und alle, die danach kamen, waren nur Ersatz, in der Warteschleife, weil ich in Wirklichkeit mich auf dich vorbereitet habe. Dich wollte ich immer.«

»Immer?«

Sie küsst mich, dass ich kaum noch Luft bekomme. Ich versuche, mich aus ihrer Umarmung zu befreien. Sie ist stark und besitzergreifend.

»Ja. Immer«, raunt sie schließlich. »Selbst, als ich dich noch gar nicht kannte. Ich wusste immer, dass es einen wie dich gibt. Geben muss. Den Richtigen für mich. Und dann stellst du mich mit doppeltem Tarifgehalt ein, bist ein reizender Chef, schenkst mir Pralinen, Blumen und … Ich wollte es ganz langsam angehen lassen. Man hat dir ja angemerkt, dass du noch verletzt warst von einer vorherigen Beziehung. Ich wollte dir Zeit lassen, immer für dich da sein. Und dann plötzlich kommst du mit dieser Schnepfe an! Dieser …«, sie spricht es angewidert aus, »dieser Grundschullehrerin, die soo klug ist und alles immer richtig macht. Am liebsten hätte ich sie kaltgemacht, aber meine Hoffnung war, dass sie dich irgendwann langweilt. Dass es zum Krach zwischen euch kommt, und ich dich dann trösten kann …«

Sie zeigt auf die Uhr an der Wand. »In zwei Stunden treffe ich mich mit Mahr im Dwarslooper. Ich werde mit ihm eine Riesen-Currywurst essen, mit Pommes und einem Berg Mayonnaise drauf. Wetten, das hat seine magersüchtige Jackie noch nie mit ihm gemacht. Er wird es erotischer finden, mit mir Pommes zu essen, als mit ihr Hoppe Hoppe Reiter zu spielen. Und dann bringe ich ihn genau da hin, wo du ihn haben willst.«

Sie streicht mit ihrem Zeigefinger von meiner Stirn über meine Nase über meinen Mund über mein Kinn bis zum Hals und erwähnt es noch mal vielversprechend: »In zwei Stunden, Liebster. Hast du eine Idee, was wir in der Zwischenzeit tun könnten?« Sie lacht.

27

Sie bleiben wesentlich länger im Dwarslooper, als ich erwartet hatte. Ich kann nicht die ganze Zeit davor auf und ab gehen. Das wäre zu auffällig. Rein will ich auch nicht.

Ich habe mein Fahrrad vor der Buchhandlung Krebs abgestellt. Ich gehe hoch zum Wasserturm und denke über die Ereignisse der letzten Stunden nach. Gerät mein Leben jetzt völlig aus den Fugen, oder ordnet es sich langsam wieder? Ist die Einsamkeit beendet? Habe ich in Graff vielleicht gar einen Freund und in Cordula die richtige Partnerin gefunden?

Wenigstens vor mir selbst will ich ehrlich sein. Ich werde von zweierlei Eifersuchten geplagt. Es passt mir nicht, dass Cordula in der Kneipe mit Heiko Mahr flirtet. Ich will nicht mal, dass sie mit ihm Currywurst isst. Sie hat das Ganze geradezu zu einem erotischen Vorspiel hochstilisiert.

Gibt es so etwas? Eine Frau tötet aus Liebe zu mir einen anderen?

Gleichzeitig wurmt es mich immer noch. Sobald ich die Augen schließe, sehe ich Beate mit wippendem Rock, Eis schleckend, neben diesem Lars über die Osterstraße schlendern.

Am liebsten würde ich mich wieder in ihren Mailaccount einklinken und sehen, was sie ihrer Freundin Susanne Kaminski zu erzählen hat. Aber ich fürchte, die Nachricht könnte mir nicht gefallen und mich ablenken von dem, was ich hier zu tun habe.

First things first. Zuerst muss ich Heiko Mahr erledigen. Danach kümmere ich mich um diesen Lars.

Ich erschrecke ein bisschen vor mir selbst. Bin ich so einer? Meine Beate darf keinen anderen haben, während ich selber mir Frauengeschichten wie die mit Cordula zugestehe?

Wenn ich Cordula wirklich liebe, warum bin ich dann immer noch eifersüchtig auf Beates neuen Typen? Haben Männer grundsätzlich Probleme mit dem Neuen ihrer Ex? Schließlich steht auch Miriams neuer Ehemann, Moritz von Rosenberg, auf meiner Abschussliste. Aber das ist keine Eifersucht. Nein. Im Gegenteil. Ich bin eigentlich froh, dass ich sie los bin. Soll er doch neben dem Kühlschrank erfrieren. Da ist mir meine Cordula tausendmal lieber, so voller Leidenschaft und Gefühl.

Aber von Rosenberg muss jetzt dran glauben, weil er sich meine Firma unter den Nagel gerissen hat. Das musste Bübchen nicht mal selber erledigen. Das hat ja mein ehemaliger Schwiegervater für ihn getan, im Zusammenspiel mit meiner Mutter, die da auch eifrig mitmachte.

Während ich am Wasserturm stehe und in die Dünen schaue, wird mir zum ersten Mal wirklich bewusst, wie sehr ich meine Mutter dafür hasse, dass sie mich ans Messer geliefert hat. Einen kurzen Moment hatte ich geglaubt, sie wirft mir das Geld aus Sorge um mich hinterher, um etwas wiedergutzumachen, halt, weil sie noch einen winzigen Rest Muttergefühle in sich hat. In Wirklichkeit hatte sie nur Sorge, durch meine Schusseligkeit könnte der gedungene Mörder die Spur verlieren.

Zum vierten Mal stehe ich jetzt vor den Schaufenstern der Buchhandlung Krebs. Beate hätte die Auslage gefallen. Viele Kinderbücher. Da sind all die Autoren versammelt, die Tido Lüpkes so gerne aus der Schule verbannt hätte.

Jens Schumachers *Monsterpark*, Simak Büchels *Piratenprüfung auf Melele Pamu* und von Bettina Göschl *Die Träne des Einhorns* und *Paffi, der kleine Feuerdrache.*

Tja, Tido, in deinem Sinne ist diese Buchhandlung geradezu im Besitz des Teufels.

Inzwischen ist es dunkel geworden. In vielen Ferienwohnungen sind bereits die Lichter aus. Der letzte Sundowner im Panorama Restaurant Seekrug ist genommen.

Ich höre Cordulas Lachen. Es hallt über die ganze Insel. Sie will natürlich, dass ich genau weiß, dass sie aufbrechen.

Es ist leicht, den beiden in Richtung Pirolatal zu folgen. Sie fahren nebeneinanderher. Die Räder wackeln ein wenig, und die Lichtkegel ihrer Fahrradlampen küssen sich auf dem Boden immer wieder. Ja, manchmal scheinen sie geradezu ineinander zu verschmelzen.

Ich will mein Licht ausschalten, sie müssen ja nicht bemerken, dass ich hinter ihnen herfahre. Zunächst ist das gar nicht so einfach, aber schließlich kriege ich es doch hin.

Keine Ahnung, wo sich seine Jackie befindet. Vielleicht hat sie die Insel sogar schon verlassen. Die letzte Fähre fuhr um 19 Uhr.

Wie weit wird Cordula am Strand mit ihm gehen? Sie hat mein Messer bei sich. Ich fühle mich geradezu nackt ohne meine Waffe.

Ich habe ein Fleischmesser aus der Ferienwohnung mitgenommen. In ein Handtuch gewickelt, klemmt es versteckt unter meinem Naketano-Sweatshirt hinten zwischen Hemd und Hose. Solche feststehenden Messer sind unpraktisch, einfach viel zu lang, aber ich kann verstehen, dass Cordula mein Einhandmesser benutzen möchte. Es ist ja eine recht erfolgreiche Klinge. Ich verbinde eine Menge mit ihr. Cordula spürt das genau.

In meiner Satteltasche habe ich zwei Schaufeln und einen blauen Müllsack.

Sie stellen die Räder ab und gehen zu Fuß über den Strand zur

Aussichtsplattform. Ein Hund bellt, und sein Herrchen ruft laut nach seinem Tier. Hier sind freilaufende Hunde verboten, und die Insulaner reagieren sehr sauer darauf, wenn sie so etwas mitkriegen. Die Vögel sollen hier langsam fett werden, Speck ansetzen für die langen Winterflüge, die ihnen bevorstehen. Sie sollen brüten, und dazu müssen sie ungestört sein.

Ich hätte Lust, dem Typen eine Lektion zu erteilen. Nein, ich will ihn nicht töten, aber zu gerne würde ich ihm ein bisschen Angst machen. Ich ertrage diese Untätigkeit einfach nicht. Ich will nie wieder der sein, der zuguckt, was geschieht. Ich will die Handlungsführung. Ich will die treibende Kraft sein.

Der Trampelpfad zur Aussichtsplattform schlängelt sich durchs hohe Gras. Hier könnte man ihn schon erledigen. Es ist völlig einsam. Selbst der Typ mit dem Hund hat sich inzwischen verzogen.

Mahr und Cordula nutzen die Taschenlampen in ihren Handys, um sich nicht die Beine zu brechen. Hier gibt es keine ausgebauten, asphaltierten Wege mehr. Hier ist das Vogelparadies, und wenn Mahr glaubt, es würde heute zu seinem Vögelparadies werden, dann irrt er sich.

Ich begleite dich auf deinem letzten Gang, denke ich.

Sie suchen sich eine Stelle unterhalb der Plattform. Jetzt rast mein Herz. Ich bin ganz vorsichtig und leise. Ich pirsche auf allen vieren vorwärts. Wenn er mich bemerkt, wird er mich für ein Tier halten. Tiere gibt es hier genug. Nicht nur Federvieh.

Ich drücke mich nah an die Hütte. Ich kann die beiden hören. Cordula kichert. Kleider rascheln.

Der Gedanke, dass sie den Geschlechtsakt mit ihm vollziehen könnte und ihn erst danach tötet, wie es angeblich einige Spinnenarten tun … Ist es das, was sie will? Ist sie so verrückt? Und wenn ja, was bedeutet das für mich?

Vielleicht ist es besser, wenn ich sie so rasch wie möglich loswerde, denke ich. Kann ein Mann mit so einer Frau glücklich werden? Na ja, ich darf mir nichts vormachen. Ich bin nicht gerade ein ganz gewöhnlicher Mann.

Es reicht mir. Die beiden machen einfach viel zu lange miteinander rum. Ich will dazwischengehen und die Sache mit meinem Fleischmesser erledigen.

Vielleicht wird sie mir sogar dankbar sein, denke ich. Vielleicht merkt sie jetzt, dass es gar nicht so leicht ist, einen Menschen umzubringen. Vielleicht hat sie plötzlich Skrupel, weiß nicht, wie sie aus der Situation herauskommen soll, muss sich jetzt von dem Typen befingern lassen. Vielleicht liegt sie schockstarr da und hofft, dass ich endlich komme, um die Sache zu beenden. Oder nehme ich ihr damit etwas weg? Wird sie sauer auf mich sein, weil ich sie um eine Erfahrung bringe?

Oder kriegt sie jetzt doch Schiss? Hat sie sich überschätzt? War das Ganze nur Angeberei, um mich zu beeindrucken? Hat sie gehofft, dass ich sie davon abbringen würde, und ich habe es dann nicht energisch genug getan?

Herrje, was soll ich nur tun? Wenn ich meinen Instinkten folge, ramme ich ihm das Fleischmesser kommentarlos in die Brust und nehme dann Cordula mit zurück in die Ferienwohnung.

Sie nimmt mir die Arbeit ab. Ich höre kurzes Gerangel. Mahr hält alles noch für ein Sexspiel. »Was willst du mit dem Messer? Ich steh nicht auf so'n Scheiß! Lass das! Wehe, du ritzt mich! Du willst doch wohl nicht …«

Es hört sich an, als würde jemand heftig ausatmen. Gleichzeitig japst Cordula nach Luft.

Schon bin ich bei ihr. Sie kniet auf ihm. Er ist halb ausgezogen. Das Messer steckt in seiner Brust.

»Tiefer«, sage ich. »Du musst tiefer stechen.«

Sie packt mit beiden Händen zu und drückt sich mit ihrem ganzen Gewicht darauf.

Heiko Mahr starrt mich aus irren Augen an. Dann kippt sein Kopf zur Seite.

»Ich hab's getan!«, ruft Cordula. »Ich hab's getan, ich hab's getan.«

Sie klingt, als könne sie selbst nicht glauben, was geschehen ist. Da ist irgendetwas zwischen Triumph, Erschrecken und Trauer.

Ich gebe ihr jetzt klare Befehle: »Zieh das Messer raus.«

Sie tut es.

Durchaus zufrieden stelle ich fest, dass zwar ihre Bluse zerwühlt und offen ist, dass sie aber ihren BH noch trägt.

Sie spuckt aus und wischt sich die Lippen ab. »Seine Zunge fühlte sich in meinem Mund wie eine tote Maus an«, behauptet sie, und ich weiß nicht, ob sie es nur sagt, weil sie meine Eifersucht spürt und ihr etwas entgegensetzen will.

»Wir können ihn«, sage ich, »hier nicht so liegen lassen. Er würde gleich morgen früh gefunden. Wir müssen ihn jetzt runterbringen, mitten ins Vogelschutzgebiet hinein und ihn dann dort verscharren.«

Ich sehe es ihr im Mondlicht an. Am liebsten würde sie jetzt abhauen und die Sache für erledigt erklären. »Ach du Scheiße«, sagt sie.

»Ja, aber genau das müssen wir tun. Jetzt ziehen wir uns komplett aus, packen unsere Sachen in diese Plastiktüte«, ich zeige ihr den blauen Sack, »damit nicht jede Menge Blut drankommt. Wir schleppen ihn runter und verscharren ihn da hinten, wo die Vögel brüten. Dann reinigen wir uns im Meer.«

Sie nickt heftig. »Ja, ja, dann reinigen wir uns im Meer.«

»Ziehen unsere Sachen wieder an und gehen als friedliche Urlauber zurück in unsere Ferienwohnung.«

»Was ist mit seinem Rad?«, fragt sie. »Müssen wir uns auch um sein Rad kümmern?«

»Das schmeißen wir irgendwo in die Dünen. Auf Langeoog werden dauernd Fahrräder geklaut und irgendwo liegen gelassen. Lange, bevor man ihn findet, wird man das Rad gefunden haben.«

Ich beginne, mich auszuziehen. Sie kann nicht zu dem Typen sehen, schaut die ganze Zeit mich an und zittert, als sie sagt: »Es ist wie ein Ritual. Ein Ritual. Ausziehen und im Meer schwimmen.«

Ich hoffe, dass sie keinen Nervenzusammenbruch bekommt. Sie wirkt überhaupt nicht mehr cool, sondern völlig überfordert. Das Ganze tut ihr jetzt schon leid.

Gegen das glänzende Meer, in dem sich die Sterne spiegeln, hebt sich eine dunkle Silhouette ab, die sich auf uns zubewegt.

»Da kommt jemand«, raune ich ihr zu.

»Wir müssen hier weg«, flüstert sie.

»Wir können jetzt nicht abhauen. Lass uns einfach nur ganz still sein.«

Ich will sie um die Plattform herumführen, um im Schutz der Hütte zu warten, bis sich der einsame Wanderer verzogen hat. Aber Cordula kann sich nicht mehr bewegen. Stocksteif bleibt sie stehen. Ich bin schon hinter der Hütte.

Lass ihr ein paar Sekunden, denke ich. Sie wird schon kommen.

Dann erkenne ich die Person. Die kantigen Konturen sind eindeutig. Das ist Jacqueline.

Ist sie uns gefolgt? Hat sie uns mit einem Nachtsichtgerät beobachtet? Den Mord unterhalb der Hütte kann sie nicht gesehen haben. Es sei denn, sie ist von der anderen Seite, von unten, direkt durch das Vogelparadies gekommen. Das ist zwar verboten, aber ich bezweifle, dass sie sich für solche Verbote ernsthaft interessiert. Hat sie den Mord beobachtet?

Sie hat die kratzbürstige Stimme einer Frau, die auf Krawall gebürstet ist: »Ich weiß, dass ihr hier seid! Es reicht mir! Es ist mir völlig egal, mit wem du rumvögelst! Wenn du auf fette Kühe stehst, meinetwegen, soll mir doch egal sein!«, keift sie. »Ich habe dir die große Liebe sowieso nicht geglaubt, und was meinst du, wie viele Typen vor dir mir schon Jobs versprochen haben und mit ihren Beziehungen in der Branche prahlen! Und alles, was sie wollen, ist …«

Jetzt geht Cordula in die Offensive. Sie flieht nicht zu mir, sondern ist mit wenigen Schritten bei Jackie.

»Hör mal zu, du Gerippe! Ich weiß zwar nicht, was du dir in deinem Spatzenhirn so ausdenkst, aber ich bin hier nicht mit deinem Heiko! Typen wie der machen mich nicht die Bohne an!«

»Ach, das hat aber vorhin ganz anders ausgesehen!«

»Das«, kontert Cordula, »habe ich nur gemacht, um dich mal in deine Schranken zu weisen. So eingebildete Tussen wie du gehen mir schon lange auf den Zeiger! Mit jedem Blick zeigst du mir doch, dass du mich für haltlos, maßlos, undiszipliniert hältst, weil ich zu einem Stückchen Sahnetorte ja sage, statt davor wegzulaufen, als sei es eine abgezogene Handgranate!«

»Wo ist Heiko denn?«

»Keine Ahnung, wo sich dein Typ rumtreibt. Vermutlich ist er hinter irgendeinem Rock her, in dem ein bisschen mehr Fleisch steckt als in deiner Hose! Ich bin mit meinem Rudi hier!«

Cordula spielt ein riskantes Spiel, aber sie spielt es verdammt gut.

»Ich glaube dir kein Wort, du gemeines Biest!«, kreischt Jackie und geht auf Cordula los.

Ich trete aus dem Schatten der Hütte hervor und nestle an meiner Hose herum, als müsse ich sie erst schließen.

Die beiden Frauen schlagen sich. Jackies rechte Hand zerrt an Cordulas Haaren. Mit der linken prügelt sie auf ihr Gesicht ein.

Cordulas Arme sind kürzer als Jackies. Sie versucht zwar, sich zu wehren, kriegt es aber nicht richtig hin.

Ich packe Jackie von hinten, hebe sie hoch und werfe sie ins Gras. Sie ist ja nicht schwer.

Sie rafft sich auf und rennt weg.

Cordula atmet schwer. »Was jetzt?«, fragt sie.

»Jetzt beenden wir unsere Arbeit«, sage ich. Cordula versteht aber etwas anderes darunter als ich. Ich will Mahr verscharren, damit wir Zeit gewinnen. Sie ist aber der Meinung, ich solle Jackie folgen.

Sie zeigt in die Richtung. »Willst du sie etwa laufenlassen?«

»Ich … Es tut mir leid, aber … ich …«

»Ja, was?«

»Ich kann keine Frauen töten. Ich kann ihnen nicht mal etwas zuleide tun. Ich wundere mich schon, dass ich in der Lage war, Jackie hochzuheben und ins Gras zu werfen.«

»Ja, danke, du Held!«, faucht Cordula, und zum ersten Mal ist sie wirklich unzufrieden und kritisch mit mir. »Sie wird zur Polizei gehen und uns verraten«, prophezeit sie.

»Ja. Kann sein, dass du recht hast. Aber was will sie ihnen erzählen? Dass sie uns beide nachts erwischt hat, während wir an der Aussichtsplattform beinahe Sex gehabt hätten?«

Cordula fasst mich hart an. »Gut. Dann kümmern wir uns später um sie.«

»Jetzt sorgen wir dafür, dass diese Leiche hier verschwindet.«

Ein bisschen ungläubig schaut sie mich an. »Willst du es wirklich genauso zu Ende bringen wie geplant?«

»Ja. Genauso.«

Ich ziehe mich aus, und nachdem ich meine Wäsche in den blauen Beutel gestopft habe, überreiche ich ihn ihr. Ich lade mir Mahr auf die Schulter. Ich halte seine Beine vor meiner Brust fest, sein Oberkörper baumelt hinten an meinem Rücken nach unten. Seine Hände berühren bei jedem Schritt meine Kniekehlen.

Cordula geht hinter mir, sie trägt nur noch ihre Schuhe und den blauen Beutel auf die gleiche Art wie ich unser Opfer.

»Bist du sicher, dass er tot ist?«, fragt sie.

»Ich bin Arzt. Schon vergessen?«

»In allen Zeitungen stand, du seist gar kein richtiger Arzt.«

»Stimmt. Mir fehlen die letzten Prüfungen.«

»Wie konnte die wissen, wo er ist?«, fragt Cordula.

»Vielleicht hat der auch so ein Scheiß-Handy, und sie hat es mit dieser Eifersuchts-App präpariert, so wie du damals meins.«

»Apropos Handy: Du schuldest mir noch eins. Du hast es damals kaputt gemacht.«

»Zu Recht«, sage ich, »sehr zu Recht. Und genau das machen wir mit seinem auch gleich. Dafür ist die Nordsee ein sehr geeigneter Partner.«

»Wie weit willst du denn noch gehen? Können wir ihn nicht einfach hier verbuddeln?«

»Lass uns näher ans Wasser gehen. Da ist der Sandboden leicht und locker.«

Ganze Vogelschwärme flattern neben uns auf. Es gurrt, piepst und schimpft um uns herum. Die kleinen Flügelschläge bringen die Luft um uns herum in Schwingungen. Selten habe ich so sehr gespürt wie hier, dass Menschen an diesem Ort nicht sein sollten, dass ich störe.

Gemeinsam beginnen wir zu graben.

Das Wasser ist ganz still. Die Nordsee wirkt hier wie ein Teich. Die Oberfläche glänzt silbern.

»Ich habe es wirklich getan«, sagt Cordula.

Sie durchsucht seine Hosentaschen, während ich weitergrabe. Sie findet sein Handy tritt ein paarmal drauf, was bei dem sandigen

Untergrund aber wenig bringt, dann wirft sie es im hohen Bogen ins Meer.

»Hoffentlich«, sage ich, »ist es nicht eins dieser bescheuerten Unterwasserhandys.«

»Nein, ist es nicht«, behauptet sie. »Außerdem können wir dem Salzwasser ruhig vertrauen.«

Außerdem hat er eine kleine goldene Schachtel in der Tasche. Darin ein Röhrchen und weißes Pulver, in fünf oder sechs kleinen Plastiktütchen verpackt. Ich schätze, es sind keine zehn Gramm.

»Ist das Koks?«, fragt Cordula.

»Ja«, bestätige ich. »Willst du es mal probieren?«

Sie schüttelt den Kopf. Ich stecke das Schächtelchen ein.

Es dauert nicht lange, ihn einzugraben. Kinder buddeln am Strand ständig ihre Väter ein und lassen nur den Kopf herausgucken. Tiefer als einen halben Meter graben wir nicht. Hier wird niemand nach ihm suchen. Schon in wenigen Stunden werden die Vögel wieder hier sitzen, als sei nichts gewesen. Unsere Fußspuren wird der Wind verwehen.

Möge sein Körper für Krebse, Maden und Würmer ein Festmahl sein, denke ich. Und die Vögel werden irgendwann eben dieses Getier picken und dich so langsam aufessen, Mahr. Der ewige Kreislauf des Lebens.

»Es gibt kaum jemanden«, sage ich zu Cordula, »der an einem schöneren Ort beerdigt worden ist als er. Findest du nicht?«

»Ich friere«, sagt sie.

»Ich schwitze«, kontere ich.

Sie zieht ihre Schuhe aus, und dann gehen wir beide ins Wasser. Es ist wunderbar. Ich fühle mich gut, und ich merke, dass es auch ihr guttut, im Salzwasser zu schwimmen. Nichts reinigt den Menschen besser. Das hier wäscht all den Zivilisationsmüll und Dreck von uns ab.

Wir schwimmen hintereinander her, ja, wir tollen im Wasser herum wie Kinder, die ungezwungen planschen, als sei das Geschehene nie passiert und höchstens ein Albtraum gewesen.

Als wir wieder an Land sind, schlage ich vor, dass wir uns von der Luft trocknen lassen, bevor wir unsere Kleider anziehen. Ich stelle mich mit ausgebreiteten Armen hin.

»So hast du es immer gemacht, wenn du alleine auf der Jagd warst?«, fragt sie.

»Ja«, sage ich, »genauso.«

Sie tut es mir gleich und stellt sich auch so hin. Jetzt friert sie nicht mehr. Der ablandige Wind ist warm.

»Spürst du's«, frage ich, »dieses Kribbeln auf der Haut?«

»Ja. Es ist wie … eine Wiedergeburt!«

Wir umarmen uns. Es ist ein Moment, in dem wir wirklich glücklich sind.

Aber Sekunden später fährt uns der Schock in die Glieder. Ich bitte sie, mir das Messer zurückzugeben. Ich will es reinigen.

Sie stammelt: »Das Messer … das Messer … wo habe ich das Messer?«

»Du hast es wieder aus ihm herausgezogen«, beruhige ich sie.

Sie befühlt ihren nackten Körper, als hätte der Taschen. »Ich hab's verloren«, sagt sie, »verloren.«

Sie ist völlig panisch. Sie kippt den Müllsack aus und durchwühlt unsere Sachen. Alles liegt jetzt im Sand. Der Wind weht ein Tuch davon.

»Entweder habe ich es verloren, als wir hier runtergegangen sind oder als ich mit ihr gekämpft habe«, sagt sie.

Ich versuche, ruhig zu bleiben, aber es gelingt mir nicht. »Das Messer gehört zu mir. Es ist wie ein Teil von mir. Es ist, als hättest du meinen Arm verloren oder mein Bein!«

»Jetzt willst du mich nicht mehr. Stimmt's?«

»Blödsinn«, sage ich, »aber wir müssen das Messer wiederfinden.«

Wir ziehen uns an und gehen den Weg zurück. Da wir uns vorher nicht abgetrocknet haben, werden die Kleider nass, aber das spielt jetzt überhaupt keine Rolle. Mit klammen Klamotten suchen wir das Messer.

Wenn ich mir vorstelle, dass wir zwei hier gerade mit unseren Handytaschenlampen den Boden ableuchten und vielleicht irgendwo jemand spazieren geht oder Jackie in ihrer Verletztheit und in ihrer Aufregung doch noch die Polizei informiert, dann … Aber selbst wenn, Langeoog hat keine Mordkommission, und weil eine hysterische Frau ihren Freund sucht, kommt mit Sicherheit kein Hubschrauber vom Festland herüber. Nein, so bald wird nichts passieren. Wir sind im Grunde in Sicherheit.

Cordula macht sich jetzt selbst Vorwürfe, fängt an zu weinen, beschimpft sich, was für eine dämliche Kuh sie sei und dass sie mal wieder alles verpatzt habe. Ich versuche, sie zu beruhigen und schlage vor: »Besser, wir gehen jetzt zurück, ruhen uns aus, und morgen früh, direkt bei Sonnenaufgang, sind wir wieder hier und suchen das Messer. Im Hellen haben wir bessere Chancen.«

Ich schiebe noch Mahrs Leihrad in die Dünen und lasse es in einer Sanddornhecke liegen. Dann radeln wir gemeinsam zurück in die Barkhausenstraße.

»Und was«, fragt Cordula, »machen wir jetzt mit dieser Jackie?«

28

In unserer Ferienwohnung angekommen, schwanken wir zwischen völliger Erschöpfung, Euphorie und Angst.

Cordula ist fassungslos-erstaunt darüber, dass sie es tatsächlich getan hat. Gleichzeitig macht sie sich selbst nieder. Sie habe alles vergeigt, sich blöd angestellt, sei nur eine Gefahr für mich und würde mir nicht nutzen, sondern schaden.

»Ich finde«, sage ich, »es ist gut gelaufen. Eigentlich müssten wir jetzt ein Fläschchen Champagner öffnen.«

Dabei halte ich ein Wasserglas unter den Hahn. Ich mag das ostfriesische Leitungswasser, und damit behalte ich einen klaren Kopf. Ich biete auch Cordula ein Glas an. Sie nimmt es.

Sie ist blass, hat aber mehrere rote Flecken im Gesicht. Ihre erotischen Lippen sind jetzt blutleer. Sie sitzt auf dem Sofa und streckt die Beine von sich. Ihre Arme liegen schlapp neben ihr, die Handflächen offen.

»Du wolltest es«, sage ich. »Wie war es jetzt? Wie hat es sich angefühlt?«

»Gerade bin ich nur noch leer«, sagt sie, »aber als ich ihn eingewickelt habe, da war es ein Gefühl von Macht, als hätte ich plötzlich die Fäden in der Hand. War nicht mehr Objekt, sondern Subjekt.«

»Als ich dich bei ten Cate getroffen habe, war das eigentlich Zufall?«, frage ich.

Sie lacht. »Zufall? Ich wusste, dass du wieder da bist. Nach dem

Mord an diesem Sektenheini war doch jedem klar, dass du wieder in Ostfriesland bist. Ich habe mich an deinen Lieblingsorten aufgehalten. Ich war jeden Abend«, sie hebt den Zeigefinger wie einen Taktstock und wiederholt es langsam, »jeden Abend im Smutje essen. Ich habe jeden Tag bei ten Cate Kaffee getrunken und Kuchen gegessen. Zwei, drei Stunden war ich da, habe den Kurier gelesen und drei so dicke Romane. Ich war immer wieder in Aggis Huus, und bei Wolbergs habe ich abends den letzten Cocktail genommen. Wahrscheinlich dachte die halbe Stadt, dass ich auf der Suche nach einem neuen Typen bin. Eine Frau alleine im Café, das geht ja noch. Alleine beim Essen, das ist schon so eine Sache. Aber alleine abends in der Bar … Das sollte man nicht jeden Abend tun, wenn man seinen guten Ruf nicht aufs Spiel setzen will.« Sie grinst mich breit an. »Ich würde dir ja lieber sagen, dass das Schicksal uns zufällig zusammengeführt hat, aber nein, so war es nicht. Ich habe bereits seit Stunden dort gesessen und gehofft, dass dich Tappers Apfelkuchen oder Baumkuchen anlockt. Meine Freundin hat mir eine Weile Gesellschaft geleistet. Und dann, dann bist du ja wirklich gekommen.«

Ich gieße unsere Gläser noch mal voll.

»Woher nimmst du die Energie? Ich bin völlig kaputt. Das Schwimmen im Meer war großartig. Diese Reinigung. Ich habe es als Befreiung erlebt, aber jetzt bin ich total fertig. Ich kann nicht mehr.«

»Mich lädt so etwas mit Energie auf«, sage ich. »Jetzt hätte ich Lust, dich zu lieben.«

Sie schüttelt den Kopf und hält abwehrend die Hände hoch. »Ich würde dir dabei einschlafen.«

Irgendwie tut mir ihre Antwort gut. So bin ich nicht immer der, der sie abweist, sondern sie hat auch mal keine Lust oder kann nicht mehr. Das entlastet mich.

Um das besonders herauszuspielen, hake ich noch einmal nach: »Schade. Wir hätten allen Grund, unsere Tat mit gutem Sex zu feiern.«

Sie macht einen Scherz daraus: »Klar. Und einem Glas Wasser.«

Ich reiche es ihr. Sie wirkt, als hätte sie Mühe, das Glas an ihre Lippen zu führen.

Wenn ich die Klinge in Blut getaucht habe, war es für mich immer so, als würde ich meinem Gegner Energie absaugen. Bei ihr scheint das überhaupt nicht so zu sein.

Es verunsichert mich, dass ich mein Messer nicht mehr bei mir trage. Lange Zeit hat es mir ein Gefühl gegeben, als sei ich vielleicht nicht gerade Herr über Leben und Tod, aber doch hat es mich vor allen anderen Menschen ausgezeichnet. Es hat mich zu jemand anderem gemacht.

In Bamberg habe ich versucht, diese Scheiß-Firma zu leiten, als sei ich an Bord eines herrenlosen Raumschiffs, das führerlos durch ein Meteoritenfeld taumelt, ohne Ziel, ohne Verstand, während riesige Trümmer die Schutzhaut durchbrechen und es manövrierunfähig schießen … Als ich zu Dr. Bernhard Sommerfeldt wurde, hat das Messer alles verändert. Seitdem bin ich der Kommandant im Raumschiff. Ich bestimme den Kurs, und ich habe es sicher durch den Meteoritenhagel gesteuert.

Vielleicht ist Cordula eingeschlafen. Ich bin sehr in Gedanken versunken. Ich habe jegliches Zeitgefühl verloren. Ich spüre mich selbst, und damit geht es mir gut.

»Ich weiß gar nicht«, sagt sie, »wie ich Jackie unter die Augen treten soll. Wäre es nicht besser, wir würden sie …«

Ich staune. »Willst du heute Abend noch einen zweiten Mord begehen?«

»Hast du das nicht auch schon getan? Darf ich dich an Ricklef und seinen Kumpel erinnern?«

Ich gebe ihr recht. »Ja, so ein Doppelschlag kann sehr befreiend wirken. Aber ich sagte es bereits: Ich kann sie nicht töten. Das muss ich ganz ehrlich vor mir selbst zugeben. Ich könnte jetzt hier rausgehen und noch drei weitere Männer töten. Gib mir einen Grund, und ich kann es tun. Aber einer Frau könnte ich …« Ich spreche nicht weiter.

Cordula biegt sich auf dem Sofa durch und führt meine Ausführungen zu Ende: »Aber einer Frau könntest du nicht mal eine reinhauen, stimmt's?«

Ich nicke. »Ja, vermutlich hast du recht.«

Sie konkretisiert es noch weiter: »Du hättest sogar Probleme, Widerworte zu geben, hm?«

»Na ja, so würde ich es nicht ausdrücken, aber …«

»Aber im Grunde ist es so. Frauen gegenüber bist du wehrlos. Wenn eine energisch genug etwas von dir will, dann kriegt sie es auch.«

Ich gebe es mit gesenktem Blick zu.

»Hat je eine Patientin bei uns dich um eine Krankmeldung gebeten und sie nicht bekommen?«

»Natürlich nicht.«

»Du hast immer versucht, es allen recht zu machen – besonders den Frauen. Deshalb haben sie dich auch alle als Arzt geliebt.« Sie lacht. »Und hast du uns deshalb auch den doppelten Tarif gezahlt?«

»Ja«, sage ich zerknirscht, »vielleicht. Ich wollte einfach von meinen Mitarbeiterinnen und Patientinnen gemocht werden.«

Sie steht auf, kommt zu mir, drückt mich an sich, streicht mit ihren Händen über meinen Rücken und küsst mich wie eine Schwester einen küsst oder vielleicht eine Mutter, die ihren Sohn liebt.

»Gut, dass wir ab jetzt zu zweit sind, mein Lieber. Mir macht es überhaupt nichts aus, so einer arroganten Schnepfe den Hals durchzuschneiden.« Sie relativiert ihren Satz gleich: »Ich habe keine Gewissensprobleme damit.«

»Jackie ist kein Problem für uns«, betone ich. »Sie hat den Mord nicht gesehen. Sie glaubt, dass ihr Typ scharf auf dich ist – und damit hat sie ja auch nicht ganz unrecht. Ich wette, sie wird morgen mit dem ersten Schiff die Insel verlassen. Ich glaube nicht mal, dass sie heute Nacht hier im Haus Anna Düne schläft. Vermutlich hat sie sich irgendwo ein Hotelzimmer genommen.«

Cordula lässt mich los, stupst mit ihren Fingern gegen meine Schultern und spottet: »Du beschützt sie. O mein Gott, wie erbärmlich ist das denn? Du hast Angst, ich könnte ihr etwas antun!«

»Nein«, sage ich, »ich finde nur, wir sollten mit unseren Kräften haushalten. Wenn sie erst mal abgereist ist, wird niemand diesen Typen vermissen.«

Nebenan höre ich Fluchen und Geräusche.

»Na bitte. Wetten, das ist sie?«

Ich ahne, was los ist. Ich trete aus unserer Ferienwohnung in den Flur. Der Lärm ist hinter der Tür von Mahrs Apartment. Ich gehe hin und klopfe.

Eine wütende Jackie reißt die Tür auf. Offensichtlich hat sie nicht mich erwartet, sondern jemand anderen. Vermutlich Heiko Mahr.

»Was willst du?«, fährt sie mich an.

Ich sehe hinter ihr, dass Schubladen offen stehen. Ein Koffer liegt umgedreht auf dem Boden. Sie sucht etwas, und ich ahne, worum es geht. Ich ziehe die goldene Schachtel hervor, öffne sie langsam und hebe die Tütchen heraus.

»Suchst du das hier?

Sie schnappt danach. Ich mache einen Ausfallschritt nach hinten, und sie greift ins Leere.

»Das gehört mir«, behauptet sie.

»So ganz legal ist das wohl nicht«, stichle ich. »Kannst du denn beweisen, dass es dir gehört?«

»Wie bist du daran gekommen?«

»Heiko hat es mir verkauft.«

Das glaubt sie mir sofort. »Dachte ich es mir doch, dass ihr euch nicht zufällig hier getroffen habt. Dieses ganze Kennenlernen war doch fingiert, ist in Wirklichkeit eine Übergabe. Stimmt's? Und ich und Cordula, wir wurden von euch nur benutzt, damit ihr in Ruhe als Touristen eure Geschäfte machen könnt.«

»Sieh es, wie du willst«, schlage ich vor.

Das Goldschächtelchen interessiert sie nicht, aber sie schnappt die Tütchen auf, als ich sie hochwerfe. Eins fällt runter, und sie bückt sich danach. Sie schaut mich aus irren Augen an, als könnte sie nicht begreifen, warum jemand etwas so Wertvolles achtlos fallen lässt.

Sie verschwindet in der Ferienwohnung und knallt die Tür zu. Ich kann ihren Atem hinter der Tür hören. Ich wäre bereit, alles, was ich besitze, darauf zu wetten, dass sie sich jetzt eine Prise reinzieht.

Die ruft keine Polizei. Die hat ganz andere Sorgen.

29

Als wir am nächsten Morgen mit einer Tasse Kaffee auf dem Balkon sitzen und dem Geklapper der Pferdehufe auf der Barkhausenstraße lauschen, sehen wir Jackie mit einem Rollkoffer das Haus in Richtung Bahnhof verlassen.

»Ich glaube immer noch, dass es ein Fehler ist, sie gehen zu lassen«, gibt Cordula zu bedenken.

»Reise ihr nach und bring sie um«, schlage ich vor, obwohl ich weiß, dass sie es nicht tun wird.

»Und was machst du in der Zeit?«, fragt sie.

»Ich bleibe hier, genieße die Sonne, das Meer und fahre ein bisschen Rad. Na ja, halt, was alle hier tun.«

Ich spüre ihre Bewunderung in meine Richtung. »Für dich ist die Sache echt erledigt, hm? Du legst einen um, und das war's?« Sie reibt die Hände gegeneinander, als habe sie sich schmutzig gemacht und müsse sie von Sand und Dreck befreien.

»Ja«, sage ich, »so ähnlich. Ich habe mir ja auch nie die Mühe gemacht, die Typen zu verscharren. Das ist das erste Mal.«

»Irgendwie kommt mir die Sache unfertig vor, solange sie noch lebt«, sagt Cordula.

»Sie ist auch noch nicht fertig, da gebe ich dir schon recht. Wir müssen das Messer suchen.«

Meine Worte lassen sie zusammenzucken. Hatte sie das wirklich vergessen, frage ich mich. Gibt es so etwas? Blendet der Verstand solche Dinge aus?

Ich erkläre es ganz langsam: »Du denkst, dass diese Frau dich bedroht. In Wirklichkeit ist es die Tatwaffe. Wir sollten sie an uns bringen, bevor jemand anders sie findet.«

Sie hat keine Lust mehr, Kaffee zu trinken und will auch nicht mit mir im Café Leiß frühstücken gehen. Sie möchte ihren Fehler ausradieren.

Wir steigen auf die Räder und fahren zur Aussichtsplattform. Schon unterwegs wird uns klar, dass eine schwere Aufgabe auf uns wartet. Viel zu viele Menschen nutzen dieses wunderbare Wetter aus. Gestern Nacht war es hier einsam. Heute Morgen scheint jeder mit dem Rad unterwegs zu sein.

Als wir dort ankommen, wo wir die Räder abgestellt hatten, um den Rest des Weges durch das Naturschutzgebiet zu Fuß zu gehen, sehen wir nicht mal mehr die Stange, an die wir gestern die Räder gelehnt hatten. Gefühlt liegen oder stehen hier hundert Fahrräder herum. Eine Schulklasse belagert die Aussichtsplattform, eine zweite ist auf dem Weg dorthin.

»Für heute«, sage ich, »können wir das vergessen. Wir wollen uns ja auch nicht verdächtig machen als das Pärchen, das alles um die Hütte herum durchsucht hat.«

Cordula will das nicht gelten lassen. Sie protestiert: »Wem soll es schon auffallen, wenn wir beide zur Aussichtsplattform gehen, um Vögel zu beobachten?«

Ich gehe mit. Von hier aus scheint die Insel Spiekeroog greifbar nah. Aber wir interessieren uns nicht für den Zauber dieser verwunschenen Landschaft.

Wir schauen mehr nach unten als nach oben. Immer wieder bückt Cordula sich und fächert Grasbüschel auseinander. Eine Schülerin, der das auffällt, fragt, ob sie etwas verloren habe. Cordula lügt: »Nein, aber ich suche ein vierblättriges Kleeblatt. Hast du schon mal eins gefunden?«

Das Mädchen mit der Zahnspange lacht. »Nein, aber meine Mama hat mal eins gefunden. Und ein paar Tage später hat sie meinen Vater kennengelernt.«

»Siehst du«, bestätigt Cordula, »die bringen nämlich Glück.«

»Ich weiß nicht, ob ihr Vater das genauso sieht«, feixt ein Junge mit einem dicken roten Pickel auf dem rechten Nasenflügel, der aussieht, als habe er gestern Abend zu lange daran herumgedrückt, um ihn loszuwerden und ihn damit erst richtig aufblühen lassen.

Das Mädchen mit der Zahnspange deutet einen Schlag in Richtung des Jungen an. Er duckt sich spielerisch weg.

»Da hinten«, flötet sie und zeigt in Richtung Dünen, »wachsen Kräuter, die gut gegen Doofheit sind. Vielleicht solltest du zu den Rindern gehen und mit denen da hinten grasen. Sie sehen dir ja schon ziemlich ähnlich. Aber sie sind schlauer als du. Oder glaubst du, bei denen hat schon mal eins beim Vokabeltest versagt?«

Ihre Worte tun Wirkung. Der Junge trollt sich.

Wir bleiben noch eine Weile bei den Schülern, dann geben wir die Suche auf. Inzwischen habe ich einen Bärenhunger.

Im Fischrestaurant Stövchen bestellen wir uns auf der Sonnenterrasse eine Scampi-Pfanne für zwei Personen. Ich esse mit Heißhunger. Keine Ahnung, wie Cordula ihr Gewicht hält, sie ist schon nach drei, vier Scampi satt. Mir reicht ein Kaffee zum Nachtisch, sie bestellt sich Fietes Möwenschiet mit Schokolade und Sanddorn.

Das neue Dessert wird von der Kellnerin als »absolut köstlich« angepriesen. Ich glaube ihr jedes Wort, denn Cordula lässt mich nicht mal probieren, bietet mir nichts an, sondern löffelt alles eilig in sich hinein.

Wir beschließen, unsere Suche gegen Abend fortzusetzen. Dann haben, so vermuten wir, die Schulklassen etwas anderes zu tun, und schließlich ist es in den Sommermonaten lange hell.

Wir kaufen im Supermarkt Weißwein und ein bisschen Obst. Cordula gähnt mehrfach. Der Weißwein ist mir noch zu warm. Ich lege zwei Flaschen in den Kühlschrank. Sie haut sich aufs Bett, will angeblich zum Entspannen noch ein Hörbuch hören, schläft aber ein, bevor sie es eingeschaltet hat.

Die Stille gefällt mir. Da ist nur ihr Atem, und draußen zwitschern ein paar Vögel. Das Getrappel der Pferde ist ein schöneres Hintergrundgeräusch als vorbeituckernde Autos. Manchmal ist es hier auf dem Balkon so still, dass ich das Surren der Speichen vorbeifahrender Radler höre.

Das WLAN-Netz funktioniert sehr gut. Ich schaue mir über Susanne Kaminskis E-Mail-Account an, was Beate so mit ihrer Freundin verhandelt.

Gleich die ersten Worte treffen mich wie ein Baseballschläger:

Liebe Susanne, ich bin schwach geworden! Lars ist so ein wunderbarer Vater und Mensch. Er unterstützt mich. Er verehrt mich. Und sosehr ich Bernhard auch vermisse, kommt er mir immer unwirklicher vor, so wie ein Mensch, den ich gar nicht wirklich gekannt habe, sondern er wird für mich immer mehr zu einer Art Filmstar, Popstar, literarischer Figur. Zu etwas eigentlich Unwirklichem. Auch, wenn man sich als junges Mädchen in Patrick Swayze, Brad Pitt oder Kevin Costner verliebt hat, heiratet man später einen richtigen Mann aus Fleisch und Blut.

Die letzten beiden Tage habe ich mit Lars verbracht. Leon, sein Sohn ist bei seiner Noch-Ehefrau. Die Gute weiß nicht, welches Schätzchen sie da laufen lässt. Er ist ein wunderbarer, zärtlicher Liebhaber. Er kann mich allen Kummer und alles Leid der letzten Monate vergessen lassen.

Ich fühle mich Bernhard gegenüber immer noch schlecht. Schuldig. Sobald ich an ihn denke, wird mir ganz übel. Lars dagegen ist einfach nur gut für mich. Er hat eine Bessere verdient, denke ich

manchmal, aber dann gelingt es mir, einfach die Augen zu schlie-
ßen und es zu genießen.

Ich schwanke zwischen dem heftigen Drang, mich zu betrin-
ken – der Weißwein im Kühlschrank ist inzwischen wohl kalt genug, aber um diesen Schmerz zu bekämpfen, brauche ich etwas
Stärkeres. Cognac, Whisky, klaren Schnaps, irgendetwas mit mindestens vierzig Prozent – um den Wunsch niederzukämpfen, diesen Lars ins Jenseits zu befördern.

Dein Glück, dass ich mein Messer nicht bei mir habe, denke ich.
Wenn ich das jetzt in die Hand nehmen und damit spielen könnte,
dann würde der Wille, dich zu töten, übermächtig werden.

Ich höre tiefes Schnaufen und fahre herum. Hinter mir steht
Cordula. Ich erkenne sofort an ihrer Haltung, dass sie mitgelesen
hat.

»Du liest ihre E-Mails? Du hast ihren Account gehackt?«, empört
sie sich.

Ich klappe den Laptop zu. Ich fühle mich plötzlich von Cordula
kontrolliert wie von meiner Mutter. Irgendwann habe ich aufgehört, Tagebuch zu schreiben, weil sie es regelmäßig gelesen hat
und ich vor ihr nichts verstecken konnte. In schwierigen Situationen hat sie ihr Wissen dann ausgespielt und mich mit Vorliebe
lächerlich gemacht.

So etwas will ich nicht noch einmal erleben. Trotzdem höre ich
mich selber, wie ich versuche, mich zu verteidigen: »Ich will wissen, was los ist. Das kannst du doch verstehen, oder?«

Warum mache ich Idiot das? Warum rechtfertige ich mich?

Sie steht sehr selbstsicher da, den Bauch ein wenig vorgewölbt,
die Schultern hochgezogen, die Hände in den Hüften. »Ich habe
für dich getötet«, schimpft sie. »Gibt es einen größeren Liebesbeweis? Ich dachte, der Mist mit dieser doofen Beate sei endgültig
vorbei! Du bist abgehauen, hast sie alleine in Norddeich zurückge-

lassen. Sie hat sich einen anderen gekrallt. Aber du, du trauerst ihr immer noch nach!«

Ich will sie berühren, aber sie springt zurück. Sie deutet mit beiden Händen auf ihren Körper. »Was passt dir nicht an mir? Was gefällt dir nicht? Was hat sie, das ich nicht habe? Erzähl mir jetzt nicht, sie hätte mehr Verständnis für dich! Sie ist nicht mit dir geflohen! Ich bin bereit, alle Brücken hinter mir abzubrechen und mit dir irgendwo neu anzufangen. Ihr ist es wichtiger, ein paar Rotznasen zu unterrichten, stimmt's nicht? Sie gehört genau zu den Frauen, für die ihre berufliche Karriere an erster Stelle steht!« Sie fuchtelt mit den Armen in der Luft herum. »Karriere, wie sich das anhört! Als ob sie gerade dabei wäre, Präsidentin zu werden! Die bringt es nicht mal bis zur stellvertretenden Schulleiterin!«

Ich versuche, Cordula zur Mäßigung zu bringen, indem ich sie berühre. Aber sie schlägt nach meinen Fingern. »Fass mich nicht an! Ich habe die Nase voll von Männern, die mich nicht wollen oder nur so und nur so und nicht anders!« Sie schlägt nach mir. »Warum, verdammt nochmal, verliebt sich nie einer richtig in mich? Immer nur unter bestimmten Bedingungen und Vorzeichen! Warum bleiben Männer nur so lange bei mir, bis eine andere winkt? Was stimmt nicht mit mir? Ist sie besser im Bett als ich? Ja, komm, sag's mir! Besorgt die Grundschullehrerin es dir besser?«

Sie erwischt mich mit einem Schlag am Kopf. Ich weiche nicht aus.

»Lass den Scheiß«, sage ich. Aber das stachelt sie nur noch mehr auf.

»Die ist in den Hüften steif wie eine Holzmarionette!«, behauptet Cordula.

»Nein, ist sie nicht«, sage ich Idiot, als müsse ich Beate verteidigen. Ich will mich nicht auf dieses Niveau herablassen und hier Bettgeschichten diskutieren.

»Komm endlich zur Vernunft!«, rufe ich. »Du sagst jetzt Dinge, die dir später leidtun werden. Was soll das?«

Ich stehe auf, um mich besser verteidigen zu können. Mit einem Gesichtsausdruck, den ich nicht an ihr kenne, geht sie wie ein Bulle auf mich los. Sie schlägt mir gegen die Brust. Ich verliere das Gleichgewicht und falle rückwärts in den Sessel zurück. Ein Hagel von Ohrfeigen trifft mich.

Ich schlage nicht zurück, ich wehre mich nicht wirklich. Ich versuche nur, meinen Kopf zu schützen, indem ich die Fäuste hoch vors Gesicht halte wie ein Boxer, der in die Ringecke geprügelt wurde.

Durch die Deckung hindurch sehe ich Cordulas Tränen. Sie steigert sich immer weiter hinein, ihre Schläge werden heftiger.

Ich winde mich aus dem Sessel heraus, versuche, ihn zwischen uns zu bringen und schließlich bekomme ich ihr rechtes Handgelenk zu fassen.

»Du brichst mir den Arm!«, keift sie.

»Nein, das mache ich nicht. Aber du gibst jetzt endlich Ruhe!«, brülle ich.

Sie japst nach Luft. Ich lasse sie los. Sie wendet sich von mir ab und schreit: »Du bist ein Arsch, ein blöder Arsch!«

Leise, um den Unterschied zu verdeutlichen, sage ich: »Genauso verhält sich ein unauffälliges Pärchen, das gerade einen Menschen umgebracht hat und deswegen kein Aufsehen erregen möchte.«

»Ich habe ihn umgebracht, nicht du! Ich! Und ich habe es für dich getan! Für uns!«

»Was willst du von mir?«, frage ich.

Für einen Moment stoppt meine Frage sie. Sie besinnt sich, wischt sich die Haare aus dem Gesicht. Aus ihrem rechten Nasenloch läuft Blut. Sie hat es noch nicht bemerkt. Das Blut verschmiert ihre Wangen.

»Schreib ihr. Jetzt sofort. Mach Schluss! Augenblicklich! Schreib ihr, dass du eine bessere Frau gefunden hast, eine, die wirklich zu dir hält und zu dir passt. Eine, bei der du bleiben willst. Mich! Und sag ihr, dass du sie nie, nie wiedersehen willst!«

»Eine E-Mail könnte mich verraten. Ich habe Angst, dass sie meinen Standort herausfinden, wenn ich …«

Das hört sie sich nicht länger an. Erneut geht sie auf mich los. Diesmal bekommt sie meine langen Haare zu fassen, und zieht daran. Es tut erbärmlich weh.

Ihr Hals und ihr Gesicht sind schutzlos. Ich könnte sie mit einem einzigen Schlag ausknocken. Aber dann wäre ich immer der, der sie niedergeschlagen hat. Nein, das will ich nicht. Das kann ich nicht. Wenn sie ein Mann wäre, würde sie schon längst k. o. in der Ecke liegen. Aber so …

Ich versuche, ihre Hand zu greifen, mit der sie an meinen Haaren zieht. Ich drücke ihre Hand gegen meine Brust, um den Zug auf meine Haare zu lindern.

Plötzlich lässt sie mich los. Sie sackt in sich zusammen.

Sie wirkt, als habe sie eine Betäubungsspritze bekommen, die ihre Muskulatur völlig entspannt. Sie schaut mich fast dümmlich an. Ihre Unterlippe hängt herunter.

»Du bist nach Norden zurückgekommen, weil du sie treffen wolltest, stimmt's? Und du hast diesen Typen aus dem Weg geräumt, weil er ihr Schwierigkeiten gemacht hat. Das war dein Liebesbeweis an sie. Wir sind im Grunde gleich. Du bringst Tido Lüpkes um, damit sie merkt, wie sehr du sie liebst, und ich Idiotin steche diesen Heiko Mahr ab, um dich zu gewinnen.«

Sie scheint ihre Unterlippe nicht mehr zu spüren. Sie fasst hin und knetet die Lippe, als müsse sie sich vergewissern, dass sie überhaupt noch da ist. Dann kaut sie darauf herum.

»Lass uns vernünftig sein, Cordula«, schlage ich vor.

»Liebe ist nicht vernünftig. Liebe ist leidenschaftlich. Liebe ist wild. Sie strebt nach Erfüllung, nicht nach Vernunft und guten Sitten.«

Ich frage mich, ob das ein Zitat ist, oder ob es gerade einfach so aus ihr herauskommt. Sie beeindruckt mich durchaus. Und sie hat recht. Vielleicht sind wir uns wirklich sehr ähnlich. Und ich bin mir nicht sicher, wen ich mehr liebe: Beate oder sie.

Sie wirft es mir gehässig vor: »Ich war nur dein Notstopfen, als du gesehen hast, wie deine Beate mit Lars losspaziert ist.« Sie macht einen Hüftschwung nach, wie Beate ihn gar nicht hingekriegt hätte und versucht, Beates Gang nachzuäffen.

»Und was jetzt?«, frage ich sie.

»Jetzt verlasse ich dich. Bevor du mich verlässt. Das wirst du sowieso tun. Es reicht, dass deine Beate nur einmal mit dem Finger schnippt, und du gehst zur ihr zurück. Ich will nicht mehr die zweite Wahl sein, verstehst du? Ich will einmal im Leben die erste Wahl sein.«

»Das ist jetzt nicht dein Ernst!«, rufe ich. Doch ich spüre ihre Entschlossenheit.

»O doch«, sagt sie. »Das ist todernst, mein Lieber.« Sie bückt sich zu mir herunter und flüstert mit rauer Stimme: »Ich schäme mich dafür. Ich habe mich dir an den Hals geworfen. Ich habe alles getan, um dich für mich zu gewinnen. Ich habe ohne jeden Grund einen Menschen umgebracht, nur damit du auf mich abfährst.« Sie richtet sich ganz auf und spricht mit anderer Stimme härter weiter: »Dabei hätte es für Beate schon gereicht, ein bisschen mit dem Arsch zu wackeln. Ich werde euch Männer nie verstehen! Ich wäre soo gerne lesbisch! Aber ich bin es leider nicht.«

Sie packt ihre Tasche und würdigt mich keines Blickes mehr.

30   Zwei Tage schon bin ich alleine auf Langeoog, hänge meinen Gedanken nach.

Christoph Meckels Lyrik hilft mir durch den Tag:

Weil ich ihn kenne und folglich weiß:
Er lebt nur davon
Dass man ihn noch nicht erkannt
Noch nicht verraten
Noch immer nicht umgebracht hat.

Bei einigen Autoren ist es für mich so, als würden sie direkt mit mir sprechen. Bei Meckel immer wieder.

Daß mein Ende finster wäre!
Als ich schimmernd fiel aus allen Wolken
in die grasigen Tröge schwarzen Wassers
und die Tintenfische ihresgleichen
machten aus mir.

Was wäre ein Leben ohne Lyrik? Stephan Hermlins Zeilen kommen mir in den Sinn:

Werden beisammen dann sein,
War nichts, gar nichts vergebens,
Werden beisammen wir sein,
Auf der Böschung des Lebens.

Und noch ein Hermlin-Satz geht mir nicht aus dem Kopf. Zusammenhanglos, aus einem langen Gedicht:

Die Oboen der Toten bezaubern mein Blut.

Sosehr ich die Insel auch liebe, ich igle mich ein, will mit mir sein. Am liebsten wäre ich gar nicht hier, sondern in einer riesigen Bibliothek. Ja, die Sehnsucht nach Gelsenkirchen, zurück in die Stadtbibliothek, jagt mich wie einen Hasen.

Aber die Suche nach meinem Einhandmesser hält mich auf Langeoog. Morgens, mit den ersten Sonnenstrahlen, wenn die Vögel erwachen und lärmend den Tag begrüßen, suche ich es im Gras. Sobald Touristen kommen, verziehe ich mich. In der Abenddämmerung bin ich wieder da. Systematisch mache ich meine Arbeit. Irgendwie weiß ich längst, dass jemand anders mein Messer an sich genommen hat. Es macht mich traurig und wütend. Ich hätte es Cordula gar nicht geben dürfen.

Warum verliere ich immer alles, was mir wichtig ist? Es ist, als wollte nichts bei mir bleiben. Menschen wie Dinge. Ich habe so ein verfluchtes Talent, alles loszuwerden. Freunde, Frauen, Ehre.

Wenn ich jetzt einen Strich ziehe und wie ein ordentlicher Buchhalter versuche, Inventur zu machen, stehe ich ganz schön nackt da. Was mir nicht gestohlen wurde, habe ich achtlos zurückgelassen. Möbel. Kleidung. Autos. Aber was mich besonders schmerzt, sind die Bücher. Und wieder kommt mir ein Gedicht in den Sinn. Es ist von Günter Eich und heißt *Inventur*. Es wurde auch *Trümmer-*

lyrik genannt, weil es nach '45 sein letztes Hab und Gut aufzählte. Eine Strophe habe ich aus der Erinnerung sofort zur Verfügung.

Die Bleistiftmine
Lieb ich am meisten:
Tags schreibt sie mir Verse,
Die nachts ich erdacht.

Interessant. Der Gedanke erwärmt mich. Meinen Füller habe ich immer mitgenommen. Den Kolbenfüller mit der goldenen Feder. Er gehört zu mir wie das Messer.

Nein, nicht ganz. Das Einhandmesser gehört zu Sommerfeldt, der Kolbenfüller hingegen ist das eigentliche Verbindungsstück. Den habe ich schon als Johannes Theissen benutzt, der heimlich Gedichte schrieb und sie schamhaft vor den Augen der Familie versteckte, sie nicht dem Hohngelächter preisgeben wollte.

Mein Gedicht ist mein Messer, sagte Wolfgang Weyrauch, und Hans Magnus Enzensberger ergänzte: *Aber es eignet sich nicht zum Kartoffelschälen.*

Ich erinnere mich gut an Enzensbergers Aufsatz. *Scherenschleifer und Poeten* hieß er. Am Ende sagt ein Kunde zum Scherenschleifer: »*Dieses Messer ist wirklich ein Gedicht*« und lässt es in der Sonne funkeln.

Wie wahr, Enzensberger, wie wahr.

Um mich nicht verdächtig zu machen, habe ich mir einen Metalldetektor besorgt. Sondengänger, die gezielt den Boden nach Gold oder Münzen absuchen, gibt es heutzutage überall. Das »Sondeln« ist unter Touristen sehr beliebt. Doch so, wie sie kein Gold finden, so suche ich vergeblich nach meinem Messer.

Ich schaffe es nicht, die Insel zu verlassen, wenn mein Messer hier ist. Verflucht, was bin ich für ein verkorkster Typ! Aber ich gestehe es mir ein: Das ist nicht einfach nur ein Stück Metall. Natürlich könnte ich mir an jeder Ecke ein neues kaufen. Ein besseres. Aber ich habe mit diesem Messer viele Erfahrungen geteilt. In intimen Situationen, wenn es um alles oder nichts ging, hat es mich nie im Stich gelassen.

31

In den *Langeoog-News* habe ich von einer Klang-schalen-Meditation gelesen. Ich gehe hin. Ich will mich nicht mit Menschen unterhalten, aber so eine Meditation stelle ich mir angenehm vor.

Mit mir sind ein Dutzend Personen da. Deutlich mehr Frauen als Männer. Der große, helle Raum hat sofort etwas Beruhigendes für mich.

Die Kursleiterin erinnert mich an Beate. Sie ist schlank, ja drahtig. Mit zwei Teilnehmerinnen spricht sie englisch. Sie heißt Frederike und fragt, wer schon mal in einer Klangschale gestanden habe.

Ich melde mich freiwillig, allerdings erst, nachdem zwei Frauen es ausprobiert haben. Aber ich finde, Männer sollten nicht ganz so ängstlich oder unberührt abseits stehen.

Zwei Kerle, die eigentlich nur da sind, weil ihre Frauen sie mitgeschleppt haben, freuen sich einerseits, dass ich die Männerehre rette, gleichzeitig spüre ich aber, dass sie auch eifersüchtig auf mich sind, weil ich jetzt so im Mittelpunkt stehe und mich alle anschauen.

Ich stelle mich barfuß in die große Metallschale und muss an einen Krebs denken, der in einen Topf mit heißem Wasser geworfen wird. Es fällt mir schwer, die Augen zu schließen. Ich spüre das kalte Metall angenehm unter den Füßen.

Frederike schlägt die Schale mit einem Holzstab, der einen dicken Filzkopf hat, an. Es durchzuckt mich wie ein Stromschlag und kribbelt bis in die Fingerspitzen. Ich habe Mühe, nicht zu weinen. Dann bekomme ich fast einen Lachkrampf, als ich mir die Situation vergegenwärtige: Der gefürchtete Serienkiller steht barfuß in einer Klangschale und kämpft, umringt von Frauen, mit den Tränen.

Der Schriftsteller Rudolf Dietzen in mir findet, das sei wirklich großer Stoff.

Später, auf einer Matte liegend, während der Meditation, erlebe ich tiefe Entspannung. Dadurch merke ich erst, wie angespannt ich war.

Ein Ehemann schnarcht. Seine Frau schämt sich deswegen für ihn.

In mir steigen Bilder meiner Kindheit hoch, die mich frösteln lassen und traurig machen.

Als ich wieder zurück in der Ferienwohnung bin, versuche ich, mich mit einem Wein zu trösten. Aber der leichte Weißwein, den wir im Supermarkt gekauft haben, gefällt mir nicht. Ja, gut gekühlt, am frühen Abend, als Sundowner, zusammen mit Cordula, wäre er vielleicht o. k. gewesen. Aber jetzt, alleine – ich brauche etwas anderes, schwereres. Einen guten Roten.

Ich gehe in die Weinperle. Hier sitze ich ganz allein, obwohl in dem kleinen Raum mindestens ein Dutzend fröhlicher Touristen hocken, die meisten schon angeheitert. Ich lasse mir einen guten spanischen Tropfen empfehlen, und ich nehme sogar noch einen Brandy dazu.

Gleich mahne ich mich selber: Fang bloß nicht an zu saufen, Alter. Dann bist du restlos verloren. Einer wie du braucht einen klaren Kopf, Zugang zu seinen Gefühlen und Instinkten.

Hinrik Dollmann – ich vermute, er ist so etwas wie Tourismusmanager oder -direktor – erklärt einigen Touristen die Insel. Er ist hier aufgewachsen. Ein Mann voller Geschichten. Er erzählt davon, was während des Zweiten Weltkriegs auf den Inseln los war. Angeblich haben sich ein paar tausend Wehrmachtssoldaten drei kanadischen Offizieren ergeben.

Eine kluge Entscheidung, die viele Menschenleben gerettet hat.

Ich finde seine Ausführungen durchaus spannend, weiß nicht, ob er Seemannsgarn spinnt oder die Wahrheit erzählt. Ist das alles Inselschnack oder Realität? Aber ich bin zu sehr mit Eigenem beschäftigt, um wirklich konzentriert zuhören zu können.

Ich denke an Bärbel, meine Entspannungstherapeutin aus Gelsenkirchen. Bin ich so tief gesunken? Ist die einzige Frau, die noch auf mich wartet, meine Therapeutin?

Nachts habe ich den Strand für mich. Dann sitze ich im Sand und schaue aufs Meer. Die Wellen kommen mir vor wie der Herzschlag der Erde.

Hier versuche ich, mich selbst zu begreifen. Manchmal höre ich Bärbels Stimme: »Dein rechter Arm ist schwer.« Vielleicht hat das Meer eine ähnlich heilende Kraft wie eine gute therapeutische Sitzung.

Ich fühle mich gespalten, ja, zersplittert. Ich weiß nicht mehr, wo ich hingehöre. Nach Franken? Nach Ostfriesland? Ins Ruhrgebiet? In meinen weißen Turm nach Gelsenkirchen? Oder muss ich noch mal woanders versuchen, ganz von vorn anzufangen? Kann man einfach Brücken hinter sich abbrechen und es neu versuchen? Damit hatte ich zunächst großen Erfolg. In Norddeich ging es mir wirklich gut.

Bis Beate in mein Leben trat …

Die Erkenntnis trifft mich fast wie ein Blitz. Kann ich nur lieben, indem ich für den Menschen, den ich liebe, alle Probleme beseitige? Ist es das, was ich zu Hause gelernt habe? Bin ich so verrückt?

Ja, ich glaube, da ist einiges dran. Ich kann nur glücklich sein, wenn der Mensch, den ich liebe, sicher und zufrieden ist. Ich könnte nicht mit meinen Kumpels in der Kneipe sitzen und Spaß haben, während meine Frau sich grämt, krank ist oder Sorgen hat. Ist das nun besonders toll und mitfühlend von mir oder ein psychischer Defekt? Verstricke ich mich so lange in die Probleme anderer, bis ich meine eigenen nicht mehr sehe?

Der Rudolf Dietzen in mir sagt: *Schreib das alles auf. Es hat das Zeug, Weltliteratur zu werden.*

Johannes Theissen ist das alles peinlich und unangenehm. Er will nicht damit in Verbindung gebracht werden und behauptet, diese Probleme habe alle nur Dr. Sommerfeldt gemacht.

Der lacht die beiden anderen aus und wirft ihnen vor: *Ohne mich wärt ihr hilflose Gestalten. Opfer! Ich bin die Lebensfreude, das Vergnügen, die Abgrenzung.*

Er fordert mich auf, nach Bamberg zu fahren. Er will, dass ich bei Lorenz, meinem Ex-Schwiegervater, noch viel mehr Geld abhole. *Du kannst es ja für die Dritte Welt spenden, wenn du unbedingt möchtest. Aber lass es diesem Drecksack nicht,* grinst er.

Ich solle mich endlich meiner Mutter stellen und meiner Exfrau Miriam. Und wenn Sommerfeldt »stellen« sagt, dann meint er kein familientherapeutisches Seminar, sondern ein Schlachtfest.

Ja, in meiner Phantasie töte ich meine verräterische Mutter, meine intrigante Exfrau und ihren verlogenen neuen Mann. Aber was dann? Soll ich mit einem Koffer voller Geld ein neues Leben mit Cordula anfangen? Oder Beate ein Angebot machen? Oder gibt es irgendwo noch eine andere Frau, eine, die mich versteht und nur darauf wartet, dass ich sie endlich finde?

Ich versuche, den Gedanken abzuschütteln.

Keine Ahnung, wie lange ich hier schon im Sand sitze. Das Meer ist inzwischen näher gekommen. Die Ausläufer der Wellen lecken an meinen Füßen. Mein Hintern wird nass.

Es tut mir gut. Ich bleibe einfach so sitzen. Soll das Meer doch kommen und mich schlucken. Das ist auch eine Art, zu verschwinden. Ich will nicht irgendwo verbuddelt werden, wo mich dann die Würmer holen. Ich möchte Teil des Meeres werden. Fischfutter.

Ich gehe zurück zu meiner Wohnung in der Barkhausenstraße. Die Zeit ist merkwürdig stehengeblieben, seit Cordula mich verlassen hat. Nichts scheint zu geschehen, und die wichtigste Frage, der ich mich als Tourist stellen muss, ist, wo ich morgen frühstücken gehe.

Aber in dieser Nacht überschlagen sich die Ereignisse. Ich habe von der Sturmflutwarnung nichts mitbekommen. Alle anderen wussten offensichtlich Bescheid. In dieser Nacht trifft es die ostfriesischen Inseln besonders schlimm. Am anderen Morgen jagen sich die Berichte in allen Medien. Wangerooge hat praktisch den gesamten Strand verloren, Millionen Kubikmeter Sand. Juist wäre fast in zwei Teile gebrochen. Norderney hat die Sturmschäden ganz gut überstanden. Aber eine Nachricht, zunächst nur klein, wird immer wichtiger und überlagert schließlich alles: Auf Langeoog hat die Sturmflut eine Leiche angespült.

Ich weiß sofort, als ich diese kleine Meldung lese, dass es sich um Heiko Mahr handelt. Ich packe meine Habseligkeiten, um die Insel zu verlassen. Mit der Fähre um 7 Uhr 10 fahre ich nach Bensersiel. Auf der Fähre nehme ich den ersten Kaffee.

Es sind nicht viele Menschen an Bord. Die meisten wollen den Tag auf der Insel genießen und bei den Aufräumungsarbeiten zusehen.

Ich gehe mit meinem Kaffee an Deck. Über mir fliegen zwei Hubschrauber in Richtung Langeoog.

Noch während die Fähre in Bensersiel anlegt, ist die Nachricht online. Bei der Leiche auf Langeoog handelt es sich nicht um jemanden, der ertrunken ist, sondern der Mensch wurde eindeutig erstochen. Die Art der Verletzung erinnert sehr an »die Arbeit von Dr. Sommerfeldt«. Ja, dort steht tatsächlich: »Arbeit von Dr. Sommerfeldt«.

Gegen Mittag erreiche ich Gelsenkirchen. Ich fühle mich schwer. Meine Gelenke schmerzen.

Auf meinem Handy ist eine Nachricht von Graff. Ein erhobener Daumen. Sonst nichts.

Während der Fahrt muss ich immer wieder an meinen Vater denken. Ihm werfe ich nichts vor. Er ist wie verschwunden, seitdem er dement ist. Ob er überhaupt etwas von all dem mitkriegt? Glaubt er, alles sei in Ordnung?

Ich muss mir zugestehen, dass ich nicht mal weiß, wo er sich aufhält. Egal, wo er ist, ich vermute, in jedem Heim wird er liebevoller behandelt als meine Mutter es zu Hause je könnte.

Bin ich ein schlechter Sohn, weil ich mich nicht um meinen dementen Vater kümmere? Solange er fit war, lief mein Leben in ganz anderen Bahnen. Ich konnte studieren, wozu ich Lust hatte, war ökonomisch unabhängig und hatte die Aussicht auf ein gutes Erbe. Aber dann …

Ich würde ihn gerne sehen, bevor er diese Welt verlässt. Gleichzeitig habe ich aber Angst davor. Wie soll ich ihm gegenübertreten? Was können wir überhaupt miteinander reden? Die Wahrheit ist doch viel zu grausam. Sie würde ihm höchstens Angst machen.

Erzählt meine Mutter ihm bei ihren Besuchen, die sie garantiert regelmäßig machen wird, allein, damit die Leute nicht über sie reden, dass es ihrem Sohn gutgeht? Dass er Arzt in Norddeich ist oder die Firma erfolgreich leitet? Wie viel kriegt jemand noch mit, der dement ist?

Ich bin mir nicht mal sicher, ob mein Vater überhaupt noch lebt.

Vielleicht haben sie ihn längst in aller Stille beigesetzt. Wer hätte mich denn informieren sollen und wie?

Vielleicht ist es ja auch eine Gnade des Universums für ihn, dass er nicht mehr mitkriegt, was aus der Firma und der Familie geworden ist.

Mein Vater war ein starker Mann. Er wusste, wie man Geschäfte macht, und er lebte gerne. Keine Ahnung, wie er an diese gefühlskalte, frigide Frau geraten ist. Ob er sie nur aus Pflichtbewusstsein geheiratet hat, weil sie schwanger war?

Ich erinnere mich daran, dass mal gemunkelt wurde, er habe eine Affäre mit Rosi Lang gehabt. Keine Ahnung, ob da etwas dran war.

Rosi wäre mir als Mutter jedenfalls wesentlich lieber gewesen. Sie ist ein loyaler Mensch. Ich habe sie als positiven Sonnenschein in Erinnerung, die den Alltag mit spielerischer Leichtigkeit bewältigt. Dinge, die mir lästig waren, nahm sie mir mit einem Lächeln ab. Sie hat vieles abgefedert und erträglich gemacht. Wenn mein Vater eine Affäre mit ihr hatte, dann gönne ich ihm das von ganzem Herzen.

Verse von Christoph Meckel rauschen durch mein Gehirn. Trost spendende Poesie. Medizin für die Seele.

Meckels Mutter war wohl meiner ähnlich. Sein Vater überhaupt nicht. Der wollte auch Künstler sein, war aber recht talentlos. Als er die ersten Texte seines Sohnes fand, gab er sie als seine eigenen aus und veranstaltete damit Lesungen.

Der Vater versucht, so zu sein wie der Sohn, und es gelingt ihm nicht. Bei mir war das wohl umgekehrt. Ich bin bei dem Versuch gescheitert, so zu werden wie mein Vater. Eigentlich wollte ich das auch nie. Ich bin in dieses Leben hineingedrängt worden. Ich wollte Arzt werden, verdammt nochmal! Und eine kurze Zeit war ich es auch. Und ja, selbst wenn mir dafür die Approbation fehlte, war ich doch ein verdammt guter Arzt, und im Gegensatz zu einigen meiner Kollegen war ich es gern.

Nach der Fahrt gehe ich in Gelsenkirchen ein wenig spazieren. Ich meide den Park, als würde dort eine Gefahr auf mich lauern. Zunächst will ich wieder zum *Plaza Madrid* gehen, doch im letzten Moment, schon kurz vor der Tür, überlege ich es mir anders. Es ist nicht weit zum *Vasco da Gama*. Viele nennen den Laden nur *Gil*, weil die Wirtsleute Gil da Silva und Elisabeth heißen.

Ich muss immer an Gil Courtemanche denken, wenn ich dort esse. Seinen Roman *Ein Sonntag am Pool in Kigali* habe ich nie zu Ende gelesen. Dabei hatte mich seine Geschichte über den Völkermord in Ruanda wahrlich gefangengenommen. Doch während ich das Buch las, bekam mein Vater seinen Schlaganfall. Und damit veränderte sich alles …

Zunächst nehme ich Monchitos, kleine, mit Peperoni gefüllte Schinken-Käseröllchen. Dann esse ich Langostinos grelhados. Zu den fünf großen gegrillten Riesengarnelen trinke ich einen halben Liter Wasser und nehme ein Glas Rotwein.

Nicht weit von hier, im *Plaza Madrid* habe ich Heiner Graff kennengelernt. Dort hat er mein Handy ausgelesen, weil ich Bluetooth eingeschaltet hatte. Das habe ich jetzt natürlich nicht.

Ich schaue mich um. Die Menschen hier interessieren sich nicht für mich. Es ist ziemlich voll. Es gibt nur zwei freie Stühle, und es ist laut. Lärm kann manchmal sein wie Stille. Ich versinke darin, fühle mich eingehüllt, ja, geborgen.

Keine Ahnung warum, plötzlich stehe ich unter dem irren Druck, ich müsse sofort Liegestütze machen, Kniebeugen, mich irgendwie fithalten. Und danach am besten zwei Stunden Rad fahren.

Ich umkreise den *Weißen Riesen* dreimal, bevor ich die Treppen hochlaufe. Nein, nicht direkt zu mir, sondern zunächst laufe ich weiter bis in den zwölften oder dreizehnten Stock. Ich zähle nicht mit. Dann erst wieder runter zu mir.

Mein Atem rasselt. Ja, ich bin ganz schön aus der Puste gekommen. Ich muss wieder viel mehr trainieren. Wer gejagt wird wie ich, sollte gut zu Fuß sein und nicht träge werden.

Später dann schaue ich mir im Internet und im Fernsehen die Verwüstungen auf den ostfriesischen Inseln an. Die Leiche auf Langeoog spielt nur eine untergeordnete Rolle. Der Sand- und Landverlust auf den Inseln ist viel aufregender für die Medien.

Die Bilder sind erschreckend. Politiker versprechen Hilfe. Der Bürgermeister von Wangerooge erklärt, Inselschutz sei Küstenschutz. Land und Bund könnten die Inseln jetzt nicht hängenlassen. Hinrik Dollmann, den ich in der *Weinperle* kennengelernt habe, erklärt, warum Langeoog noch mal Glück gehabt habe.

Am nächsten Tag fahre ich zwei, vielleicht drei Stunden mit dem Rad kreuz und quer durch Gelsenkirchen. Ich will mich so richtig ausarbeiten. Schließlich habe ich eine Stunde bei meiner Therapeutin Bärbel in der Bismarckstraße. Ich habe das Gefühl, diese Sitzung wirklich nötig zu haben, und beim Fahrradfahren konnte ich mir auch klar darüber werden, was ich von ihr will.

Wie kann ich mich verlieben, ja, eine Liebe leben, ohne ständig unter Druck zu geraten, wenn meine Partnerin nur einmal säuerlich die Miene verzieht? Ich will nicht für jedes ihrer Probleme, für jede miese Stimmung, verantwortlich sein.

Aber bevor ich das überhaupt formulieren kann, fragt Bärbel mich: »Wie geht es dir heute?«, und bringt mich damit völlig aus dem Konzept. Ohne dass ich es eigentlich will, platze ich damit heraus, dass ich mir aufgeschrieben habe, was ich meiner Mutter sagen will, dass ich es sogar auswendig gelernt habe. »Aber«, gestehe ich, »ich bin damit völlig gescheitert.«

»Gescheitert?«, fragt sie. Sie hat so eine Art, meine Aussagen einfach zu wiederholen und in eine Frage umzuwandeln, die mich kirre macht, obwohl die Methode wahrscheinlich dabei helfen soll, dass ich zu mir selbst finde.

»Es ist«, sage ich ihr, »als würde ich, wenn meine Mutter da ist, sämtliche Kompetenzen verlieren. Ich komme mir blöd vor, als Versager. Ich erlebe mich selbst als peinlich. Ich vergesse, was ich sagen oder tun wollte.«

Erinnerungen fluten mich. Ich spreche es einfach aus: »Als ich Kind war, habe ich mich manchmal schwer verletzt.«

»Hast du dich mit dem Messer geritzt?«, fragt sie.

»Nein, das meine ich nicht. Ich hatte richtige Unfälle.«

»Nach Auseinandersetzungen mit ihr?«

»Ja. Manchmal waren es nicht mal Auseinandersetzungen, sondern sie stand nur da, hörte sich an, was ich zu sagen hatte, verschränkte die Arme vor der Brust und guckte vorwurfsvoll. Einmal bin ich danach die Treppe runtergefallen. Ich hatte eine Gehirnerschütterung. Ein anderes Mal bin ich mit dem Fahrrad gestürzt, hab mir die Knie aufgeschlagen und den linken Arm gebrochen.«

Mein Gott, was erzähle ich da für einen Müll! Wie viele Jungs sind die Treppe runtergefallen oder mit dem Fahrrad hingeknallt? Das gehört doch zu einer Kindheit dazu. Das kann ich doch nicht alles meiner Mutter anlasten.

»Warum schweigst du plötzlich?«

»Ich … Ich weiß auch nicht. Habe ich geschwiegen?«

»Ja. Eine ganze Weile.«

»Es ist, als hätte ich dir etwas Verbotenes erzählt, Bärbel. Und ich fühle mich gerade schrecklich deswegen. Ich kann doch meiner Mutter nicht mein ganzes verkorkstes Leben aufdrücken. Ich meine, ich bin doch selbst verantwortlich für …«

»Wer sagt das?«

Ich weiß genau, worauf sie hinauswill. Ich kann plötzlich nicht mehr im Sessel sitzen bleiben. Ich springe auf, sage, dass es mir leidtut, dass ich jetzt gehen müsse. Dass ich natürlich die volle Stunde bezahle, aber …

Sie lächelt milde. »Ja, das kenne ich schon. Wenn wir uns den eigentlichen Problemen nähern, dann schreit die Neurose *Hilfe, ich bin umzingelt, ich werde gleich erkannt,* und versucht, dich zur Flucht zu bewegen.«

»Welche Neurose?«

»Ja, du hast recht. Das war das falsche Wort. Sollte ich besser sagen, deine Mutter …?«

Sie steht auf und lehnt sich gegen die Tür. Das ist ihre Art, mich nicht vorbeizulassen. Es kommt mir vor wie eine Doppelung. In Bamberg, in der Firma, stand meine Mutter im Türrahmen und mir fiel nicht mehr ein, was ich ihr zu sagen hatte.

Jetzt lehnt sich Bärbel lässig gegen eine Tür. Sie schaut mich nicht so voller Verachtung an, aber trotzdem ist etwas in ihrer Haltung, das mich daran hindert, sie einfach zur Seite zu schieben und den Raum zu verlassen.

»Meine Mutter hat mich an meine Gegner verraten«, flüstere ich. »Das hätte mich fast das Leben gekostet. Jetzt lass mich bitte gehen, Bärbel. Ich kann nicht mehr.«

Sie gibt die Tür frei, stellt sich daneben, aber trotzdem bildet allein ihre Anwesenheit, mein Wissen darum, dass sie nicht will, dass ich gehe, ein fast unüberwindliches Hindernis für mich.

»Warum gehst du nicht einfach? Du brauchst mein Einverständnis? Ist es das?«

Ich nicke zerknirscht. »Ja, verdammt!«

»Du kommst dir komisch vor. Es ist dir peinlich, stimmt's?«

»Hm.«

»Es geht vielen Männern so. Einige werden dann gewalttätig gegen Frauen. Müssen sie erniedrigen. Beleidigen. Unterdrücken.«

»Ich nicht.«

»Ich weiß«, sagt sie, »sonst wäre ich auch nicht die richtige Therapeutin für dich. Dann müsstest du zu einem Mann gehen.«

»Was soll ich denn jetzt machen?«, frage ich.

»Frag nicht mich. Frag dich«, sagt sie, und ich komme mir noch kleiner, mickriger und blöder vor.

Ich weiß nicht, wie lange wir so stehen. Irgendwann dann berührt sie mich an der Schulter und sagt: »Setz dich einfach, Rudi, und beruhige dich. Wir können eine kleine Meditation machen, damit du wieder zu dir kommst. Du wirkst, als sei deine Seele gerade aus dem Körper getreten, als wärst du völlig durch den Wind. Du schaffst es nicht, etwas gegen meinen Willen zu tun. Dabei muss ich noch nicht einmal sagen, was ich genau will. Du versuchst, es zu erspüren. So bist du mit deiner Mutter umgegangen, beziehungsweise, sie mit dir. Du wiederholst mit mir gerade eine Erfahrung.«

»Ich weiß, dass du nicht meine Mutter bist«, stelle ich mit harter Stimme fest, als könne es darüber ein Missverständnis geben.

»Ja«, bestätigt sie, »dein Verstand weiß das. Aber das nutzt dir nichts. Manchmal nimmt eine Frau die Stellung deiner Mutter ein. Das muss sie nicht mal selbst wollen. Sie muss nicht mal Ahnung davon haben. Und dann wird zwischen euch alles schräg, dann hat deine Frau keinen Mann mehr, sondern einen kleinen Jungen, der ihr alles recht machen will. Es sei denn, er kommt in die Trotzphase …«

Ich setze mich wieder, nein, ich lasse mich in den Sessel fallen. Ich komme mir völlig kraftlos vor.

Sie trinkt Wasser und fordert mich gestisch auf, das auch zu tun. Ich weiß nicht, ob das irgendein Psychotest ist, oder ob es nur darum geht, dass ich Flüssigkeit auffülle. Jedenfalls trinke ich das Glas gierig leer.

Sie bittet mich, die Augen zu schließen, macht ein paar Atem-übungen mit mir. Ich folge ihrer ruhigen Stimme. Sie wirkt nicht einschläfernd auf mich. Sie hilft mir, wieder zu Doktor Sommerfeldt zu werden.

Als ich ihre Praxis verlasse und mich aufs Fahrrad schwinge, ist aus einem kleinen, verletzten Jungen ein Serienkiller geworden. Einer, der bereit ist, jeden umzulegen, der sich ihm und seinem Glück in den Weg stellt.

Man könnte, denke ich grinsend, von einem durchschlagenden therapeutischen Erfolg sprechen.

Inzwischen geistern Spekulationen durchs Netz. Bei *Spiegel online* wird aus einem Interview mit Holger Bloem zitiert. Fotos von Heiko Mahr in allen Lebenslagen. Einige zeigen ihn beim Skifahren. Andere im Anzug mit Krawatte. Er wird als begeisterter Sportler geschildert, aber auch seine Nähe zum Rotlichtmilieu wird thematisiert. Einige bezeichnen seinen Escort-Service als seriös, andere die Frauen dort als Edelprostituierte. Erst jetzt erfahre ich, dass er in Köln ein Antiquitätengeschäft betreibt, da sei er aber seit einiger Zeit nicht mehr gesehen worden. Der Laden gelte als reine Geldwaschanlage, behauptet eine der vielzitierten gutunterrichteten Quellen.

Seine Ehefrau flieht vor dem Blitzlichtgewitter. Sie trägt ein hellblaues Kopftuch. Ich sehe einen Bodyguard, der sie nervös abschirmt. Hinter seinem massigen Körper kann sie sich gut verstecken.

Die Berichte sind widersprüchlich. Mal hinterlässt Mahr ein Millionenerbe an Immobilien und Wertpapieren, mal gilt er als völlig überschuldet und bankrott.

Die Polizei wendet sich mit einem Suchaufruf an die Öffentlichkeit. Ich sehe Cordula, meine ehemalige Sprechstundenhilfe. Sie sei mit Mahr auf Langeoog gesehen worden und gelte seitdem ebenfalls als vermisst. Die Polizei schließt nicht aus, dass sie einem Gewaltverbrechen zum Opfer fiel oder Zeugin geworden sei. Sie wird aufgefordert, sich zu melden.

Mein Herz schlägt schneller, als ich sie sehe. Gern hätte ich ihren warmen, weichen Körper jetzt bei mir.

Wo mag sie sein, frage ich mich. Ist sie auf der Flucht, genau wie ich? Wird sie jetzt auch gesucht?

Bis zur Pressekonferenz sind es noch knapp dreißig Minuten. Ich weiß kaum, wie ich die Zeit überbrücken soll, renne in der Wohnung hin und her, mache vierzig Liegestütze, dann noch mal zwanzig hinterher.

Schließlich sehe ich Ann Kathrin Klaasen, Weller, Rupert, die ganze Bande. Kripochef Martin Büscher ist nicht dabei. Er überlässt der berühmten ostfriesischen Kommissarin die Show.

Sie lässt die erste Frage von Holger Bloem zu. Typisch. Irgendwie freue ich mich, ihn zu sehen.

»Stimmt es«, fragt er, »dass das Messer, mit dem Heiko Mahr und möglicherweise auch die anderen Opfer von Dr. Sommerfeldt getötet wurden, gefunden wurde?«

Ann Kathrin Klaasen antwortet ganz ruhig: »Richtig ist, dass vor drei Tagen auf Langeoog in der Nähe einer Beobachtungsstation im Naturschutzgebiet von einem Lehrer aus Bochum, der dort mit seiner Schulklasse zu Besuch war, ein Einhandmesser gefunden wurde. Er hat sehr umsichtig gehandelt. Da er Blutreste an der Klinge vermutete, hat er das Messer in eine Plastiktüte verpackt und zum Fundbüro gebracht. Dort wurde es nicht abgeholt, aber nachdem die Leiche von Heiko Mahr gefunden wurde, hat man richtigerweise die Kriminalpolizei informiert.«

Holger Bloem hakt nach: »Handelt es sich denn um die Tatwaffe?«

»Das können wir noch nicht mit Sicherheit sagen. Fest steht, dass es ein ausklappbares Messer, ein sogenanntes Einhandmesser ist, mit einer geschwärzten 440er Stahlklinge. Es ist kein besonders wertvolles und auch kein besonders seltenes Messer. Es ist frei verkäuflich und überall erhältlich. Im Augenblick werden Fingerabdrücke und DNA-Spuren untersucht.«

Mist, denke ich, das sieht nicht gut aus für dich, Cordula. Überhaupt nicht gut …

32

Wenn man nicht weiß, was als Nächstes passiert, ist es gut, auf alles vorbereitet zu sein. Ich darf mein Geld nicht nur in einem Versteck aufbewahren.

Ich fahre nach Uslar, wo ich noch ein Schließfach in der Sparkasse habe. Ich fülle es auf. Hier liegen jetzt knapp zweihunderttausend in bar und fünfzig-, sechzigtausend – je nach aktuellem Kurs – in Goldmünzen. Außerdem bin ich auf der Suche nach einem neuen Messer.

Nein, ich will mir nicht einfach eine Doublette meines Einhandmessers besorgen. Manchmal denke ich, es wäre vielleicht besonders gruselig, dieses Markenzeichen weiter zu etablieren.

Wir haben das Messer des Mörders gefunden, aber er macht weiter, mit dem gleichen Modell.

Würde der Staat in seiner Hilflosigkeit irgendwann diese Sorte Einhandmesser verbieten?

Nein, ich brauche jetzt ein erstklassiges Messer. Ich denke an japanische Samurai-Schwertmacher, die zu den großen Künstlern gezählt wurden, wenn ich den Legenden Glauben schenken darf. Aber ich kann mir schlecht ein Messer individuell herstellen lassen und dann damit ein paar Leute umlegen. Ich muss mit dem vorliebnehmen, was es im Handel zu kaufen gibt.

In Uslar hätte ich mir fast das Klappmesser Speedlock Thuja von Böker gekauft. Es lag leicht in der Hand, aber die Klingenlänge von 8,5 Zentimetern reichte mir einfach nicht aus.

Auch das Davis Classic Hunter gefällt mir. Die Klinge ist nur ein wenig länger, 8,8 Zentimeter.

Nach der Verschärfung des Waffengesetzes 2008 darf man Messer mit einer Klingenlänge über 12 Zentimeter nicht mit sich führen, und sämtliche Einhandmesser, egal, wie lang die Klinge ist, darf man nur mit sich führen, wenn *ein berechtigtes Interesse vorliegt.*

Nun, das ist bei mir der Fall. Ich will damit jemanden töten.

Ein berechtigtes Interesse, so führt das Gesetz aus, *liegt insbesondere vor, wenn das Führen der Gegenstände im Zusammenhang mit einer Berufsausübung erfolgt, der Brauchtumspflege, dem Sport oder einem allgemein anerkannten Ziel dient.*

Ich erfülle all diese Voraussetzungen. Als Berufskiller nutze ich es bei meiner Berufsausübung. Da ich es nicht zum ersten Mal tue, dient es sozusagen auch der Brauchtumspflege. Ist ja fast schon eine Tradition, dass ich miese Typen mit einem Einhandmesser beseitige. Sportlich finde ich es auch. Und es dient einem allgemein anerkannten Zweck: Ich mache die Welt damit ein bisschen schöner.

Eigentlich will der Staat nur Klappmesser erlauben, bei denen man eine zweite Hand braucht, um die Klinge aus dem Schaft zu ziehen. Kaum ein Hersteller traut sich noch, Einhandmesser mit einer Klingenlänge von über neun Zentimetern herzustellen.

Im Internet gibt es noch ein paar Produkte, aber ich kann mir kein Messer im Internet bestellen. Ich muss es in der Hand halten, ich muss es fühlen, Kontakt dazu aufnehmen, spüren, ob es für meine Zwecke geeignet ist, ob ich damit klarkomme, verflucht!

So schleiche ich durch die Fußgängerzonen und suche Geschäfte für Anglerbedarf oder Jagdwaffen. Man muss ja nicht gleich nach Solingen, um eine gute Stahlklinge zu bekommen.

Ich fahre zunächst von Uslar nach Göttingen, in der Hoffnung, dort ein gutes Messer erstehen zu können. Aber weder bei Waffen-Hüsing noch bei MT Jagd spricht mich ein Messer wirklich an. Sie liegen alle kalt in meiner Hand. Leblos. Nein, ich brauche eine Waffe mit einer Seele.

Über die A42 fahre ich in Richtung Gelsenkirchen. In Dortmund werde ich bei Frankonia fast fündig. Vermutlich zieht der Laden mich wegen des Namens an, vielleicht, weil ein Teil von mir sich noch als Franke fühlt oder weil ich vorhabe, mit dem Messer, das ich jetzt kaufe, in Franken mein Werk zu vollenden.

Ein Herbertz-Messer besticht in seiner schlichten Schönheit, aber als ich es in die Hand nehme, spüre ich nichts. Nein, diese Waffe gehört nicht zu meinem Körper.

Unverrichteter Dinge kehre ich nach Gelsenkirchen zurück.

Oben in meinem weißen Turm nutze ich die Bildschirme von Computer und Fernsehen wie riesige Fenster in die Welt. Ich komme mir sehr alt vor, als sei ich in der Zeit zurückgefallen wie ein Ritter in seiner Burg, der durch die Schießscharten die Feinde beobachtet, die sich langsam nähern.

In den Gruppen *Wi sünd Ostfreesen un dat mit Stolt* und *Nordseefreunde* wird genau wie in *Du bist norddeichverrückt, wenn ...* der gleiche YouTube-Film geteilt. Ann Kathrin Klaasen vor der Polizeiinspektion Norden. Neben ihr Kommissar Frank Weller, der die Reste eines Krabbenbrötchens vertilgt. So, wie er aussieht, ist es ihm unangenehm. Eine Krabbe fällt auf seinen Hemdkragen. Es sieht aus, als würde sie an seinem Hals hochklettern.

Die beiden sind umringt von vielen Bürgern, darunter auch Holger Bloem und weitere Journalisten. Ich erkenne eine ehemalige Patientin von mir, die jetzt zur Gruppe meiner Facebook-Unterstützer gehört. Monika Tapper, neben ihr, wie ein Fels in der Brandung, der Maurer Peter Grendel.

Ann Kathrin Klaasen verschafft sich mit einer Handbewegung

Ruhe und spricht heiser, als hätte sie Knötchen auf den Stimmbändern: »Ich kann hier nur wiederholen, was ich drinnen bei der Pressekonferenz bereits gesagt habe. Ja, nach den neuesten Erkenntnissen besteht berechtigter Zweifel daran, dass es sich bei Johannes Theissen, hier besser bekannt als Dr. Bernhard Sommerfeldt, wirklich um den gesuchten Serienkiller handelt. Auf Langeoog wurde unzweifelhaft das Messer gefunden, mit dem acht Menschen erstochen worden sind. Die Fingerabdrücke am Messer stammen nicht von Dr. Bernhard Sommerfeldt. Es ist auch richtig, dass seine ehemalige Sprechstundenhilfe Cordula Baumann als vermisst gilt. Wir suchen sie inzwischen als Zeugin. Mehr kann ich Ihnen leider im Moment nicht sagen.«

Weller hat sich endlich die Reste seines Krabbenbrötchens in den Mund gestopft. Er sagt nichts, sondern kaut mit übervollem Mund. Ann Kathrin Klaasen und er drehen sich um in Richtung Polizeiinspektion.

Holger Bloem bleibt draußen. Eine junge Frau springt hinter Holger Bloem hoch und ruft: »Aber Frau Klaasen, Dr. Sommerfeldt hat die Morde doch Ihnen gegenüber gestanden, oder nicht?«

Ann Kathrin Klaasen dreht sich noch einmal um. Ihr Körper ist schon fast in der Polizeiinspektion verschwunden, sie hält die Tür nur noch einen Spalt offen.

»Ja, telefonisch hat er mir sechs Morde gestanden und auch behauptet, Tido Lüpkes umgebracht zu haben.«

Die Kommissarin schließt die Tür. Jetzt bestürmen alle Holger Bloem, der abwehrend die Hände hebt: »Ich bin Journalist, kein Kommissar.«

»Aber Herr Bloem, haben Sie eine Theorie?«

»Ja, die habe ich«, sagt Holger Bloem. »Morgen werden Sie mehr erfahren. Ich gehe jetzt in die Redaktion und schreibe meinen Bericht.«

Er versucht, sich einen Weg durch die Menge zu bahnen. Mit dem Handy wird er weiter gefilmt. Das Bild wackelt.

»Herr Bloem«, ruft jemand, »halten Sie Dr. Sommerfeldt für unschuldig?«

Bloem bleibt stehen und schaut gerade in die Kamera. »Ja, ich halte es für denkbar, dass er die Morde aus Liebe gestanden hat, um jemanden zu schützen.«

Mein Hals wird trocken, während ich mir das anschaue. Was ist das für ein Spektakel? Was ziehen die da ab?

Knapp zwei Stunden später geht Bloems Artikel als Meldung über dpa: IST DR. SOMMERFELDT UNSCHULDIG? GESTAND BELIEBTER ARZT DIE MORDE NUR, UM EINE MITARBEITERIN SEINER ARZTPRAXIS ZU SCHÜTZEN?

Bloems Artikel beginnt mit der Behauptung, viele Menschen hätten im Laufe der Kriminalgeschichte Verbrechen gestanden, die sie nicht begangen haben. Teilweise, weil sie dem Verhördruck nicht länger standgehalten haben, teilweise, weil sie sich wegen anderer Dinge schuldig fühlten und nach Bestrafung sehnten oder auch, weil sie schlicht nicht wussten, ob sie die Tat begangen hatten oder nicht. Einer der häufigsten Gründe sei es aber, andere Menschen schützen zu wollen.

Er zählt ein paar Mütter auf, die bereit waren, für ihre Kinder ins Gefängnis, ja, sogar auf den elektrischen Stuhl zu gehen.

Meine Mutter hätte für mich nicht mal ihren Kaffee kalt werden lassen, denke ich. Die käme nie auf die Idee, eine Tat zu gestehen, die ich begangen habe, nur, um mich zu schützen. Bloems Behauptung erscheint mir absurd.

Er versucht tatsächlich, in ausgewogenen Worten Zweifel an meiner Täterschaft zu säen.

Beate ist völlig aus dem Spiel. Niemand spricht über sie. Das ist das Positive daran. Hier geht es nicht mehr um die Ehre einer

Grundschullehrerin, sondern obwohl Bloem den Namen nicht nennt und alles in Fragen formuliert, kann doch jeder deutlich herauslesen, er hält mich nicht für einen Serienkiller, sondern für einen guten Menschen, der eine Frau schützt, die sich an Männern gerächt hat, die ihr in ihrem Leben etwas Schlimmes angetan haben. Von denkbaren Erniedrigungen ist die Rede, möglicherweise Vergewaltigungen. Nun wird auch offen darüber gesprochen, dass das letzte Opfer auf Langeoog »ein ausbeuterisches Verhältnis zum weiblichen Geschlecht hatte und sich zwar Manager nannte, aber wohl doch eher ein Zuhälter gewesen sei«.

Eine strafbare Handlung rechnet Bloem mir ganz klar zu. Ja, ich hätte wirklich keine Approbation gehabt und auf betrügerische Weise hochstaplerisch eine Arztpraxis in Norddeich geführt, um der polizeilichen Verfolgung zu entgehen und vor meinen Gläubigern aus Bamberg zu fliehen. *Statt sich dort*, schreibt Bloem, *den Tatsachen zu stellen, flüchtete er in die Phantasie, ein guter Arzt zu sein. Diese Rolle spielte er glaubhaft.*

Ich gehe zum Wasserhahn, drehe ihn weit auf und halte meinen Mund einfach in den Strahl. Ich schlucke und schlucke. Dann lasse ich mir kaltes Wasser über den Kopf laufen.

Was ist hier eigentlich los? Denkt Bloem wirklich, was er hier schreibt?

Minuten später werden im Netz Fotos hochgeladen, die Cordula mit Heiko Mahr draußen in der Meierei auf Langeoog zeigen. Sie wirken wie ein turtelndes Pärchen.

Ich wette alles darauf, was in meinem Uslarer Versteck liegt, dass diese Bilder von Jackie stammen.

Ich habe das noch nicht ganz verdaut, da ruft Heiner Graff mich an und hustet mit seiner asthmatischen Stimme: »Es ist nicht ganz so gut gelaufen, wie wir dachten, mein Junge. Die Mistsau hat uns ein paar Probleme hinterlassen.«

»Probleme? Was für Probleme?«

»Es geht um eine ganze Ladung Koks. Das Zeug gehört ihm nicht, und er hat es auch noch nicht bezahlt. Jetzt wollen sie entweder den Stoff von meiner Tochter oder das Geld.«

»Das ist nicht mein Problem«, sage ich hart. »Ich habe echt andere Sorgen.«

»Hör mal, wir sind Freunde! Du wirst mich doch jetzt nicht darauf hängenlassen!«

»Freunde«, stöhne ich und bin mir sicher, dass er das sogar ernst meint.

»Andere«, sage ich, »spielen mit ihren Freunden Golf.«

»Das können wir ja auch gerne mal machen, aber jetzt stecken wir bis zum Hals in der Scheiße. Du musst mir noch einmal helfen.«

»O nein«, wehre ich ab, »o nein. Ich habe selber genug am Hals.«

»Mit den Jungs ist nicht zu spaßen. Die werden meine Tochter in Stücke schneiden, wenn sie ihnen nicht zurückgibt, was ihnen gehört.«

»Sie kann einfach zur Polizei gehen«, schlage ich vor.

Er lacht böse. »Ja, andere Leute rufen die Polizei, wenn ihr Fahrrad geklaut wird, und dann bestellen sie sich eine Pizza. Aber wir haben es nicht mit Fahrraddieben zu tun.«

Während ich mit ihm telefoniere, sehe ich auf dem Bildschirm ein Foto von Cordula. Es ist ein altes Foto. Sie ist darauf sehr jung. Vielleicht hat sie das Foto zu einer Zeit machen lassen, als sie gerade ihre Führerscheinprüfung bestanden hat, denke ich.

»Ich kann jetzt nicht länger mit dir sprechen. Ich …«

»Sei ehrlich zu mir«, verlangt er energisch. »Hast du den Koks? Das kannst du mir nicht antun!«

»Ich?«, frage ich ehrlich empört. »Ich habe bei ihm ein paar

Gramm gefunden. Vielleicht zehn. Höchstens. Darum wird's ja wohl nicht gehen, oder?«

»Nein. Es geht um ein paar Kilo. Hast du eine Tasche gesehen? Kann er es mit nach Langeoog genommen haben? Meine Tochter sagt, sie wisse von nichts.«

»Na, da habe ich ja mit deiner Tochter etwas gemeinsam.«

»Verarsch mich nicht! Du willst doch nicht, dass ich dich hoch-gehen lasse?!«

»Du drohst mir, nach allem, was ich für dich getan habe?«

Ich knipse das Gespräch weg und schalte den Fernseher lauter. Ann Kathrin Klaasen spricht schmallippig in die Kamera. Hinter ihr groß das Foto von Cordula.

»Unsere Laborergebnisse sind eindeutig. Wir suchen Frau Cor-dula Baumann im Zusammenhang mit dem Mord an Heiko Mahr. Es ist vollkommen unklar, ob sie selbst Opfer des Täters wurde, Zeugin des Verbrechens war, Komplizin oder gar Alleintäterin. Bitte unternehmen Sie nichts selbsttätig, wenn Sie die Frau sehen. Informieren Sie die Kriminalpolizei.«

Jetzt schießen überall die Spekulationen ins Kraut. In den ersten Radiosendungen wird Cordula schon »die mutmaßliche Täterin« genannt, und was bei Holger Bloem noch Fragen waren, wird für andere, die ich nie gesehen oder gesprochen habe, zur Gewissheit: Ich bin unschuldig.

Die Geschichte, dass ein liebender Mann Morde auf sich nimmt, um eine Frau zu decken, ist einfach zu toll. Und endlich gewinnen die Menschen wieder Vertrauen zurück in ihre Hausärzte. Das Blatt hat sich gelassen gedreht.

Meine Unterstützergruppe bei Facebook hat gerade das 4691ste Mitglied gewonnen. Eine zweite Gruppe wird eröffnet, die sich von der ersten abspaltet. Die zweite Gruppe wirft der ersten vor, sie sei ja von Cordula gegründet worden, wahrscheinlich nur, weil sie ein schlechtes Gewissen mir gegenüber gehabt habe. So hätte sie sich als meine Unterstützerin aufgespielt, während ich in Wirklichkeit für die Morde gejagt wurde, die sie begangen hat. Plötzlich sind auch Leute da, die Cordula zusammen mit Ricklef, seinem Kumpel und auch mit Tido Lüpkes gesehen haben wollen.

Ich bekomme große Lust, ein Wasserglas voll Whisky zu trinken. Ich kämpfe gegen den Wunsch an, besoffen zu sein. Ich brauche jetzt einen klaren Verstand. Jetzt mehr denn je.

33

Ich will den Schutzraum dieser Gelsenkirchener Wohnung nicht verlassen. Ich koche marokkanisch. Ich will endlich mal wieder Couscous essen. Ich will, dass die Wohnung nach gutem Essen riecht. Ich möchte meine Erinnerungen zurückholen an die gute Zeit in Marokko, als unsere Nähfabriken in Rabat und Casablanca noch liefen und wir mehr als fünfhundert Menschen Arbeit und Brot geben konnten.

Meine Finger färben sich gelb, weil ich frische Kurkumawurzeln schneide. Jetzt sehe ich aus, als sei ich ein süchtiger Raucher, dessen Fingerspitzen vom Nikotin verfärbt wurden.

Vielleicht, denke ich, habe ich auch diese Sprache, diese ganze Gedankenwelt, nur von meinen Eltern übernommen. Haben wir eigentlich großzügig Arbeit und Brot gegeben oder haben wir nicht viel mehr von ihnen genommen, sie als billige Arbeitskräfte ausgenutzt, weil in Deutschland die Lohnkosten viel zu hoch gewesen wären, um die Modeartikel noch gewinnbringend zu verkaufen?

Ich würde gerne mit meinem Vater sprechen. Vielleicht gibt es ja doch noch Dinge, an die er sich erinnert. Vielleicht hat die Demenz ihn ja nicht vollständig umnachtet. Vielleicht hat er helle Momente. Aber seit dem zweiten Schlaganfall ist er stumm. Das war der große Tag für meine Mutter. Ab dann konnte sie für ihn sprechen, hatte vollständig die Herrschaft über die Familie, über den Betrieb, über mich.

Er war immer das vorgeschobene Familienoberhaupt, das eigentlich nichts zu sagen hatte. Zwar Chef im Betrieb, aber in den eigenen vier Wänden nur ein Pantoffelheld.

Wenn ich ihn wenigstens anrufen könnte … Je monströser meine Mutter für mich wird, umso wichtiger scheint mir der Kontakt zu meinem Vater zu sein. Ein Kontakt, den ich in Wirklichkeit nie ernsthaft hatte. Ich habe höchstens versucht, zu sein wie er, und auch das nur halbherzig. Ich wollte es ja nicht wirklich, sondern ich dachte nur, dass von mir erwartet wird, dass ich es will.

Ich war ein Junge. Mein Vorbild konnte doch schlecht meine Mutter sein. Auf der Suche nach männlichen Vorbildern hatte mir mein ständig abwesender Vater wenig zu bieten. Wenn er in der Weltgeschichte unterwegs war und ich allein mit meiner Mutter zu Hause oder später dann im Internat, konnte ich mir wenigstens vorstellen, was für ein Held er war. Wenn ich ihn zu Hause erlebte, kuschte er vor meiner Mutter und erledigte in vorauseilendem Gehorsam die Dinge, von denen er vermutete, dass sie sie sich von ihm wünschte. Darin war er wie unsere Hausangestellten.

Man sprach leise bei uns. Schneidend und laut war höchstens mal sie. Aber dann war die Luft richtig dick.

Vielleicht koche ich deswegen so gerne, weil Kochen zu den Dingen gehört, die meine Mutter überhaupt nicht kann. Was sie kochen nennt, ist mehr ein Warmmachen. Fertiggerichte in die Mikrowelle schieben, darin ist sie groß. Ich war immer begeistert, wenn sie das getan hat. Richtig schlimm wurde es erst, wenn sie versuchte, irgendwelche Kochrezepte auszuprobieren.

Schon eine Tiefkühlpizza knusprig zu backen und nicht anbrennen zu lassen, war eine große Herausforderung für meine Mutter.

Vielleicht konnte sie in Wirklichkeit kochen und hat es für sich selbst auch heimlich getan. Aber wenn sie es für meinen Vater und mich tun musste, hat sie es mehr als Bestrafungsaktion verstanden.

Ja, darin, uns leiden zu lassen, war sie großartig. Und wir haben gute Miene zum bösen Spiel gemacht und noch so getan, als würde die verkochte, gewürzlose Pampe uns schmecken.

Knoblauch, Kurkuma, Ingwer, die rote Paprikaschote – das alles kommt mir so ehrlich vor. Ich röste Mandeln ohne Fett in einer Pfanne. Das Hähnchenfleisch wird im Bräter goldbraun. Die Wohnung duftet wunderbar.

Ich will gerade alles mit Brühe aufgießen, da klingelt es. In meiner Situation ist so ein Klingelton wie ein Schuss. Er fährt direkt in den Magen. Die kleinen Härchen auf meinen Unterarmen stellen sich auf. Ich bin in Alarmbereitschaft.

Noch habe ich das richtige Messer zum Töten nicht gefunden. Aber meine Messersammlung hier in der Küche reicht aus, um ein paar Leute ins Jenseits zu befördern, und mit einem Küchenmesser in der Hand wirkt ein Koch zunächst mal harmlos.

Da ich stumpfe Messer hasse, sind meine scharf. Alle.

Ich habe ein Fleischmesser, groß und schwer wie eine Machete. Es ist wunderbar, um Knochen zu zerteilen. Ich halte den Griff fest umschlossen, als ich zur Tür gehe. Durch den Spion erkenne ich Cordula. Es ist unfassbar. Vor der Tür steht Cordula Baumann, meine ehemalige Sprechstundenhilfe, die jetzt überall gesucht wird.

Ich reiße die Tür auf und inspiziere mit einem Blick über ihre Schultern den restlichen Flur. Sie ist allein. Sie hat keine Angst vor meinem Messer. Es stört sie überhaupt nicht. Sie verpasst mir eine schallende Ohrfeige. Mein Kopf fliegt zur Seite, meine Wange brennt.

Ich schaue die kleine, pummelige Frau irritiert an.

Sie haut gleich noch einmal zu, diesmal auf die andere Wange. Mit glühendem Gesicht stehe ich vor ihr.

»Wie«, frage ich, »hast du mich gefunden?«

Sie lacht und schiebt mich in die Wohnung. Sie ist blass vor Wut, aber sie genießt diesen Triumph. Jeder Polizist von Norddeich-Mole bis Oberstdorf sucht mich, aber sie hat mich gefunden.

Sie geht zum Herd, schaut und schnüffelt. »Na, da danke ich aber für die Einladung. Ich habe einen Mordshunger.«

»Wie hast du mich gefunden, verdammt?«, wiederhole ich.

»Ich habe«, grinst sie mich breit an, »schon immer deine Bücher gelesen, um zu wissen, wie du tickst. Deine Autoren haben mir gefallen. In der Lyrik sind wir ziemlich auf einer Wellenlänge. Ab und zu lese ich auch gerne mal amerikanische oder schwedische Thriller-Autoren. Du magst ja mehr die deutsche Kriminalliteratur.«

»Wie, verdammt?«, brumme ich und nehme das Messer fester in die Hand. Die Klingenspitze zeigt in ihre Richtung.

Es scheint ihr wenig auszumachen. Sie weiß, dass ich ihr nichts tun würde, bevor ich die Information habe, mit der sie gerade häppchenweise herausrückt.

»Du hast Bücher aus der Stadtbücherei mitgehabt. Nele Neuhaus und den dicken Gedichtband von Christoph Meckel …«

Es läuft mir heiß den Rücken herunter.

Als sei sie wirklich einer Einladung zum Essen gefolgt, nimmt sie sich eine Gabel, stochert im Bräter herum und probiert.

»Ich habe«, sagt sie, »viel Lobenswertes über deine Kochkünste gehört. Leider hast du ja mit deinen raffinierten Gerichten lieber deine magersüchtige Beate bekocht, während ich zu Hause bei meinen Eltern Hausmannskost genießen durfte.« Sie dreht sich jetzt mit dem Rücken zum Herd, schaut mich breit grinsend an und spottet: »Vielleicht solltest du beim nächsten Mal den Büchereiausweis nicht als Lesezeichen benutzen. Lass es dir eine Lehre sein, falls du im nächsten Leben wieder als Serienkiller geboren werden wirst. Oder meinst du, du wirst eher zur Küchenschabe werden?«

Während ich noch ihre Information verdaue, dreht sie richtig auf. »Am liebsten würde ich dir noch mal eine reinhauen.«

Sie holt aus und macht einen Schritt in meine Richtung. Ich weiche nicht aus, bin bereit, die dritte Ohrfeige entgegenzunehmen. Sie stoppt aber. Es reicht ihr wohl, dass sie mich schlagen könnte und ich mich nicht wehren würde. Sie funkelt mich böse an, zeigt zum Fenster und brüllt: »Was läuft da gerade?«

»Wo?«, frage ich.

Weiße Speichelflocken fliegen aus ihrem Mund in meine Richtung. »Deine Freunde machen mich fertig!«

»Ich habe keine Freunde«, sage ich ehrlich, und es ist genauso traurig, wie es sich anhört.

Damit mache ich sie noch zorniger. »Dein Holger Bloem, deine Ann Kathrin Klaasen sprechen dich jetzt frei und schieben mir alles in die Schuhe! Du bist auf einmal der tolle Held und ich die geisteskranke Serienkillerin.«

Ich verteidige mich: »Damit habe ich nichts zu tun!«

»Ach nein? Wenn sie mich abholen und einsperren, dann kannst du danach wieder zu deiner tollen Frau nach Norddeich. Sie darf Grundschullehrerin bleiben, und du eröffnest eine Praxis. Wahrscheinlich müssen sie dir sogar eine Entschädigung zahlen, weil sie dich zu Unrecht beschuldigt und verfolgt haben …«

»Ich kann nie wieder eine Praxis eröffnen. Ich bin kein Arzt …«

Sie winkt ab. »Wer ein halbes Dutzend Leute umlegt und das dann jemand anderem in die Schuhe schieben kann, der kriegt das auch gewuppt.«

Es schmeichelt mir fast, für wie clever sie mich hält.

»Ich habe alle Morde gestanden. Ich habe es Ann Kathrin Klaasen gegenüber getan, und Holger Bloem weiß auch Bescheid. Ich mache es gerne auch noch mal schriftlich …«

»Ja, damit du ein noch größerer Held wirst«, keift sie, »der Mann,

der aus Liebe alle Schuld auf sich nimmt! Wie geil ist das denn?«
Sie klatscht sich mit der flachen Hand gegen die Stirn. »Und für
dich habe ich im Internet eine Unterstützergruppe gegründet! Ich
Idiotin habe überall behauptet, du seist es nicht gewesen. Habe
versucht, dir Alibis zu geben! Ich blöde Kuh habe behauptet, du
seist zu den fraglichen Zeiten mit mir zusammen gewesen!«

»Ich will nicht, dass irgendjemand für meine Taten büßen muss.
Im Gegenteil. Ich habe immer dazu gestanden! Ich will das auch
weiterhin tun!«

»Sie jagen mich«, schreit sie, »mich!«

»Ja, du hast Heiko Mahr erstochen. Mit meinem Messer. Es sind
deine Fingerabdrücke und deine DNA-Spuren dran. Die Leute haben dich mit ihm gesehen, ja, sogar fotografiert. Seine Jackie hat
die Polizei garantiert auf deine Spur gehetzt.«

Wieder schlägt sie nach mir. Diesmal halte ich ihre Hände fest.
Es reicht mir.

»Komm erst mal runter«, schlage ich vor. »Lass uns essen und
nachdenken.«

»Nachdenken? Was gibt's denn da nachzudenken?«

»Wir werden beide lebenslang ins Gefängnis gehen, wenn man
uns kriegt«, sage ich so emotionslos und sachlich wie möglich.

Cordula beginnt zu zittern und kriegt einen Weinkrampf.

Ich mache ihr sofort eine Liebeserklärung, weil ich weinende
Frauen überhaupt nicht ertragen kann. Es endet damit, dass sie
schließlich in Embryonalhaltung zusammengekauert vor dem
Sofa liegt. Davor, keineswegs darauf. Ich knie neben ihr, küsse immer wieder ihr Gesicht und streichle sie. Sie dreht sich aber ständig
weg. Sie ist unwillig und liebesbedürftig zugleich.

Dann serviere ich, um überhaupt irgendetwas zu tun, das Essen.
Keine Ahnung, ob es inzwischen verkocht ist oder noch gar nicht
ganz durch. Das Hähnchenfleisch blubbert in der Brühe. Ich decke

einfach den Tisch und lade das Essen auf zwei Teller. Aber sie hört nicht auf zu heulen.

Nun sitze ich alleine am Esstisch, während sie auf dem Boden liegt und ihr Essen kalt wird.

Ich schmecke so gut wie nichts, aber ich esse trotzdem tapfer, als könnte ich mir so Boden unter die Füße schaffen. Bei ganz kleinen, simplen Dingen anfangen, die man beeinflussen kann. Kochen. Essen. Trinken. Abwaschen. Aufräumen. Sich anziehen. Lüften.

Schließlich nehme ich ihren Teller, setze mich auf den Boden und biete ihr mit einer Gabel mein marokkanisches Hühnchen an. Eine geröstete Mandel fällt von der Gabel auf ihre Nase. Sie scheint das nicht einmal zu bemerken. Die Mandel bleibt einfach da liegen.

Ich berühre mit etwas Hähnchenfleisch ihre Lippen. Jetzt schaut sie mich an. Sie guckt von unten herauf. Ihre Augen wirken, als würde sie mich aus dem Totenreich ansehen. Kalt und klar.

Schließlich probiert sie einen Happen, dann isst sie. Erst langsam, dann immer schneller und gieriger, bis nur noch Hähnchenknochen auf dem Teller zurückbleiben.

»D… das … das war wirklich gut«, sagt sie und nickt, als müsse sie es sich selbst bestätigen.

»Du kannst noch mehr haben«, biete ich ihr an.

»Durst«, sagt sie.

Ich bringe ihr Leitungswasser.

Sie trinkt gierig. »Du … du hast das alles nicht gewollt, stimmt's?«, fragt sie.

»Natürlich nicht. Ich wollte auch nicht, dass du Heiko Mahr tötest. Ich hätte das sehr gerne selber erledigt. Ich fühle mich total mies dir gegenüber, Cordula.«

Jetzt, da ich die Schuld auf mich nehme, sagt sie: »Das musst du nicht. Ich habe es mir selbst eingebrockt. Ich habe es einfach vergeigt. Ich wollte so gerne bei dir sein. Ich wollte dich von meiner Liebe überzeugen. Ich wollte dich für mich haben. Ich dachte, das ist meine große Chance. Ich …«

So, wie sie da sitzt und spricht, rührt sie mich zutiefst an. Ich streichle ihr Gesicht. Sie drückt ihr Gesicht immer fester gegen meine Hand, fasst mein Handgelenk an, hat Angst, dass ich mich ihr entziehe.

»Ich will«, sagt sie, »einfach nur bei dir sein.«

»Das bist du ja.«

Wir sitzen eine Weile, halten uns gegenseitig fest und streicheln uns.

»Weißt du«, fragt sie, »was ich zwischendurch sogar dachte?«

»Nein. Was?«

»Ich dachte, das alles ist ein abgekartetes Spiel zwischen Holger Bloem, Ann Kathrin Klaasen und dir. Ich bin das Bauernopfer, und ich blöde Ziege bin in die Falle gelaufen …«

»So ist es aber nicht.«

Sie besteht darauf, dass ich mir mit ihr in der Mediathek Aussagen von Holger Bloem und Ann Kathrin Klaasen anschaue.

Es ist von berechtigten Zweifeln die Rede, davon, dass ich möglicherweise unschuldig sei. Dreimal spielt Cordula mir Ann Kathrin Klaasens Aussage vor: »Wir können nicht ausschließen, dass Dr. Sommerfeldt die Morde nur gestanden hat, um eine andere Person zu schützen.«

Und Holger Bloem weiß gleich, wie oft so etwas in der Kriminalgeschichte bereits geschehen ist, kommt mit Statistiken und Fallbeispielen.

»Sie war«, sagt Cordula mit zu Schlitzen verengten Augen, »deine Patientin. Du hast auch Hausbesuche bei ihr gemacht.«

Es macht keinen Sinn, das zu leugnen. Ich gebe es sofort zu: »Ja, natürlich.«

»Ich wette«, folgert Cordula, »sie ist genauso verknallt in dich wie ich. Und wie einige andere Patientinnen von dir.«

»Ach, hör doch mit dem Quatsch auf!«

»Quatsch?«, lacht sie. »Was meinst du denn, wie viele von denen, die gleich bei meiner Facebook-Unterstützergruppe dabei waren, verknallt in dich sind? Die meisten wären bereit, auf einen Wink von dir ihre Männer sofort zu verlassen …«

»Das bildest du dir nur ein. Du schließt von dir auf andere, Cordula.«

Sie lacht mich aus. »Tu doch nicht so, als hättest du es nicht gemerkt, Sonnyboy! Du hast alles dafür getan, dass sie dich mögen!«

»Ja, ich werde gerne gemocht, das stimmt schon, aber … Das ist doch jetzt auch völlig egal, Cordula. Was spielt es noch für eine Rolle? Ich habe ein hübsches Sümmchen zusammen. Wir können uns neue Papiere besorgen und gemeinsam fliehen und irgendwo …«

Sie lächelt. »Ja, Liebster, das werden wir tun. Und wo immer wir von vorne beginnen, da werden wir gleich als Ehepaar auftauchen. Ich will Kinder haben und …«

»Kinder«, frage ich, »in unserer Situation?«

»Es macht uns unverdächtig. Es gibt uns die Möglichkeit, ein ganz neues, anderes Leben zu führen. Aber vorher haben wir noch etwas zu erledigen.«

»Was denn?«

»Ich will, dass du sie tötest.«

»Wen?«

»Diese Ann Kathrin Klaasen. Und dann hauen wir beide gemeinsam ab.«

Ich versuche, mich dagegen zu wehren. »Aber warum soll ich denn …?«

»Um mir deine Liebe zu beweisen.« Sie stößt sauer auf. Einen

Moment befürchte ich, dass sie sich übergeben wird und frage mich schon, ob etwas mit dem Hähnchen nicht gestimmt hat. Dann rülpst sie wenig damenhaft in mein Gesicht und verlangt noch einmal: »Töte sie! Damit ich weiß, woran ich mit dir bin.«

»Ich kann das nicht«, sage ich sehr klar. »Ich habe noch nie eine Frau geschlagen. Ich bin bestimmt nicht fähig, eine zu töten.«

»Jaja, ich weiß«, zischt Cordula gemein und trifft mich damit wirklich. »Wenn du es nicht alleine schaffst, dann lass es uns gemeinsam tun«, schlägt sie vor und schaut mich dabei liebevoll an, als hätte sie mir gerade einen Heiratsantrag gemacht und nicht einen gemeinschaftlichen Mord vorgeschlagen.

»Warum?«, frage ich. »Warum?«

Cordula versucht, witzig zu sein: »Du denkst, ich will das, weil ich eifersüchtig auf sie bin? Ha! Hahaha! Nein, das bin ich nicht. Sie ist ein echter Jagdhund. Glaub mir, Bernhard, wenn uns jemand kriegt, dann die. Sie verbeißt sich da hinein. Es ist ihr Lebensinhalt. Schau sie dir doch an. Die hat doch sonst nichts. Die will dich und mich zur Strecke bringen, weil sie es nicht aushält, dass in ihrem Revier jemand Morde begangen hat und dafür nicht zur Rechenschaft gezogen wird.«

»Das ist doch Unsinn.«

»Ist es nicht. Und das weißt du genau! Sie kann sich selbst nicht verzeihen, dass sie deine Patientin war und dich nicht durchschaut hat. Wie peinlich ist das für sie! Sie jagt den Serienkiller, und der stellt ihr einen Krankenschein aus. Wir holen sie uns, und dann verschwinden wir gemeinsam und fangen ein neues Leben an.«

Ich sage nichts mehr. Meine Gefühle fahren Achterbahn. Da ist eine Stimme in mir, vielleicht die des Schriftstellers. Die Stimme verspricht: *Wenn du Ann Kathrin Klaasen schaffst, dann wirst du auch mit deiner Mutter fertig.*

34

Cordula schläft. Ich sitze, nur mit schwarzweiß gestreiften Boxershorts bekleidet, am Küchentisch und schreibe. Ich sehe der Feder zu, wie die Tinte herausfließt und auf dem Papier Buchstaben formt, mit denen ich versuche, festzuhalten, was geschehen ist.

Seit drei Tagen sind wir hier in meinem Turm. Um das festzustellen, muss ich das Internet bemühen. Zeit scheint keine Rolle mehr zu spielen, sondern sich aufzulösen durch Ungeheuerlichkeiten in Sachen Haut. Wir haben uns nicht gewaschen. Meine Haut riecht nach ihrem Schweiß. Auf meinen Lippen schmecke ich ihren Speichel. Wir haben in den letzten Stunden so viele Körperflüssigkeiten wie möglich ausgetauscht.

Von meinem Platz in der Küche aus kann ich Cordula im Wohnzimmer auf der Couch liegen sehen. Sie ist nackt, in eine leichte Decke gekuschelt. Ihr rechter Fuß ragt heraus und zuckt manchmal, weil eine Fliege ihn umkreist und sich immer wieder daraufsetzt. Cordula ist strubbelig, als hätte der ostfriesische Wind ihre Haare durcheinandergebracht. Doch der war es nicht, sondern ich habe sie mit meinen Händen zerwühlt.

Mit diesem kleinen, dicken Pummelchen habe ich Maßlosigkeiten erlebt, die meinen Körper zu einer einzigen erogenen Zone gemacht haben. Sie hat an meinen Fingern gesogen, an meinen Ohrläppchen gekaut, und ich spüre ihre Zunge noch zwischen meinen Zehen. Sie entspricht so gar nicht dem im Fernsehen und in Zeitschriften propagierten Schönheitsideal. Ein Pummelchen mit Speckrollen und breitem Hintern hat mich fast um den Verstand gebracht.

Vielleicht, denke ich, hat man einfach mit dem Menschen den besten Sex, den man am meisten liebt. Kann das sein? Dann wäre jeder Bordellbesuch reiner Blödsinn, verschwendete Zeit, verschwendetes Geld. Dann wären One-Night-Stands lächerlicher Betrug an sich selbst. Für mich scheint es hier und jetzt genau so zu sein.

Zum ersten Mal habe ich einem Menschen aus meinen Aufzeichnungen vorgelesen. Ja, verdammt, ich habe es getan! Ich war so aufgeregt!!! Sie hat mir wirklich zugehört, sie ist nicht eingeschlafen, sie hat keine dummen Kommentare abgegeben. Manchmal klatschte sie zwischendurch in die Hände und rief: »Ja, das ist er, mein Bernhard!« Einmal sagte sie: »Du bist ein richtiger Schriftsteller. Das alles muss veröffentlicht werden!«

»Wie soll das gehen?«, habe ich sie gefragt. »Die Aufzeichnungen eines Serienkillers? Soll ich dann mit dem Buch auf Lesereise gehen?«

»Schick es an einen Verlag«, forderte sie. »Sie werden es drucken, glaub mir.«

»Ich will doch kein Geld damit verdienen«, verteidige ich mich, und sie schlägt vor: »Schreib ihnen, wohin die Honorare sollen. An eine gemeinnützige Organisation meinetwegen.«

Ich kann es kaum glauben, aber aber wir diskutieren ernsthaft, wer in den Genuss meiner Honorare kommen soll. Wer auf der Flucht ist, kann schlecht seine Kontonummer angeben. Vom Kinderschutzbund bis zur Hospizbewegung finden wir viele Möglichkeiten, das Geld sinnvoll unterzubringen. Sie findet es sogar witzig, alles der Flüchtlingshilfe zu spenden, denn immerhin, scherzt sie, seien wir ja selbst auf der Flucht. Nur, dass wir mit unserer Vorgeschichte in keinem Land einen Asylantrag stellen könnten.

Wir kochen zusammen, essen gierig aus Töpfen und sehen uns dabei an, als würde jeder den anderen verschlingen.

An der Schulter und am Arm habe ich Bisswunden von ihr. Sie Knutschflecke am Hals. Ich spüre bei jeder Bewegung, dass sie meinen Rücken zerkratzt hat. Der Schmerz tut gut.

Wir lieben uns nicht nur, sondern streiten auch heftig. Immer, wenn es darum geht, Klarheit über die Liste zu bekommen.

Wir wollten festlegen, wer wann sterben muss. Und da sind wir nun gänzlich unterschiedlicher Meinung. Sie will alle neuen Typen meiner Exfrauen leben lassen. Beates Lars darf ich nicht anrühren. Cordula flippt schon aus, wenn ich nur seinen Namen nenne. Sie tobt dann vor Eifersucht. Es wäre für sie nicht schlimmer, wenn ich Sex mit meiner Ex hätte, glaube ich.

Selbst Miriams Neuen, Moritz von Rosenberg, soll ich nicht antasten. Es bringt Cordula richtig zum Ausrasten. Sie hat die Namen von der Liste gestrichen.

Allerdings findet sie auch, mein Schwiegervater Karl-Heinz Lorenz könnte ruhig abgestraft werden. Immerhin habe der mich ja schwer betrogen.

Auch Miriam gehört auf ihre Abschussliste. Sie und ihr Vater seien die eigentlich treibenden Kräfte gewesen, schlussfolgert Cordula nach allem, was ich ihr erzählt habe.

Am liebsten wäre ihr allerdings, ich würde »diese ganze fränkische Blase« in Frieden lassen, und »statt mich die ganze Zeit um die beschissene Vergangenheit zu kümmern, sollten wir lieber eine schöne Gegenwart für uns organisieren«.

Diesen Satz von ihr habe ich aufgeschrieben. Er fühlt sich für mich geradezu weise an. Wenn man wirklich liebt, ist man dann jenseits der Rache?

Ann Kathrin Klaasen wird mich überallhin verfolgen. Da bin ich mit Cordula einer Meinung. Bei Frau Klaasen ist das ein persönliches Ding. Vielleicht, weil sie meine Patientin war, ich sie untersucht habe und mit ihrem Körper bestens vertraut bin. Vielleicht auch, weil sie sich selbst nicht verzeihen kann, sich so in mir geirrt zu haben.

»Die kluge Frau Klaasen«, meint Cordula, »kann sich gar nicht so monströs irren. Vielleicht konstruiert sie deswegen jetzt alles, um dich zu entlasten. Da komme ich ihr gerade recht. Und Holger Bloem hilft ihr dabei. Die zwei sind doch sowieso ein Kopf und ein Arsch.«

Wir zanken so wunderbar darüber, wer als Nächstes umgebracht werden soll, dass wir am Ende ganz erschöpft sind und es geradezu unmöglich erscheint, noch jemanden ins Jenseits zu befördern.

Inzwischen geistern neue Theorien durchs Netz. Früher diskutierte die ganze Nation über einen verschossenen Elfmeter oder über ein nicht gepfiffenes Foul im Strafraum. Es gab eine Steuerdiskussion, man regte sich über den amerikanischen Präsidenten auf, der versuchte, das Land wie eine Firma zu regieren und dabei vergaß, dass Firmen auch pleitegehen können. Ein neuer Hollywood-Blockbuster bot nie gesehene Bilder, und die Stars rauschten durch die Talkshows.

Das alles scheint im Moment zur Nebensache zu werden. Das dominierende Thema in den Medien sind wir. Cordula Baumann, die immer noch von vielen nur Cordula B. genannt wird und ich. Dr. Bernhard Sommerfeldt. Für die einen ein Monster, für die anderen ein liebender Mann, der für seine Taten Bewunderung verdient, weil er seine Lebensgefährtin schützt. Psychologen diskutieren in Talkshows über das Phänomen.

Es sind Stellvertreterkriege. Mich kann man ja schlecht einladen. Und auch Cordula steht im Moment nicht zur Verfügung.

Während wir uns hier oben im Weißen Riesen bis zur Erschöpfung lieben und ausprobieren, arbeitet die Welt sich an uns ab.

Axel Petermann, der ehemalige Chef der Mordkommission Bremen, der inzwischen ein paar Bücher über Profiling geschrieben hat, die ich auch kenne und schätze, präsentiert bei *Markus Lanz* eine neue Theorie. Möglicherweise seien wir ein Killerpärchen. Davon habe es in der Kriminalgeschichte einige gegeben.

Er zählt ein paar davon auf: »Charlene und Gerald Gallego. Sie vergewaltigten und töteten mindestens neun junge Frauen.« Er erzählt von Charles Starkweather und Caril Ann Fugate. Charles erschoss Caril Anns Mutter, weil sie seine Liebe zu der Vierzehnjährigen nicht gestatten wollte. Er tötete auch ihren Stiefvater und die Halbschwester. Das Pärchen floh gemeinsam und tötete unterwegs elf Menschen und mehrere Hunde.

Bei mordenden Paaren, so führt Petermann aus, sei meist einer der dominante Part. In unserem Fall könne das wider Erwarten auch Cordula sein.

Inzwischen weiß man natürlich, dass ich ihr den doppelten Tariflohn gezahlt habe und das vierzehnmal im Jahr. Wie konnte sie mich dazu veranlassen? Hat sie mich erpresst, weil sie wusste, dass ich in Wirklichkeit Johannes Theissen bin und kein echter Arzt?

Petermann zählt noch weitere Pärchen auf, doch ich schalte um, denn wir können gar nicht so viele Programme gleichzeitig gucken, wie Sendungen über uns laufen.

Ja, auf n-tv werden alte Lehrer von mir interviewt. Mein ehemaliger Lateinlehrer aus dem Internat behauptet tatsächlich, ich sei schon immer ein Sonderling gewesen, mit dem etwas nicht stimmte.

Auch Cordulas Leben wird jetzt genau unter die Lupe genommen. Ein Exfreund berichtet von ihren Zornesausbrüchen, dass sie eine mörderische Wut entwickeln konnte und selbst wegen Kleinigkeiten manchmal völlig ausgerastet sei.

Wir sehen uns das gemeinsam an. Wir sitzen nackt auf dem Sofa. Wir essen Chips, sie greift immer wieder in die Tüte und krümelt mich voll, weil sie gebannt zum Fernseher starrt. Wir kämpfen um die Fernbedienung, schalten von einem Sender rüber zum anderen.

»Wir sind«, stellt Cordula lachend fest, »Popstars.«

»Nein«, sage ich. »Das ist anders. Es ist, als hätten sie einen lebenden Tyrannosaurus Rex gesehen. Ein Vieh, von dem sie dachten, es sei schon lange ausgestorben. Und jetzt wollen sie die Bestie fangen.«

»Gefangen haben sie uns noch lange nicht, Liebster«, flüstert sie mir ins Ohr und beißt dann in meine Schulter, als sei sie eben dieser T-Rex geworden und wolle ein Stück Fleisch aus mir herausreißen.

Wir lieben uns, während der Fernseher läuft und die Nation uns jagt.

Eine Buchhändlerin gibt an, uns in ihrer Buchhandlung in Delmenhorst gesehen zu haben. Wir hätten mehrere Lokalzeitungen gekauft, unter anderem das Delmenhorster Kreisblatt, außerdem den Weser-Kurier und die NWZ. Ich hätte das Ostfriesland-Magazin kaufen wollen, das sie leider nicht da hatten.

Eine Kellnerin aus dem Oldenburger Hof in Ganderkesee glaubt, mich und Cordula ebenfalls erkannt zu haben. Wir hätten sehr fleischlastig gutbürgerlich gegessen. Sie Rouladen, ich ein Jägerschnitzel.

Sie behauptet, wir hätten dazu alkoholfreies Bier getrunken, aber danach jeder zwei klare Schnäpse bestellt, das sei ihr komisch vorgekommen. Wer trinke denn alkoholfreies Bier und danach Schnaps?

Da man mit einem schnellen Auto in zehn bis fünfzehn Minuten von Ganderkesee nach Delmenhorst kommt, wurde die Strecke großräumig abgeriegelt und systematisch nach uns durchsucht, was Cordula zu Lachkrämpfen hinreißt. Wir fühlen uns dadurch im *Weißen Riesen* noch sicherer.

Ich sehe meinen Füller Worte schreiben, die ich später vielleicht Cordula vorlesen werde. Sie kommen mir wahrhaftig vor, als kämen sie aus einer tiefen Quelle in mir. Ich schreibe: *Vielleicht war ich nie glücklicher als jetzt, nie so sehr bei mir und meinen Emotionen. Für die Zeit, die wir hier im* Weißen Riesen *verleben, hat sich alles gelohnt. Wenn es gleich vorbei wäre und ich im Kugelhagel sterben müsste, würde ich diese Welt als glücklicher Mann verlassen. Das Einzige, was ich wirklich bereute, wäre, von Cordula getrennt zu werden. Jetzt, da ich endlich weiß, zu wem ich gehöre, möchte ich noch eine Weile auf der Welt bleiben und es genießen.*

Ich koche Ostfriesentee. Wir trinken ihn nicht aus den schönen, kleinen ostfriesischen Tässchen, sondern aus dicken Kaffeepötten. Für Ostfriesen ein Sakrileg, für uns jetzt hier eine geradezu mystische Verbindung zu Ostfriesland, so, als könnten wir gar nicht genug von dem Tee bekommen.

Cordula wird wach. Sie reckt sich und gähnt. Ihr Blick streift in der Wohnung umher. Sie sucht mich. Dann strahlt sie mich eine Weile an.

»Du schreibst«, sagt sie, steht auf, geht zum Wasserhahn, beugt sich hin und hält die Lippen in den Strahl.

»Ich habe uns Tee gemacht«, sage ich. Sie tritt hinter mich, legt ihre Hände auf meine Schultern und liest im Stehen.

Sie sagt nichts, liest nur. Ich höre ihren Atem. Dann tropft etwas auf meine Schulter. Ich drehe den Kopf, um zu ihr hochzuschauen. Sie weint. Ihr Gesicht ist tränennass.

Mit bebender Unterlippe sagt sie: »Du sollst nicht gehen, Liebster. Nicht jetzt, wo wir uns gerade erst …«

Ich versuche, stark zu bleiben: »Ich würde lieber sterben, als in den Knast zu gehen.«

Sie setzt sich auf die Tischplatte neben meinen Schreibblock. »Was glaubst du«, fragt sie, »was nach dem Tod geschieht? Ist alles aus? Vorbei?«

»Ich glaube nicht an einen Himmel oder eine Hölle. Und erst recht nicht an einen strafenden Gott«, antworte ich.

Sie nickt. »Woran glaubst du dann?«, will sie wissen.

»An Wiedergeburt.«

Sie streicht mir die Haare aus der Stirn, um meine Augen besser sehen zu können. »Ernsthaft? Als was kommen wir dann zurück? Als Raubfische, weil wir schon als Menschen so gelebt haben? Oder werden wir bestraft und zu Ratten oder Fröschen, weil wir so schlimme Menschen waren?«

Ich muss lachen. »Ich bin mir gar nicht sicher, ob das Leben von Ratten oder Fröschen so eine große Strafe wäre. Aber ich glaube, das ist eine sehr katholische Vorstellung von Reinkarnation. Ob Gott uns nun bestraft und wir kommen in den Himmel oder in die Hölle oder ob wir belohnt werden, als reiche Menschen geboren werden, gesund und schön, oder«, ich zeige auf mich und scherze bewusst, »oder als so 'n hässlicher Trottel wie ich. Nein, das glaube ich nicht. Ich denke, dass unsere Seele schlicht einen Weg sucht, wieder zurückzukommen.«

»Und dann«, fragt sie, »der Rest, wann und wo ist Zufall?«

»Vielleicht. Wenn du so willst … Wir kennen den Baum, aber wir wissen nicht, wohin die Biene den Blütenstaub bringen wird.«

»Der Gedanke der Wiedergeburt gefällt mir«, sagt sie und wischt sich das Gesicht trocken. »Ich will im nächsten Leben wieder mit dir zusammen sein.«

Unsere Hände suchen sich auf ihrem rechten Oberschenkel. Wir halten sie wie zum Gebet, aber ineinander verhakt, ja, verkrampft.

»Wir sollten uns verabreden«, sage ich.

Sie nickt heftig. »Wer wirst du im nächsten Leben sein? Wie sollen wir uns erkennen?«

»Vielleicht«, sage ich, »verliebt man sich deshalb. Weil man sich aus früheren Leben kennt. Weil die Seelen ja zueinander sagen, noch bevor der Verstand weiß, wie der andere überhaupt heißt.«

»War das so bei uns?«

»Vielleicht.«

Sie hält es auf dem Tisch nicht länger aus, springt runter. Jetzt sitzt sie auf meinem Schoß, die Arme fest um mich geschlungen.

»Manchmal«, sagt sie, »trifft man im Leben vielleicht auch alte Feinde aus dem früheren. Das würde mir einiges erklären. Kennst du das auch, Liebster? Dass dir jemand begegnet, er hat noch nichts Böses gemacht, er hat sich klasse verhalten und du weißt trotzdem vom ersten Moment an, mit dem willst du nichts zu tun haben. Dem traust du nicht über den Weg. Der wird dir schaden. Halt dich von ihm fern.«

»Ja klar, das kenne ich auch. Man nennt das Instinkt oder Menschenkenntnis.«

»Nee. Menschenkenntnis ist das nicht. Instinkt vielleicht. Aber wenn ich ernst nehme, was du mir gerade erzählt hast, dann ist es vielleicht eine Erinnerung. Die Seele warnt dich.«

Eine Weile schwelgen wir in solchen Gedanken, stellen uns Wiedergeburten vor und was wir dann im neuen Leben alles besser machen. Wie wir es schaffen, ein glückliches Paar zu werden, statt zu flüchtigen, von der Polizei gesuchten Verbrechern.

Immer wieder fragt sie mich, wer ich im nächsten Leben sein werde.

»Auch wenn ich es jetzt wüsste und dir sagen könnte, so würde es dir nichts nutzen. Du könntest es dir doch nicht merken, Cordula. Im nächsten Leben, wenn du irgendwo als Baby geboren wirst, ist die Festplatte im Gehirn zunächst mal gelöscht.«

Sie weigert sich, das zu glauben. »Nein, nein«, insistiert sie, »es muss eine Möglichkeit geben. Vielleicht können wir das viele Geld, das wir haben, auch irgendwo verstecken, damit wir nicht wieder bei null anfangen müssen. Und dann verabreden wir uns. Lachend würde ich mit dir in den Tod laufen, wenn ich wüsste, dass wir das hingekriegt haben.«

Ihr Gedanke gefällt mir. Ich weiß, dass es so nicht gehen wird. Ist es der letzte Versuch, unserer Angst Herr zu werden? Die Hoffnung zu schüren darauf, dass doch alles noch gut ausgehen könnte, und sei es nach unserem Tod?

Ich schäle Knoblauchzehen, gieße Olivenöl in die Pfanne, röste die Zehen darin. Dazu gebe ich Zwiebelringe und dann tiefgefrorene Garnelen. Wenn man das Haus nicht verlassen will, ist Tiefkühlkost ideal.

Dazu ein paar Spaghetti. In wenigen Minuten bereite ich ein einfaches, aber sehr stärkendes Mahl für uns zu. Ich werfe die Spaghetti noch al dente in die Pfanne und vermenge alles. Gewürze und Kräuter habe ich genug.

Ich stelle die Pfanne in die Mitte unseres Tisches. Wir haben jeder eine Gabel. Mehr brauchen wir nicht. Dazu Leitungswasser und kalten Tee aus den großen Kaffeepötten.

»Vielleicht«, gibt sie zu bedenken, »sollten wir niemanden mehr umbringen, sondern einfach abhauen. Irgendwo neu anfangen und noch so viel Leben wie möglich aufsaugen.« Dabei schlürft sie eine lange Spaghettischlange durch ihre gespitzten Lippen.

Ich lehne mich zurück und gebe an, spiele ganz den erfahrenen Gangster: »Neue Identitäten sind kein Problem. Wie möchtest du gerne heißen? Du kannst es dir aussuchen, Cordula.«

Der Gedanke gefällt ihr. Sie fischt eine braungebratene Garnele aus ihren Spaghetti und lässt das Öl abtropfen. »Wie viel Geld haben wir, wenn wir alles flüssigmachen?«, fragt sie.

Durchaus stolz antworte ich: »Ich habe es in verschiedenen Verstecken untergebracht. Alles zusammen, Gold, Bargeld, ein bisschen Schmuck und Diamanten …«

Sie zerkracht die Garnele mit den Zähnen und wird ungeduldig: »Wie viel?«

»Achthunderttausend. Mindestens. Wenn nicht neunhundert«, sage ich.

Sie pfeift beeindruckt durch die Lippen. »Das sollte eine Weile reichen.«

35

Wir werden einen Neuanfang versuchen. Wir entscheiden uns für ein gemeinsames Leben auf der Flucht. Ich lade Cordula ein: »Such dir ein Land aus. Wir können überallhin.«

Sie liebäugelt mit Fuerteventura, denkt aber auch über Lanzarote nach. Das ist zwar geographisch schon Afrika, aber politisch noch Europa. Viel weiter weg will sie nicht. Sie ist eine echte Ostfriesin. Hinter Leer beginnt für sie Süddeutschland, hinter Münster die Fremde. Plötzlich liegt so viel Freiheit vor uns. Sie kann sich nicht entscheiden.

Ich will für uns neue Papiere besorgen. Cordula hat Mühe, sich einen neuen Namen auszusuchen.

»Der Name sollte nicht sehr auffällig sein«, schlage ich vor. »Also nicht gerade Marylin Monroe.«

Sie findet lachend, der Name würde aber gut zu ihr passen.

Ich will mich Dalton Trumbo nennen. Vater Engländer. Mutter Deutsche. Beruf Drehbuchautor.

»Wieso Drehbuchautor?«, fragt sie.

»Nun, das ist ein anerkannter Beruf mit viel Renommee. Jeder weiß, dass es Drehbuchautoren gibt, aber niemand kennt ihre Namen oder Gesichter. Wenn ich behaupte, Drehbuchautor zu sein, fragt niemand, woher mein Geld kommt.«

Sie findet das o. k. und will Heike Däumlich heißen. Däumlich mit ä.

Ich wundere mich: »Wie? Wer ist das? Ist das eine reale Person?«

Cordula nickt. »Ja. Sie wohnte bei uns in der Straße. Sie hat immer die Typen gekriegt, in die ich verknallt war. Ich wollte immer sein wie sie.«

Im Grunde ist es nicht schlecht, denke ich. Wenn es reale Figuren gibt, fällt es einem leichter, die Rolle glaubhaft zu gestalten. Ich sage es ihr, und sie will wissen, ob es denn auch einen Dalton Trumbo gibt. Ich erzähle es ihr gern: »Ja, der Kerl war ein wirklich guter, ein großer Drehbuchautor in Hollywood. Aber weil er Mitglied der Kommunistischen Partei der USA war, wurden die Studios unter Druck gesetzt, ihn nicht länger zu beschäftigen. Er war Platz 1 auf der Schwarzen Liste. Niemand durfte ihn mehr als Drehbuchautor engagieren. Er wurde vor den Ausschuss für unamerikanische Umtriebe geladen und sollte die Namen von anderen Oppositionellen nennen. Auch Bertolt Brecht und sein Komponist Kurt Weill wurden damals dort vorgeladen. Sie haben sich beide geweigert, irgendwen zu verraten. Weill wurde ausgewiesen, und Brecht ist dann vorsichtshalber selbst gegangen. Und Trumbo ging lieber in den Knast, als jemanden zu denunzieren.«

»Er war Kommunist?«

»Ja, er trat für so unglaubliche Dinge ein wie das Wahlrecht für Schwarze.«

Cordula sieht mich staunend an. »Hatten die in den USA kein Wahlrecht? Wann war das denn?«

Ich muss lachen. »Das war die schlimme McCarthy-Ära. Sie begann direkt nach dem Zweiten Weltkrieg und ging bis in die sechziger Jahre. Die Schwarzen hatten natürlich kein Wahlrecht. Sie waren ehemalige Sklaven.«

»Und warum willst du dich nach ihm benennen? Bist du auch Kommunist? Oder gefallen dir seine Filme?«

»Er ist ein Vorbild für mich, weil er sich nicht aufgegeben hat.

Er schrieb unter anderem Namen weiter Drehbücher. Das muss schrecklich für ihn gewesen sein. Er war Persona non grata. Er konnte die Drehbücher nicht mal selber vorbeibringen. Niemand wollte ihn mehr kennen. Also offiziell. Andere Autoren reichten seine Drehbücher unter ihrem Namen ein. So bekam er in der Zeit, als er auf der Schwarzen Liste stand, zweimal einen Oscar.«

»Im Ernst?«

»Ja. Es war praktisch eine anonyme Oscarverleihung. Er konnte ihn ja nicht selbst entgegennehmen. Offiziell war der Film ja nicht von ihm.«

Das gefällt Cordula. »Er hat sich nicht fertigmachen lassen«, sagt sie.

»Ja, wenn es mit der alten Identität nicht weiterging, hat er sich halt eine neue gegeben … Soviel ich weiß, hat er mit seinem Geld sogar anderen Kollegen in Not geholfen. Hat Krankenhausaufenthalte für sie bezahlt und so weiter.«

»Was ist aus ihm geworden?«, fragt sie neugierig.

»Er lebt leider nicht mehr. Er hat wohl zu viel geraucht und getrunken … Die Besten sterben immer zu früh.«

»Kenne ich Filme von ihm?«

»Vielleicht. *Spartacus.* Und *Exodus.*«

Sie muss passen. Da fällt mir noch einer ein: »*Papillon.*«

»Ja! Den kenne ich. Mit Steve McQueen und Dustin Hoffman. Der Häftling, der aus der Strafkolonie flieht.«

Ich schlage vor, dass wir uns die Filme gemeinsam ansehen. Ein Abend vor dem Bildschirm … Sie ist einverstanden, zerrt mich aber erst auf den Balkon. Es regnet. Wir genießen Wind und Regen nackt. Sie will es jetzt und hier sofort mit mir tun und zwar auf eine für mich sehr neue Art. Dabei fordert sie mich auf, ich solle ihr sagen, dass ich sie von Anfang an geliebt habe und immer nur sie wollte.

Ich gebe ihrem Drängen nach. Was ich sage, ist nicht die Wahrheit, aber es macht sie glücklich. Und je öfter ich es wiederhole, umso wahrhaftiger fühlt es sich für mich an.

Sie wird immer lauter: »Ja!«, schreit sie. »Ja! Sag mir, dass du von Anfang an scharf auf mich warst!«

»Nicht so laut, Baby«, bitte ich. »Es muss ja nicht jeder Nachbar mitkriegen, was wir hier …«

Aber sie wird immer fordernder: »Sag, dass du schon immer scharf auf mich warst! Sag es!«

Ich unterbreche unseren Liebesakt und ziehe mich aus ihr zurück. Sie guckt mich ungläubig an. »Erzähl mir jetzt nicht, dem gefürchteten Serienkiller sei ich peinlich. Ich dachte, ich habe endlich einen Mann, der sich für nichts mehr geniert.« Sie beißt mich. »Ich will«, zischt sie, »einen Typen, dem nichts peinlich ist. Ich schon mal gar nicht! Ich will einen, der auf gesellschaftliche Konventionen scheißt, einen, der sich nicht von Sitte und Moral einengen lässt.«

»Der … der bin ich nicht«, stammle ich. Aber das lässt sie nicht gelten. Sie küsst mich fordernd und verlangt: »Stell dich nicht so an!«

Und dann lieben wir uns einfach weiter. Da ist der Regen auf unserer Haut. Der Wind streichelt uns. Unter uns rauschen Autos vorbei. Selbst die Alarmsirenen zweier Polizeiwagen sind nur Hintergrundmusik. Sie verändern nicht unseren Rhythmus.

Meine Hände kneten ihre Speckröllchen. Ich habe mal auf schlanke, sportliche Frauen gestanden und erlebe jetzt diese Ungeheuerlichkeiten mit dieser Rubensfrau! Eigentlich bin ich ein treuer Kerl. War immer auf der Suche nach der Einen, die mir alles ist. Hier oben auf dem Balkon im siebten Stock habe ich das Gefühl, sie gefunden zu haben. Endlich. Es ist wie ein nach Hause Kommen.

Wir haben keinen Alkohol getrunken, aber ich fühle mich besoffen. Besoffen von ihr. Ich will nicht, dass sie abnimmt. Ich will, dass sie sich überhaupt nicht ändert. Ich liebe sie genau so, wie sie gerade ist. Lüstern. Versaut. Und doch von einer merkwürdig engelhaften Reinheit, als sei sie nicht von dieser Welt.

Ja, es ist für mich, als wären wir beide Fremde. Wir gehören hier nicht hin. Alles um uns herum ist nur Kulisse. Austauschbar.

Ich wühle in ihren herrlich widerspenstigen Haaren.

»Ich werde sie dir schneiden müssen«, sage ich. »Wir müssen einen anderen Typ aus dir machen.«

Später schauen wir *Papillon*, und ich glaube, wir identifizieren uns beide mit Steve McQueen als Häftling, der den sadistischen Aufsehern ausgesetzt ist. Ich habe vor Jahren den Roman gelesen. Heute beeindruckt mich Papillons Schicksal noch mehr als damals.

Cordulas schulterlanges Haar verwandle ich später in einen Rattenkopf. Den färben wir feuerrot. Außerdem bekommt sie verschiedene Perücken. Die mit den langen, blonden Locken macht aus ihr einen völlig anderen Typ. Ein Rauschgoldengel mit wallenden Siebziger-Jahre-Hippieklamotten.

Zu dem roten Rattenkopf trägt sie eine schwarze Lederjacke und macht ganz auf coole Rockerbraut. Darin gefällt sie sich am besten. Aber auch als evangelische Sozialarbeiterin mit aschig grauem Pony und lässigem Stirnband geht sie durch. Sie ist irre verwandlungsfähig, und es macht ihr Spaß.

Die wippenden Zöpfe stehen ihr gut. Sie kann sich in Minuten in eine völlig andere verwandeln. Sie ist wie gemacht für ein Leben im Untergrund. Mit Kleidung und Frisur ändert sich sofort ihr ganzes Auftreten, selbst ihre Sprache.

»Wer viel liest«, lacht sie, »kommt leicht in andere Rollen.«

Sie kann ein Dutzend Identitäten annehmen, fühlt sich dabei jedes Mal wohl. Das, denke ich, hätte Beate nie hingekriegt. Vor allen Dingen nicht so spielerisch, so voller Spaß an der Sache.

»Heute«, sagt sie und tut dabei, als würde sie Kaugummi kauen, »möchte ich deine Rockerbraut sein.«

»Ja«, antworte ich, »vielleicht sollten wir uns auch Motorräder zulegen und uns damit fortbewegen.«

Sie grinst breit und zeigt mir den erhobenen Daumen.

36

Es sind wunderbare Tage mit Cordula. Wir kochen gemeinsam, essen und sind ganz auf uns konzentriert, als gäbe es den Rest der Welt gar nicht. Wir trinken keinen Alkohol, so dringt alles ungefiltert in uns. Es ist wie eine Vereinbarung, die wir, ohne darüber zu sprechen, gefällt haben.

Wie oft habe ich zwischen mich und die Welt einen guten Wein gestellt. Jetzt will ich mit wachen Sinnen alles in mich aufsaugen und genießen.

Wir halten uns auch vom Internet fern. Ich schaue mir den Mailverkehr zwischen Beate und ihrer Freundin Susanne Kaminski nicht an. Ich gucke nicht dauernd bei Facebook nach, ob es neue Entwicklungen gibt. Ich interessiere mich nicht mal für die Nachrichten, und das als jemand, der doch ständig darin vorkommt.

Am Anfang trug es geradezu rauschhafte Züge, Zeitungen zu kaufen, auf deren Titelseite ich abgebildet war. Fernsehsendungen, in denen über mich diskutiert wurde, habe ich aufgesaugt wie eine Droge. Unwissend, ob es gut oder schlecht für mich war. Jetzt ist es mehr so, dass mein Verstand mir sagt, du musst dich dafür interessieren, was deine Gegner machen und planen.

Um uns neue Papiere zu besorgen, nutze ich das Internet. Cordula sitzt bei mir und sieht zu. Sie ist begeistert. Sie lernt schnell.

Sie hat jetzt einen Ausweis als Heike Däumlich, den benutzt sie

345

als Rockerbraut, und einen zweiten mit dem Namen Susanne Roth. Das ist eine Stadtführerin aus Norden, bei der sie mal eine Krimiführung mitgemacht hat. Dieser Name passt zu ihrem Hippieoutfit, findet sie. Sie mag diese Susanne, weil sie fachkundig über Literatur und über Ostfriesland sprechen kann.

Ich habe sie sehr darin unterstützt, diesen Namen zu wählen. Es ist immer gut, wenn man eine Person damit verbindet. Irgendwann wird man vielleicht mit diesem Ausweis und diesem Namen ein paar Fragen beantworten müssen. Je klarer und schlüssiger man dann antworten kann, umso besser.

Ich habe noch einen zusätzlichen Ausweis als Harry Gelb, der Figur aus Jörg Fausers Romanen.

Mir fällt auf, dass Cordula lebende Personen für ihre Alias-Namen wählt, ich dagegen gern tote Schriftsteller oder Romanfiguren.

Bei Ebay gelingt es mir, gleich zwei Harley Davidson zu ersteigern. Ich soll sie selber abholen. Das Telefongespräch mit den Besitzern geht weit darüber hinaus, wie die Übergabe gestaltet werden kann. Es ist ja auch ungewöhnlich, dass jemand gleich zwei Harleys versteigert.

Ich habe einen Mann mit tiefer Stimme am Telefon, der sich anhört, als hätte er eine Million Zigaretten geraucht und dazu ständig Whisky getrunken. Er habe seine Frau, sagt er, vor vierzig Jahren bei einem Motorradtreffen am Nürburgring kennengelernt. Es war Liebe auf den ersten Blick. Sie hätten ein wunderbares Biker-Leben zusammen geführt.

Cordula sitzt neben mir, drückt ihr rechtes Ohr ans Handy. Ich schalte auf Laut, so dass sie mithören kann.

»Eine Frau und ein gutes Motorrad, mehr braucht ein Mann doch nicht«, lacht er. Und nun sei seine Melanie an diesem Scheiß-Krebs erkrankt und er vom Rocker zum Krankenpfleger geworden.

Ohne sie will er nicht mehr auf die Maschine steigen. Das alles sei nun vorbei. Eine andere Zeit käme. Aber es sei ihnen wichtig, dass die Motorräder zusammen blieben. Deswegen wollten sie die zwei gemeinsam versteigern.

Cordula ist gerührt von seinen Worten und wischt sich eine Träne weg.

Wir vereinbaren, wann und wie die Übergabe in Duisburg stattfinden soll. Cordula freut sich jetzt noch mehr darauf, ihre Rockerbraut-Identität auszuleben.

Mich erschreckt es, als ich sehe, dass für Hinweise, die zu meiner Ergreifung führen, eine Belohnung von einer Million Euro versprochen wird. Cordula findet das klasse. Alles andere sei auch eine Beleidigung, sagt sie. Es ist, als sei ich in ihren Augen im Wert gestiegen. Nach ihr wird zwar auch gefahndet, aber es ist keine Belohnung ausgesetzt. In meinem Fall hat die Staatsanwaltschaft wohl auch nur zehntausend Euro zur Verfügung gestellt, der Rest stammt von einem »Privatmann«.

Cordula will wissen, welche Waffen ich im Haus habe. Ich zeige ihr die Beretta, die ich damals auf dem Kiez in Hamburg gekauft habe. »Aber«, sage ich ihr gleich, »ich mag keine Schusswaffen. Ich ertrage einfach den Lärm nicht. Ich habe das Ding ausprobiert. Die Waffe funktioniert. Ich treffe sogar einigermaßen, aber ich habe das Gefühl, ich füge mir damit mehr Schaden zu als meinem Gegner. Es ist so mörderlaut, dass ich danach eine Weile gar nichts mehr höre. Der Knall schluckt alle Töne. Mir sind leise Waffen lieber.«

Sie nimmt die Beretta an sich und steckt sie sich über dem Bauchnabel in den Hosenbund. Sie will mir zeigen, wie sie vorhat, im Zweifelsfall zu ziehen.

Sie verliert die Pistole. Sie fällt auf den Boden. Ich bin froh, dass sich kein Schuss löst und keine Kugel ihren Fuß zerfetzt.

»Lass uns lieber üben, wie man mit dem Messer kämpft«, sage ich. »Wir werden uns Messer besorgen. Gute Messer …«

Ich gebe ihr tatsächlich Unterricht. Mit einem Küchenmesser, das geeignet wäre, ein Filet zu zerteilen, üben wir.

»Wenn du gerade vor mir stehst, das Messer in der Faust hast, und die Klinge zeigt auf mich, dann weiß ich, dass der Stich nur von unten kommen kann, maximal von der Seite. Wenn die Klinge nach hinten zeigt, weiß ich, dass der Angriff von oben kommen wird.«

Sie wirkt überrascht, schaut sich das Ganze an, probiert es aus und gibt mir recht. »Ja, verdammt. Das heißt, wer mit dem Messer kommt, ist eigentlich sehr berechenbar.«

»Ja«, gebe ich zu, »das stimmt wohl. Es sei denn, dein Gegner wird panisch. Deswegen habe ich dieses Einhandmesser mit der schwarzen Klinge benutzt. Es macht den Leuten Angst, und wer Angst hat, kann meistens nicht mehr klar denken.«

»Wie machst du es?«, fragt sie.

Ich zeige ihr, wie man das Messer von einer Hand in die andere wechselt, damit spielt, so dass der Gegner nicht weiß, von wo die Attacke kommen wird. Und dann, das ist viel wichtiger, zeige ich ihr, wo genau der Stich sitzen muss.

Ich halte ein Sitzpolster aus dem Sofa hoch, und sie übt mit dem Messer Angriffe.

»Komisch«, sagt sie, »da entscheiden wir uns für ein friedliches Leben, und schon beginnen wir, Messerattacken zu trainieren.«

Die Zeit hier im *Weißen Riesen* neigt sich für uns dem Ende zu. Ich habe als Dalton Trumbo ein Haus auf Fuerteventura gemietet, in Corralejo, nicht weit weg vom Fähranleger. Von dort aus kann man Lanzarote sehen, und wenn man rüber will, dauert die Überfahrt mit dem Katamaran keine dreißig Minuten.

Die Idee, auf Vulkaninseln zu wohnen, gefällt uns. Vielleicht werden wir für immer dort bleiben. Vielleicht auch wieder zurückkehren. Wir halten uns alle Optionen offen. Das ist Freiheit.

Wir holen die Motorräder in Duisburg und verleben einen wunderbaren Nachmittag mit dem Rockerpärchen. Wir müssen wenig erzählen.

Sie tragen beide Glatze. Er dazu einen Vollbart. Sie sind beide übergewichtig und geben sich viel Mühe, dies auch beizubehalten. Sie stellt einen Käsekuchen mit Mandarinen auf den Tisch, dazu selbstgeschlagene Sahne.

Mir wird ganz anders, als ich ihr ostfriesisches Teegeschirr sehe. Ja, sie sind oft mit den Motorrädern nach Ostfriesland gefahren.

»Wenn das Wetter schön war, immer heidewitzka den Ostfriesenspieß hoch. Hauptsache, Richtung Meer.«

Er hält nichts von dem ganzen digitalen Zeug, hat noch eine Analogkamera, und wir kommen nur knapp um einen Dia-Abend herum. Zu gern möchten die beiden uns ihr ganzes Leben zeigen und erzählen. Immer wieder fallen Sätze wie: »Das müsst ihr unbedingt mal machen!«, »Das müsst ihr euch unbedingt mal anschauen!«, »Das ist so irre, das könnt ihr euch nicht vorstellen!«

Es kommt mir ein wenig so vor, als wollten die beiden uns dazu bringen, ihr Leben noch einmal zu leben, weil alles zu schön gewesen ist, um nur einmal zu geschehen. Als die pralle Sonne auf ihre Terrasse knallt, zieht er seine Kutte aus und sitzt nur noch im Feinrippunterhemd da. An seinen Fingern glitzern dicke Ringe. Sie sehen nicht echt aus, aber ich wette, zu jedem gibt es eine großartige Geschichte, die er nur zu gern erzählen würde.

So weit sind wir aber noch nicht. Er führt stolz seine Tätowierungen vor, und seine Frau Melanie erzählt uns, wie es zu jeder einzelnen gekommen ist. Besonders stolz ist sie darauf, dass er ihren Namen auf seine Brust tätowiert hat. Die Buchstaben werden von grauen, krausen Haaren durchstochen und umrahmt.

Wir verabschieden uns und verlassen die beiden durchaus wehmütig. Sie schenken uns ihre Motorradhelme, und die passen sogar.

Sie stehen draußen und winken, bis wir um die Ecke verschwunden sind.

Als wir in Gelsenkirchen ankommen, sagt Cordula zu mir: »Die beiden lieben sich wirklich. Wenn es mit mir mal zu Ende geht, dann will ich das auch so haben.«

»So? Eine Terrasse in Duisburg, mit Käsekuchen auf dem Tisch?«, stichle ich

Sie boxt nach mir. »Nein. Mit einem Mann an meiner Seite, mit dem ich ein ganzes Leben verbracht habe, auf das wir gemeinsam zurückschauen können. Hast du gesehen, wie er sie ansieht? Sie hat keine Haare mehr auf dem Kopf, aber sie ist immer noch seine Traumfrau.«

Nicht ganz so liebevoll geht es inzwischen neben uns zu. Bille und ihr Typ Hanno. In den letzten Tagen haben wir sie immer wieder streiten hören. Manchmal hat ihr Zank und Gestänker unser Lustgestöhne beim Liebesspiel übertönt. Wir haben uns in nichts eingemischt. Nein, ich habe nicht gegen die Wände geklopft oder durch den Flur geschrien, sie sollten doch endlich mal leiser sein. Warum auch?

Manchmal haben wir Bille weinen hören. Cordula hat, obwohl sie keine Ahnung hat, was Hanno wirklich für ein Typ ist, von Anfang an zu Bille gehalten.

Cordula mietet gerade telefonisch eine Garage für uns in Wattenscheid an. Dort wollen wir während unserer Zeit auf den Kanaren die Motorräder unterstellen und ein paar andere Sachen, die wir nach unserer Rückkehr abholen wollen.

Sie hat längst begriffen, dass Menschen wie wir überall kleine Depots brauchen. Sollte unsere Wohnung hier auffliegen, können wir, wenn wir zurückkehren, vielleicht noch zwei Koffer mit Sachen und unsere Motorräder aus Wattenscheid abholen, um es woanders erneut zu versuchen.

Während sie herumtelefoniert, bereite ich ein Curryhuhn mit Couscous du Mango zu. Cordula steht drauf.

Im Flur ist so ein Geschrei und Krach, dass ich – der sich eigentlich aus allem raushalten will – die Tür einen Spalt öffne. Bille liegt auf dem Boden, und aus ihrer weitgeöffneten Wohnungstür fliegen Kleidungsstücke, die gegen die Wand klatschen und dann heruntersegeln wie große, abgeschossene Vögel.

Ich trete raus in den Flur und sage: »Bis jetzt war dies ein ruhiges, friedliches Haus.« Niemand nimmt mich zur Kenntnis.

Bille rafft sich auf, lässt die Kleider am Boden liegen, will wieder in die Wohnung zurück. Im Türrahmen erscheint jetzt Hanno und stößt sie weg. Sie taumelt rückwärts, und schon habe ich sie im Arm.

Hanno droht mit dem erhobenen Zeigefinger: »Mit mir nicht, Schlampe! Mit mir nicht!« Dann knallt er die Tür zu.

Jetzt ist auch Cordula im Flur. Sie sammelt die Kleidungsstücke auf.

Billes Gesicht weist Spuren von Schlägen auf. Über der rechten Augenbraue hat sie eine Platzwunde.

Ich zeige hin und sage: »Das sollte genäht werden.« Sie will aber nicht in ein Krankenhaus.

Das kommt mir alles sehr bekannt vor. In meiner Norddeicher Praxis tauchten immer wieder Ehefrauen auf, die weder ihre eigenen noch die Wunden ihrer Kinder im Krankenhaus behandelt haben wollten. Angeblich waren sie die Treppe runtergefallen. An einen solchen Ehemann, Johann Ricklef, erinnere ich mich besonders. Ich habe ihn meine Klinge kosten lassen. Er ist jetzt dort, wo er hingehört: anderthalb Meter tief unter der Grasnarbe.

Cordula bittet Bille zu uns rein. Jetzt sitzt sie auf dem Kissen, das wir gerade noch beim Messertraining benutzt haben.

Sie erzählt, zwischen Trauer und Empörung hin- und hergerissen, was ich längst weiß. Dass ihr Typ auf kleine Mädchen steht und ständig Schülerinnen zu sich eingeladen hat. Es würden mehrere Anzeigen gegen ihn laufen, dadurch hat sie es überhaupt erst gemerkt.

»Ich komme mir so doof vor«, wirft sie sich immer wieder vor. »So doof!«

Ich kann mir ihre unbehandelte Wunde nicht länger ansehen. Noch einmal fordere ich sie auf, damit ins Krankenhaus zu fahren, und als sie sich weigert, sagt Cordula mit unglaublicher Selbstverständlichkeit: »Kannst du das nicht nähen?«

»Ja, aber ich …«

»Du hast alles da«, behauptet sie. »Im Badezimmer.«

Es gefällt mir nicht, aber ich tue es.

Bille beschwert sich, während ich ihre Wunde versorge: »Das ist meine Wohnung! Meine Eltern haben sie mir vererbt. Und jetzt schmeißt der mich raus! Das kann doch nicht wahr sein! Ich weiß gar nicht, was ich machen soll.«

So, wie Cordula mich anguckt, erwartet sie, dass ich kurz zu Dr. Sommerfeldt werde, um die Sache zu klären.

Und genau das habe ich auch vor. Ich bin dabei durchaus egoistisch. Ich möchte Bille gerne wieder loswerden. Ich will allein sein mit Cordula. Unsere nächsten Schritte planen.

Cordula hält Billes Hand und verspricht ihr: »Rudi wird mal rübergehen und mit deinem Macker reden. So ein Gespräch unter Männern. Mach dir keine Sorgen, Rudi kriegt das schon hin.«

Sie zwinkert mir zu. Als ich mich bereit mache, rüberzugehen, zieht Cordula mich an sich, um mir einen Kuss zu geben und flüstert in mein Ohr: »Aber mach keinen Scheiß. Lass ihn leben.«

Darauf antworte ich nicht einmal.

Ich klingle drüben. Hanno öffnet zunächst nicht. Ich höre aber, dass er hinter der Tür steht und atmet. Außerdem hat er durch den Spion geschaut.

Leise, fast freundlich, sage ich: »Ich kann die Tür auch eintreten. Kein Problem.«

Sofort öffnet er sie einen Spalt.

Fehler. Schwerer Fehler.

Ich trete jetzt mit voller Wucht gegen die Tür. Sie kracht in seinen Körper und sein Gesicht. Er fliegt in die Wohnung.

Ich trete ein. »Hör mal zu, du Arsch«, sage ich und schließe die Tür hinter mir.

»Was willst du von mir?«, fragt er und krabbelt auf dem Rücken rückwärts zum großen Flachbildschirm.

»Ich eigentlich gar nichts«, sage ich. »Aber es gibt ein paar Papis, die mächtig sauer auf dich sind, weil du ihre kleinen Prinzessinnen angegraben hast. Glaub mir, glaub mir, Väter mögen so etwas überhaupt nicht.«

»Ich hab überhaupt nichts gemacht«, behauptet er. »Diese geilen Luder haben …«

Ich zeige auf ihn und warne ihn: »Halt die Fresse und hör mir zu. Ich bin gekommen, um dir zu helfen.«

»Mir zu helfen?«

»Ja. Die Papis wollen dir den Schwanz abschneiden. Sie losen gerade aus, wem die Ehre zuteil wird oder ob sie dich bitten sollen, es selbst zu tun.«

»Was?«

»Sie haben sich verabredet.« Ich schaue auf die Uhr. »In zwei Stunden wollen sie hier sein, und dann bist du reif, mein Lieber. Auf dich wartet kein lasches Gericht mit viel Verständnis und einem freundlichen psychologischen Gutachter, sondern ein paar ziemlich wütende Familienväter lauern nur darauf, den Helden oder Rächer zu spielen. Ich könnte dir einen Vorsprung verschaffen. Wenn du jetzt sofort abhaust, kannst du eine Menge Land gewinnen, bevor die Jagd losgeht. Wenn ich dir einen Tipp geben darf, dann den: Pack das Nötigste zusammen und verschwinde. Und falls dir deine verkommene Nudel lieb ist, dann lass dich hier nie wieder blicken! Ich würde an deiner Stelle die Stadt weiträumig meiden. Essen, Dortmund, Bochum, das ist alles schon ziemlich heißes Pflaster. Hinter Stuttgart, Richtung Süden, fängt für dich die Freiheit an. Da hast du vielleicht eine Überlebenschance. Was ich dir nicht garantieren kann … Denn glaub mir, sie werden dich suchen.«

Er wischt sich Blut von der aufgesprungenen Lippe.

»Du hast«, sage ich vorwurfsvoll, »Bille ein paar reingehauen. Sie sieht schlimm aus.«

»Sie … sie ist hingefallen.«

»Erzähl keinen Scheiß!«

Er richtet sich auf und schaut dabei die ganze Zeit ängstlich zu mir, so als würde er ahnen, dass von mir noch eine Attacke kommt.

»Na gut. Mir ist die Hand ausgerutscht. Sie kann einen so schrecklich mit Worten fertigmachen, da weiß ich dann manchmal nichts anderes als …«

»Ich habe ihr versprochen …«, sage ich – er weicht ängstlich zurück –, »dass ich dir beim Packen helfe.«

Erleichtert lächelt er mich an. In dem Moment schlage ich zu. Ich treffe ihn überm rechten Auge. Er fällt sofort um.

Ich klopfe meine Hände ab. »Das war ein Scherz«, sage ich. »Ich habe ihr natürlich versprochen, dir eine reinzuhauen. Und wenn ich dich hier noch mal sehe, lege ich dich in die Intensivstation. Hast du das kapiert? Weißt du, ich habe in meiner Jugend leidenschaftlich gerne geboxt. Ich würde dich zu gerne als Sandsack benutzen. – Keine Sorge, mach ich nicht, denn dann kannst du hier ja nicht mehr aufrecht rausgehen. Und wir wollen doch, dass du einen Bus erreichst, bevor die Papis kommen. Die Uhr tickt übrigens. Ticktack, ticktack, ticktack …«

Er läuft zu einer Kommode, öffnet die Schublade und rafft Sachen zusammen. Da er in seiner Aufregung keinen Koffer findet, packt er alles in einen blauen Müllsack. Ich finde das ist eine passende Idee.

»Vergiss nicht, dein Scheiß-Rasierwasser mitzunehmen«, schlage ich vor. »Wer dieses aufdringliche Stinkzeug benutzt, muss einen an der Waffel haben, oder alle Geruchsnerven in der Nase sind zerstört.«

Die Knöchel meiner rechten Hand schmerzen vom Schlag. Der Schmerz tut mir gut. In der Tür drehe ich mich noch einmal um und spreche ihm Mut zu: »Du schaffst das. Ich glaub an dich! Und nicht vergessen: Ticktack, ticktack, ticktack …«

Ich lasse den Versager allein.

Cordula und Bille trinken Tee. Sie haben auch einen für mich.

Ich kann Bille beruhigen und ihr versprechen, dass Hanno nur noch ein wenig packt und dann verschwindet.

»Du wirst ihn nie wiedersehen.«

»Siehst du«, lacht Cordula, »ich wusste doch, dass Rudi die richtigen Worte findet.«

»Wie hast du das denn gemacht?«, fragt Bille.

»Och, ich habe ihm nur gut zugeredet.«

»Ja«, lacht Cordula, »mein Rudi wäre sicherlich auch ein guter Psychologe geworden. So nutzt er sein Talent nur, um Bücher zu schreiben, die leider kein Mensch druckt.«

»Henry Miller«, sage ich, »wurde auch erst nicht gedruckt.« Ich lache über meinen eigenen Scherz. »Seine Werke waren sogar verboten, bevor sie Weltliteratur wurden.«

»Siehst du«, sagt Cordula, »und ich glaube, alle wirklich guten Schriftsteller waren auch gute Psychologen und konnten sich in Menschen einfühlen.«

Bille nickt. »Ja, dass dein Rudi ein ganz Sensibler ist, das wusste ich immer. Man sieht es ihm an, auch ohne dass er viel redet.«

Ich lächle geschmeichelt.

Obwohl Hanno die Wohnung schon wenig später verlässt – wir hören seine eiligen Schritte auf dem Flur – will Bille nicht in ihren eigenen vier Wänden schlafen. Sie hat Angst, er könne zurückkommen. Sie übernachtet bei Cordula. Die beiden liegen zusammen im Boxspring-Doppelbett.

Ich brauche ein bisschen Zeit und Ruhe für mich. Ich gehe rüber in die andere Wohnung. Hier habe ich Zeit, mich meinen Aufzeichnungen zu widmen. Und vielleicht, denke ich, hat Hanno ja den Mut, noch mal zurückzukommen, um sich etwas zu holen. Zum Beispiel sein Scheiß-Rasierwasser, das er tatsächlich vergessen hat, genauso wie seinen Rasierapparat und seine zerfaserte Zahnbürste.

Ich freue mich schon richtig darauf. Das wird bestimmt eine tolle Überraschung, wenn er sieht, wer da in seinem Bett liegt.

Aber dann kommt alles ganz anders.

37   Komisches Gefühl, in anderer Leute Ehebett zu schlafen. Ich könnte mich im Wohnzimmer aufs Sofa legen, aber ich wähle die zerwühlten, verschwitzten Laken im Schlafzimmer. Ich kuschle mich hinein. Ich rieche dieses Fremde. Es ist eine gute Übung für mich. Ich muss in der Lage sein, andere Identitäten anzunehmen. Erst muss ich sie verstehen, erspüren, erfassen und mich dann einem Chamäleon gleich anpassen. Ich muss es schaffen, mich in der Rolle eines anderen wohl zu fühlen.

Beim Lesen gelingt mir das immer am besten. Als Kind konnte ich mühelos zu Old Shatterhand werden, zu Huckleberry Finn oder zu Tarzan, dem Herrn des Dschungels. Beim Lesen kann man nicht viel falsch machen, wenn man sich der Führung des Autors überlässt. Die Handlung gibt er zum Glück vor. Aber im Leben muss man improvisieren. Die Rolle selbständig ausfüllen.

Welche Dramen werden sich hier im Schlafzimmer abgespielt haben, denke ich. Hat er die kleinen Mädchen ins Ehebett gezogen, oder fand die Verführung der Minderjährigen im Wohnzimmer statt?

Die Räume kommen mir spießig vor. Alles wirkt altbacken. Die Ölbilder an den Wänden in gold- und kupferglänzenden Farben, als hätte jemand Landschaftsbilder alter Meister mit ungelenker Hand und zu grellen Farben nachgemalt.

Sie haben in ihrem kleinen Buchregal nicht einen einzigen Titel, der mich interessieren würde. Nicht einen einzigen!

Ich schreibe noch eine Weile. Es ist der Versuch, zu verstehen, was zwischen mir und Cordula geschieht. Das, was ich früher einmal für Beate empfunden habe, ist weit weg. Es fällt mir schwer, mich an ihre Augenfarbe zu erinnern oder an ihren Geruch. Es kommt mir so vor, als hätte ich ein großes, gutes Gefühl einfach an die falsche Person geknüpft. Ich wusste nach meinem Abgang aus Bamberg einfach nicht wohin mit meinen Gefühlen, und dann habe ich sie halt an Beate verschenkt. Jeder Mensch braucht doch einen Freund, nicht nur einen Gesprächs- oder Bettpartner, sondern auch einen Seelenpartner. Wenn der Wunsch zu groß wird, fällt man vermutlich leicht auf den falschen Menschen herein. Ich habe Beate einfach idealisiert und letztendlich, um ihren guten Ruf zu schützen, sechs Personen umgebracht.

Nun, schade war es um keinen Einzigen. Es waren Dreckskerle. Alle miteinander!

Nein, ich bereue nichts. Echt nicht. Ich liege im Bett, schaue zur Decke und schmiede Zukunftspläne. Der Privatdetektiv Heiner Graff hat mir vorgeschlagen, als Auftragskiller Geld zu verdienen. Soll ich das wirklich tun? Ich möchte Cordula ein angenehmes Leben bieten. Sie hat ein bisschen Luxus verdient. Falls meine Reserven nicht ausreichen, könnte ich auf Graffs Angebot zurückkommen. Was soll ich sonst tun? Mich um einen Job bemühen? Der Gedanke erscheint mir abwegig. Oder soll ich es noch einmal irgendwo als Arzt versuchen? Zahnarzt scheidet aus. Frauenarzt oder Psychologe, das passt besser zu mir. Aber in der Tiefe meiner Seele bin ich Hausarzt. Einer, der sich vorbildlich um seine Patienten kümmert. Ich habe diesen Job tatsächlich geliebt. Ich hatte nie ein schöneres, erfüllenderes Hobby. Es hat mich fast vollständig ausgefüllt.

Ich muss wohl eingenickt sein, und vermutlich habe ich auch dabei geschnarcht. Mit trockenem Mund schrecke ich hoch. Da sind Geräusche im Flur. Ich weiß sofort, dass es um alles oder nichts geht.

Da randaliert kein Nachbar. Hanno Fischbach ist nicht mit ein paar Kumpels zurückgekommen, um mich zu verdreschen. O nein! Da verschaffen sich Polizisten gewaltsam Zugang zu einer Wohnung.

Nicht zu dieser hier. Sie dringen bei mir ein!

Rudolf Dietzen ist enttarnt!

Ich schaue mich nach Waffen um. Die haben tatsächlich nur stumpfe Messer in der Küche. Da tut einem der Sonntagsbraten leid, wenn er so grob zerfetzt wird, statt dass eine scharfe Klinge durch ihn hindurchgleitet wie durch ein zimmerwarmes Stück Butter.

Ich schaue durch den Spion. Ich sehe einen Polizisten mit Sturmhaube und kugelsicherer Kleidung. In Science-Fiction-Filmen sehen die Truppen der Bösen so aus. Darth Vaders willenlose Klonarmee.

Ich höre Cordula schreien. Es zerreißt mich fast.

Nein, ich darf jetzt nicht rausstürmen und mich ins Kampfgetümmel stürzen. Ja, vielleicht könnte ich einen oder zwei Polizisten mit dem Messer verletzen oder gar töten. Aber ich könnte nicht gewinnen. Ich käme nie aus dem Haus heraus. Nicht mit ihr und nicht ohne sie. Ich muss vernünftig sein. Aber genau das will ich jetzt nicht. Etwas in mir will nur raus in den Flur und töten.

Ich beiße die Zähne fest aufeinander und presse die Lippen zusammen, um nicht zu schreien. Ich schließe die Augen. Phantasiebilder schießen durch meinen Kopf wie der Trailer eines blutigen Horrorfilms.

Ich steche bewaffnete Uniformierte wie im Rausch ab. Ich bin schnell. Viel zu schnell für sie. Trotz ihrer überlegenen Waffen sind sie wie Schlachtvieh für mich. Ja, in meiner Phantasie ist das so.

Aber in der Wirklichkeit würden sie nicht zögern, sondern mich mit ein paar Treffern niederstrecken.

Ich trage keine kugelsichere Weste. Mein Herz pocht wild im ungeschützten Brustkorb.

Sie schleifen Cordula heraus. Ich kann sie sehen. Sie tritt um sich. Jemand zerrt ihren Kopf an den Haaren nach hinten. Sie zeigt ihre Zähne und beißt um sich. Jeder Arm wird von einem anderen Beamten verbogen. Sie schaffen es mit drei Leuten nicht, sie zu bändigen. Welch eine Frau!

Sie brüllt die Polizisten an: »Lasst mich los, ihr Penner! Ihr seid tot! Könnt ihr euch vorstellen, was mein Mann mit euch macht, wenn er herausfindet, dass ihr mich verletzt habt? Ihr seid tot! Bernhard zieht euch ganz langsam die Haut ab!«

Schrecken die Männer echt zurück, oder bilde ich mir das nur ein?

Cordula erwischt einen mit dem Fuß zwischen den Beinen. Er lässt ihre Arme los. Sie versucht, ihm die Sturmhaube vom Kopf zu reißen.

»Ja, habt ihr euch deshalb so verkleidet? Traut sich keiner von euch, sein Gesicht zu zeigen, weil ihr solche Schisser seid?! Weil ihr Angst habt, dass er euch holt? Ja, genau das wird er tun! Jeden Einzelnen von euch! Ihr könnt nie wieder ruhig schlafen! Er kriegt eure Namen raus, und dann seid ihr dran!« Sie lacht hysterisch. »Ich kann eure Angst riechen. Ihr stinkt ja richtig! Ihr vergreift euch an dem Liebsten, das er hat ... ihr seid jetzt schon lebende Leichen!«

Hinter ihr wird Bille aus meiner Wohnung geführt. Sie ist still. Leichenblass. Kurz davor, ohnmächtig zu werden. Offensichtlich kapiert sie nicht, was geschieht.

Ich ziehe Klamotten von ihrem Scheiß-Typen an.

Jemand sprüht Cordula Pfefferspray oder einen vergleichbaren

Dreck in die Augen. Sie jault vor Schmerz. Handschellen schließen sich um ihre Gelenke.

Ihre Drohung gegen die Polizeibeamten klingt in meinen Ohren wie eine Liebeserklärung.

Sie bringen Cordula zum Fahrstuhl. Jetzt sehe ich Rupert und Ann Kathrin Klaasen. Rupert bewegt sich wie der junge Bruce Willis. Er ist sauer, aber irgendwie auch erfreut: »Ich hab's doch gesagt! Der Typ ist viel zu clever für uns. Der lässt sich nicht so einfach von uns einsacken.«

»Er kann sich nicht in Luft aufgelöst haben. Er hat dieses Gebäude nicht verlassen. Wir hatten alle Ausgänge unter Kontrolle«, sagt Ann Kathrin Klaasen.

Die zwei stehen praktisch einen halben Meter von mir entfernt. Zwischen uns ist nur die Tür. Ich könnte hindurchschießen und sie beide erledigen, aber meine Beretta liegt in der anderen Wohnung.

»Hatten wir sie wirklich unter Kontrolle?«, fragt Rupert. »Ich meine, die Gelsenkirchener Kollegen sind nicht gerade sehr kooperativ. Für die sind wir Ostfriesen doch nur dumme Fischköppe. Merkst du das nicht, Ann? Die lassen sich von dir nichts sagen. Außerdem hängt dieser Sommerfeldt sich bestimmt nicht gerade ein Schild um den Hals, auf dem steht: *Achtung, gesuchter Serienkiller!* Vielleicht hat er bei seiner Vorliebe für Verwandlungen und Verkleidungen dieses Scheiß-Hochhaus als türkische Putzfrau verlassen, mit hübschem Kopftuch. Jedenfalls hat er uns mal wieder den Stinkefinger gezeigt.«

Ann Kathrin Klaasen schüttelt den Kopf. »Er muss noch im Gebäude sein.«

Ein Anzugträger mischt sich ein. Der graue Anzug mit den Schlauchhosenbeinen sieht aus, als würde er einem übergewichtigen Mann gehören, wird aber von einem jungen, schlanken Kerl getragen, der sein Gewicht nervös von einem Bein aufs andere verlagert.

»Glauben Sie ja nicht, dass Sie jetzt die Genehmigung von mir bekommen, hier ein paar hundert Wohnungen zu durchsuchen. Wissen Sie überhaupt, wie viele Stockwerke dieses Gebäude hat?«

Ann Kathrin Klaasen insistiert: »Hier hält sich ein Mörder auf!«

Der schlaksige Typ grinst breit. »Ja, vielleicht. Kann aber auch sein, dass er gerade auf Mallorca Fisch isst oder vor Kuba surfen geht. Nein, Frau Klaasen, Ihre Informationen sind viel zu vage, beruhen auf Spekulationen und …«

»Er ist hier«, behauptet sie stur. Aber Gelsenkirchen ist nicht Ostfriesland. Hier tanzt nicht alles nach Ihrer Pfeife. Die haben hier ihren eigenen *way of life*. Da muss ich Rupert recht geben.

»Wir haben weder das Personal noch die rechtliche Grundlage, um alle Wohnungen in diesem Gebäude zu durchsuchen. Schluss aus! Ende der Debatte.«

»Er könnte«, faucht Ann Kathrin Klaasen, »hinter dieser Tür stehen!«

Mir wird ganz anders.

»Ja, wollen Sie das Gebäude evakuieren und alle Personen erkennungsdienstlich behandeln lassen oder was?«, kontert der Mann, den ich für einen Staatsanwalt halte.

Ann Kathrin findet, das sei doch schon mal ein ganz guter Vorschlag, aber am Ende des Gesprächs ist sie froh, dass die Spusi überhaupt meine Wohnung umgraben darf. Umgraben, ja, genau so nennt sie es.

Ich habe Angst, Bille Lang könnte den Beamten einfach erzählen, wo ich bin. Cordula wird den Mund halten, da bin ich mir ganz sicher, aber diese Bille hält bei einem gezielten Nachfragen keine zehn Minuten stand. Vielleicht plaudert sie schon jetzt im Polizeiwagen, auf dem Weg zur Vernehmung.

Ich muss hier so schnell wie möglich raus. Auch wenn sie nicht jede Wohnung durchsuchen, werden Ann Kathrin Klaasen und Rupert mit ein paar Hilfssheriffs bestimmt alle Eingänge überwachen. Wie, verdammt, komme ich aus dieser Mausefalle wieder raus?

Ich stehe immer noch bewegungslos hinter der Tür und atme flach. Cordulas Worte klingen in mir nach. Ich vermute, sie hat die Drohung gegen die Polizisten auch deshalb so laut geschrien, um mich zu warnen.

Ann Kathrin Klaasen sehe ich nicht mehr, aber die Kriminaltechniker in ihren weißen Ganzkörperkondomen nähern sich. Sie tragen auch noch Mundschutz. Es fällt mir bei einer der Gestalten sogar schwer zu sagen, ob sich unter dem weißen Anzug ein Mann mit einem dicken Arsch befindet oder eine Frau mit einem gebärfreudigen Becken.

Wenn ich an so einen Schutzanzug komme, habe ich eine Chance, denke ich.

Sie arbeiten zu dritt in meiner Wohnung. Das kann ich nicht riskieren, aber als einer von ihnen in den Flur zurückkommt und auf den Fahrstuhl wartet, handle ich blitzschnell. Ich packe ihn von hinten und zerre ihn in Billes Wohnung.

Er zappelt und wehrt sich. Es wäre leicht für mich, ihn von hinten zu erstechen oder ihm den Hals durchzuschneiden, aber ich darf diese weißen Klamotten nicht mit Blut vollsauen. Das würde mich später verraten. Ich halte ihm das Messer nur an den Hals und bitte ihn höflich, sich auszuziehen.

Er macht es sehr langsam und umständlich. Ich zögere noch. Soll ich ihn danach erstechen oder reicht es, ihn zu fesseln und zu knebeln? Wie viel Vorsprung kann ich mir erarbeiten? Ich brauche diese weiße Kleidung nur, um aus dem Gebäude zu kommen. Durch die Stadt kann ich damit sowieso nicht.

Der Schutzanzug liegt jetzt vor mir. Darunter trägt der Typ eine schwarze Jeans, Turnschuhe und ein recht originelles, buntes Hemd.

Ich verlange auch den Mundschutz und die Brille.

Er sieht eher wie ein Urlauber aus. Der dicke Schnauzbart und das fließende Kinn geben ihm etwas Seehundhaftes. Er hat so treudoofe, bittende Augen, man würde ihn am liebsten mit Heringen füttern. Bestimmt war er mal Mamis Liebling.

»Ich müsste dich eigentlich töten, um genug Vorsprung zu bekommen«, sage ich.

Er schüttelt den Kopf. »Bitte nicht! Lassen Sie mich leben!«

»Sie werden mich verpfeifen, sobald ich im Flur bin«, sage ich.

»Nein«, verspricht er, »ich werde hier ganz ruhig sitzen und einfach abwarten.«

Er sieht mir an, dass ich ihm nicht glaube. »Eine halbe Stunde?«, schlägt er vor und erhöht dann fleißig: »Eine ganze?«

»Okay«, sage ich und stecke das Küchenmesser in meinen Hosenbund. Er entspannt sich.

Ich knalle ihm einen rechten Haken voll gegen die linke Schläfe. Er kippt sofort um. Trotzdem ziehe ich es vor, ihm den Mund zu verkleben und ihn mit Kabelbindern an die Heizung zu fesseln.

Als ich die Wohnung in seiner weißen Schutzkleidung verlasse, ist er immer noch ohnmächtig.

Ich komme mir wie ein Astronaut vor und nicht wie ein Mitarbeiter der Kriminaltechnik, obwohl das hinten auf meinem Anzug steht. Ich steige in den Fahrstuhl. Er saust runter. Ich trage den Mundschutz und die Brille. Im Fahrstuhl überprüfe ich meine Kleidung.

Dachte ich es mir doch! Ann Kathrin Klaasen steht am Eingang. Sie telefoniert aufgebracht. Ich gehe an ihr vorbei und nicke ihr sogar freundlich zu. Ich höre ihre Worte.

»Es ist eine einzige Katastrophe, Frank! Zum zweiten Mal entwischt er mir. Es ist, als wüsste er vorher genau, was ich tue und wann ich komme.«

Vielleicht mache ich zu schnelle Schritte. Jedenfalls wird sie plötzlich wie wach und ruft hinter mir her: »He, halt! Stehenbleiben! Ich will Ihr Gesicht sehen!«

Ich renne los.

Sie hinter mir her. Sie ruft noch einmal: »Hände hoch und stehen bleiben! Bleiben Sie stehen! Ich will Ihre Hände sehen!«

Ich wette, sie zielt schon auf mich, aber noch fällt kein Schuss. Sie hat Skrupel. Sie will mich lebendig.

Ich stoße einen Radfahrer um und nehme mir sein Rad. Ich reiße mir den Mundschutz runter, um besser atmen zu können.

Die Kommissarin schießt nicht. Jetzt sowieso nicht mehr. Es ist viel zu gefährlich.

Ich suche den Schutz in der Menschenmenge. Die Leute mit den Einkaufstüten sind für mich besser als jede kugelsichere Weste. Ihre pure Anwesenheit verhindert, dass überhaupt auf mich geschossen wird. Mit dem weißen Schutzanzug falle ich natürlich auf wie ein bunter Hund. Sosehr das Teil mir geholfen hat, aus dem Gebäude zu kommen, sosehr behindert es mich jetzt. Es auszuziehen, ist kompliziert. Das Ding geht ja vom Kopf bis zu den Füßen. Es würde viel zu viel Zeit kosten.

Hinter mir knallen die Schritte der Kommissarin auf dem Pflaster. »Stehen bleiben! Polizei!«, ruft sie erneut.

Spar deinen Atem, Ann Kathrin. Da kannst du noch lange rufen. Glaubst du im Ernst, dass ich stehen bleibe und mich verhaften lasse? Ich könnte so tun als ob, dich nah an mich herankommen lassen und dann zustechen. Aber ich fürchte, ich bringe das nicht. Du bist eine Frau. Und, so verrückt sich das anhört, irgendwie mag ich dich sogar.

Ich brauche einen Unterschlupf. Ein Versteck. Es zieht mich spontan zu meiner Therapeutin Bärbel, aber bis in die Bismarck-straße schaffe ich es nicht. Ich muss mich vorher irgendwo um-ziehen.

Ich höre Polizeisirenen. Vielleicht zieht es einen in solchen Situationen an Orte, die man kennt, wo man sich angenommen, sicher, heimisch fühlt. Bis zur Buchhandlung Junius ist es nicht weit. Ich rase bis in die Sparkassenstraße. Vor dem Laden springe ich vom Rad. Es kracht gegen einen parkenden VW.

Schon bin ich in der Buchhandlung. Sabine Piechaczek steht hinter der Kasse. Sie hat eine ähnliche Frisur, wie ich sie Cordula verpasst habe, nur nicht so feuerrot.

Zwei Kundinnen starren mich an. Ich lege meinen linken Zei-gefinger über die Lippen und flüstere geheimnisvoll: »Psst! Das ist eine Wette. Kann ich mich hinten kurz umziehen?«

Sabine Piechaczek kennt mich. Ich habe oft hier nach Neuer-scheinungen gestöbert und so manches Taschenbuch gekauft. Sie lächelt mir fast komplizenhaft zu.

Ich pelle mich aus dem Schutzanzug. Eine Kundin möchte am liebsten ein Handyfoto von mir machen, sagt es auch ihrer Freun-din, geniert sich aber, mich zu fragen. Ich sehe durchs Schaufens-ter Kommissarin Ann Kathrin Klaasen.

»Darf ich mal kurz Ihre Toilette aufsuchen?«, frage ich. Sabine Piechaczek zeigt mir wortlos den Weg.

Ich höre, wie Ann Kathrin Klaasen den Laden betritt. Nein, sie will kein Sachbuch über Zielfahndung kaufen. Sie hat das Fahrrad draußen auf dem Bürgersteig liegen sehen und ihre Schlussfolge-rungen gezogen. Wie konnte ich nur so blöd sein? Es war ein Flüch-tigkeitsfehler. Sie hat mich nicht hier reingehen sehen. Ich könnte überall sein. Aber dieses blöde Fahrrad verrät mich.

Es ist mir richtig peinlich, so einen Fehler gemacht zu haben.

Ich fühle mich, als könnte gleich meine spöttisch grinsende Mutter mit erhobenem Zeigefinger vor mir stehen und meckern: »Nicht mal das kannst du, Johannes. Nicht einmal das! Selbst zum Gangster bist du zu blöd.«

Jetzt nur nicht zu Johannes werden! Die Situation hier im Laden ist bedrohlich für mich.

Ich versuche, mich nach hinten zu retten, aber hier komme ich nicht heraus. Ich pirsche in den Verkaufsraum zurück. Ich habe nur dieses dämliche, stumpfe Küchenmesser.

Zwei Kundinnen, Sabine Piechaczek und Ann Kathrin Klaasen. Vier Frauen! Und ich bin vermutlich nicht in der Lage, auch nur einer von ihnen etwas zuleide zu tun. Hier arbeiten noch zwei Frauen, aber ich sehe sie im Moment nicht. Vielleicht sind sie weiter hinten, im Büro oder im Buchlager, oder sie haben Pause.

Ann Kathrin Klaasen hält das Handy mit der Schulter gegen ihr Ohr gepresst und die Schusswaffe in beiden Händen. Sie spricht energische Befehle ins Handy: »Ich bin in der Buchhandlung Junius. Er ist hier. Ich brauche Verstärkung! Beeilt euch, Jungs!«

Dann ruft sie in den Laden: »Kommen Sie mit erhobenen Händen raus, Sommerfeldt! Das Spiel ist aus! Wir haben Ihre Sprechstundenhilfe bereits verhaftet!«

Ich hocke gebückt hinter der Kasse. Neben mir steht Sabine Piechaczek. Sie senkt nur kurz ihren Blick, und Ann Kathrin Klaasen weiß genau, wo ich bin. Mir bleibt nichts anderes übrig. Ich springe hoch und halte der schockstarren Buchhändlerin die Klinge an den Hals.

Die Kundinnen gehen vorsichtig rückwärts zur Tür. Eine sagt: »Ich glaub, mir wird schlecht …«

»Stellen Sie sich da ans Buchregal«, fordere ich. Sie tun es, und die eine hebt sogar die Hände.

»Lassen Sie die Frau los, Sommerfeldt!«, verlangt Ann Kathrin Klaasen und zielt auf mein Gesicht. Sie ist keine vier Schritte von mir entfernt.

»Lassen Sie die Waffe fallen, Frau Kommissarin, oder ich …« Ich drücke die Klinge fester gegen Sabine Piechaczeks Hals. Die reagiert merkwürdig cool: »Wenn das ein Witz sein soll, kann ich nicht darüber lachen.«

Ich herrsche Kommissarin Klaasen an: »Legen Sie die Pistole vorsichtig auf den Boden. Dann schieben Sie sie mit dem Fuß zu mir rüber, sonst …«

»Sonst was?«, fragt sie.

Eine Kundin ruft, als müsse sie die Kommissarin darauf aufmerksam machen: »Er hat ein Messer!«

Ich habe keine Zeit zu verlieren. Vermutlich ist die ganze Polizei aus Gelsenkirchen und Umgebung auf dem Weg hierher.

»Ich tue es!«, drohe ich.

»Nein«, sagt Frau Klaasen trocken, »genau das werden Sie nicht.« Sie richtet die Mündung ihrer Pistole immer noch auf meine Nase.

»Ihr Wort in Gottes Ohr«, flüstert Sabine Piechaczek.

»Warum nicht?«, frage ich.

»Weil die Frau Ihnen nichts getan hat. Sie sind nicht der kaltblütige Mörder, für den man Sie hält, sondern ein Mann mit Prinzipien. Sie haben nie einer Frau etwas zuleide getan. Fangen Sie jetzt nicht damit an! Es wäre ein sinnloser Mord. Wenn Sie ihr etwas antun, werde ich schießen. Verlassen Sie sich drauf.«

Die Frauen aus dem Ruhrgebiet sind merkwürdig hart drauf. Sabine Piechaczek schlägt vor: »Soll ich uns nicht einen Kaffee kochen, und wir besprechen alles in Ruhe in meinem Büro? Ich meine, das hier ist echt geschäftsschädigend für die Buchhandlung.«

Eine neue Kundin betritt nichtsahnend den Laden, sieht noch im Türrahmen die Situation und geht gleich rückwärts wieder raus.

Ich weiß nicht, warum. Ich lasse das Messer sinken.

»Ich geh dann mal den Kaffee holen«, sagt die Buchhändlerin und verschwindet zu den Kundinnen. Die drei Frauen stehen jetzt hinter Ann Kathrin Klaasen. Zwischen uns ist nur noch die kleine Theke.

Ich habe alle Trümpfe sinnlos verspielt. Wären hier männliche Buchhändler und vielleicht noch zwei, drei männliche Kunden gewesen, hätte ich möglicherweise sogar ein Blutbad angerichtet, denke ich. Aber so bin ich chancenlos. Überhaupt ist das nicht mein aggressiver Tag, sonst hätte ich den Kriminaltechniker erstochen, statt ihn an die Heizung zu fesseln.

Ich bin seit diesen Tagen mit Cordula auf eine mir fast unheimliche Art weich geworden. Ich höre mich sagen: »Erschießen Sie mich, Frau Klaasen. Machen Sie Schluss.«

Sie hält weiterhin die Waffe auf mich gerichtet und spricht laut und deutlich: »Lassen Sie das Messer fallen und zeigen Sie mir Ihre Hände, Herr Sommerfeldt. Im Namen des Gesetzes – Sie sind verhaftet.«

Ich halte das Messer in der Hand, richte die Spitze der Klinge auf die Kommissarin und trete hinter der Theke hervor. Es ist wie ein langsamer Tanz mit einer präzisen Choreographie. Wir bewegen uns, aber unser Abstand verändert sich nicht. Mache ich einen Schritt, vollzieht sie ihn spiegelgleich nach. Immer so, dass wir zwar unsere Position im Raum neu definieren, aber uns nicht näher kommen.

Mit ihrer Waffe ist sie in der Lage, mich über eine größere Distanz zu erledigen. Ich dagegen brauche den Kontakt. Jeder versucht, für sich einen kleinen Vorteil herauszuschinden. Es geschieht stumm, als würden wir einer genauen Regieanweisung folgen.

Mein Plan ist ganz einfach: Ich kann bei unserem stillen Tänzchen meine Lage enorm verbessern, wenn ich hinter mir nicht die Buchregale mit den Regionalkrimis habe, sondern die, vor denen die Kundinnen mit Sabine Piechaczek stehen. Die Gefahr, dass eine verirrte Kugel sie trifft, wird Ann Kathrin Klaasen nicht eingehen. Außerdem komme ich so auch näher an die Tür. Allerdings kann die Kommissarin feuern, sobald ich draußen bin.

Etwas sagt mir, dass sie es nicht tun wird. Aber ihre Kollegen sind im Anmarsch. Darunter bestimmt einige, die weniger Hemmungen haben und nur zu gern zu Helden werden würden, die den meistgejagten Mann des Landes zur Strecke gebracht haben.

»Lassen Sie das Messer fallen«, fordert Frau Klaasen erneut.

Meine Zeit tickt. Noch einen Schritt weiter in Richtung Tür. Gleich habe ich die Kundinnen in meinem Rücken.

Ann Kathrin Klaasen scheint zu ahnen, was ich vorhabe. Sie bewegt sich nicht mehr spiegelgleich, weicht nicht zurück. Sie hält ihre Position und versperrt mir so den gewünschten Weg.

Ich versuche, sie in ein Gespräch zu verwickeln. »Wie haben Sie mich gefunden, Frau Klaasen? Was habe ich falsch gemacht?«

»Sie haben den falschen Leuten vertraut.«

»Ich? Ich vertraue niemandem.«

Sie schaut nicht auf meine Füße. Sie beobachtet nicht meinen Körper. Sie zielt auf mein Gesicht und schaut mir in die Augen. Sie liest an meinen Augen meine Bewegungen ab, bevor ich sie überhaupt mache. Deshalb richtet sie die Waffe auf meine Nase. Nicht, weil sie mir ins Gesicht feuern will, sondern weil sie den Blickkontakt braucht. Sie wird, wenn ich mich rumdrehe und rausrenne, auf meine Beine schießen. Wenn überhaupt …

Ob sie den Lärm genauso hasst wie ich? Ist es das?

»Einen Judas gibt es immer. Ihr Freund Heiner Graff hat uns einen Tipp gegeben.«

Ich bin echt baff. Für einen Moment stehe ich still. »Heiner Graff?«, wiederhole ich.

Sie nickt. Ich muss es wohl laut gesagt und nicht nur gedacht haben: »Aber warum?«

»Menschen sind so«, behauptet sie. »Hat er Ihnen den Auftrag erteilt, den Mord auf Langeoog zu begehen? Oder war es Ihre Cordula, die dort zugeschlagen hat?«

»Nein«, sage ich tapfer, »ich war es.«

»Und warum haben Sie es getan?«, fragt die Kommissarin, ohne die Waffe zu senken. »Bei den anderen Morden habe ich Ihre Motivation inzwischen verstanden. Sie wollten Beate Herbst schützen. Aber ich verstehe nicht, warum Sie …«

»Er war ein übler Zuhälter und Drogenhändler. Heiners Tochter ist ihm hörig. Er hat darunter gelitten wie ein Hund …«

Ann Kathrin Klaasen senkt die Pistole ein paar Zentimeter. Jetzt ist die Mündung nicht mehr auf mein Gesicht, sondern auf meinen Bauch gerichtet. »Heiner Graff hat keine Tochter.«

Alle Energie weicht aus meinem Körper. Ein Schuss in den Magen hätte mich nicht noch mehr ausknocken können. Ich habe das Gefühl, zu taumeln. Die Wände kommen auf mich zu.

»Sie haben lediglich die Drecksarbeit für ein konkurrierendes Drogenkartell erledigt, Herr Sommerfeldt. Mehr nicht. Der Rest war eine romantische Verpackung, damit es Ihnen leichter fällt.«

Ich muss mich irgendwo festhalten. Mir ist übel. Der Magen drückt den Inhalt hoch. Curryhühnchen mit Couscous und Mango.

Da ist ein bohrender Stolz in mir. Ich empfinde die Situation als unwürdig. Ich will mich hier im Buchladen nicht übergeben. Ich sehe schon die Schlagzeilen vor mir: *Der Serienkiller mit dem nervösen Magen.*

Nein, so einen Abgang will ich nicht. Das Ende hatte ich mir anders vorgestellt. Heroischer. So will ich nicht abtreten.

Ich drehe der Kommissarin den Rücken zu und versuche, aufrecht zur Tür zu gehen, als könnte ich den Laden wie ein ganz normaler Kunde verlassen.

Draußen vor dem Schaufenster sehe ich drei Polizeibeamte mit den Dienstwaffen im Anschlag. Sie sind nervöser als Ann Kathrin Klaasen.

Ihre Stimme ist klar und ruhig: »Wenn Sie mit dem Messer in der Hand rausgehen, werden die Sie erschießen, Herr Sommerfeldt. Lassen Sie sich von mir abführen.«

So komisch es sich liest, im Kugelhagel zu sterben, erscheint mir gerade als ganz passable Lösung. Besser, als hier die Buchhandlung vollzukotzen.

»Lassen Sie das Messer fallen! Ergeben Sie sich, und ich bringe Sie nach Ostfriesland. Dort wird Ihnen ein fairer Prozess gemacht.«

Ich würge noch immer gegen den Brechreiz an. Vielleicht ist es der Satz: *Ich bringe Sie nach Ostfriesland.* Er wärmt mich. Gibt mir Hoffnung, das Curryhuhn bei mir behalten zu können.

Ja, ich will zurück nach Ostfriesland, wo ich die glücklichste Zeit meines Lebens verbracht habe. Ich sehe Heiner Graff vor mir. Hatte ich ihn wirklich für einen Freund gehalten? Ich hätte ihn im Stadtpark einfach umbringen sollen. Stattdessen habe ich mich erpressen und benutzen lassen. Was bin ich doch für ein leichtgläubiger Idiot …

Ich weiß nicht, ob ich das Messer bewusst fallen lasse oder ob es mir schlicht aus den Fingern gleitet. Jedenfalls liegt es vor mir und Ann Kathrin Klaasen biegt meinen Arm auf meinen Rücken. Handschellen klicken um meine Gelenke. Das Metall ist angenehm kühl. Es erinnert mich einen kurzen Moment an die Klangschale, in der ich gestanden habe.

Die Kommissarin dreht die Handschellen sehr fest zu, so als habe sie Angst, ich könne die Hände einfach aus der Acht herausziehen.

Draußen sind jetzt vier bewaffnete Einsatzkräfte. Ann Kathrin Klaasen schießt das Messer mit dem Fuß zur Seite, öffnet die Tür und ruft: »Nicht schießen, nicht schießen! Ich bringe ihn raus! Er hat sich ergeben, er ist unser Gefangener!«

Ich finde sie geradezu fürsorglich. Sie hat Angst, einer ihrer Kollegen könne die Situation falsch verstehen und auf mich schießen.

Im Laden hinter mir höre ich Sabine Piechaczek: »Eigentlich verkaufe ich lieber Krimis, statt sie selber zu erleben.«

Eine Kundin will sofort ihren Mann anrufen, und die andere sagt: »Ich brauche jetzt dringend einen Schnaps.«

Ein Polizeiwagen rauscht herbei. Ich werde aufgefordert, hinten einzusteigen. Das ist mit den Händen auf dem Rücken gar nicht so einfach.

Als ich mich bücke und den Kopf ins Fahrzeug schiebe, kann ich es nicht mehr halten. Mein Magen entleert sich. Ich fürchte, für den Schaden kommt keine Versicherung auf.

Ein junger Beamter flucht: »O mein Gott, in der Kiste fahre ich täglich in der Hitze herum …« Er funkelt mich wütend an. Seine Augen sagen mir, er bedauert, mich nicht einfach niedergeschossen zu haben. Das hätte zwar auch eine ganz schöne Sauerei gegeben, mit all dem Blut und so, aber es wäre sicherlich im Eingang der Buchhandlung passiert und nicht in seinem Dienstwagen.

Ich schließe die Augen und denke an Cordula. Wie mag es ihr gehen?

38

In meiner Phantasie habe ich Heiner Graff schon zigmal ins Jenseits geschickt. Da erfindet der eine Tochter und eine rührselige Geschichte, damit ich für ihn einen Auftragsmord begehe … er kassiert die Kohle und lässt mich dann hochgehen. Na ja, ein Toter mehr oder weniger auf meinem Konto ändert nichts mehr. Das Strafmaß Lebenslänglich ist ja nur schwer auszudehnen.

Aber was mich echt ärgert, ist, dass Cordula jetzt mit drinhängt. Sie hätte ein schönes, lustvolles Leben in Norden ohne mich vor sich gehabt, mit Kuchen von ten Cate, guten Büchern und frischer Luft. Stattdessen wird man alles dransetzen, ihr diesen blöden Mord auf Langeoog anzuhängen.

Im Grunde, denke ich, haben sie nur das Messer mit ihren Fingerabdrücken. Ich bastle insgeheim an einer Geschichte. Ich könnte Heiko Mahr ermordet haben, und sie hat mich gesehen. Wir haben gestritten. Ich habe ihr das Messer gegeben. Sie hat es weggeworfen.

Ja, das ist eine einfache, schöne Geschichte.

Mich verurteilen sie doch sowieso. Ich könnte Cordula entlasten. Ich freunde mich gerade mit dem Gedanken an. Ja, ich werde alles auf mich nehmen. Ich könnte es nicht ertragen, wenn sie im Grunde wegen meiner Fehler ins Gefängnis müsste. Hätte sie mich nie kennengelernt, wäre sie nie meine Sprechstundenhilfe

374

geworden, hätte sie eine prima Zukunft in Ostfriesland gehabt, als kleines Pummelchen, das gerne schweinische Witze erzählt und Shantys singt.

Nein, ich kann nicht verantworten, dass sie verknackt wird.

Ich habe einen langen Liebesbrief an Cordula geschrieben und ihr gestanden, dass ich mich noch nie so bedingungslos geliebt gefühlt habe.

Es war komisch für mich, diesen Brief zu verfassen. Einerseits tat es mir gut. Die Tinte floss nur so aus der Feder, und die Worte gaben meinem Leben etwas Sinnhaftes. Ich kam mir ehrlich vor und dabei merkwürdig frei, als könne ich endlich schamlos ich selbst sein, ohne Rücksicht auf Rollen und Masken. Gleichzeitig wusste ich beim Schreiben, dass Leute mitlesen werden. Bürgerrechte wie das Briefgeheimnis halten sich für inhaftierte Mörder in Grenzen.

Zuerst störte mich der Gedanke, dass jemand, den ich nicht mal kenne, meine Gedanken liest, bewertet, ja, beurteilt, ob sie überhaupt weitergeschickt werden dürfen. Aber dann veränderte sich meine Sicht darauf. Zunächst war es mir egal, dann begann es mir sogar Freude zu machen. Als hätte ich als Autor endlich ein Publikum gefunden.

Ich warte in der JVA Meppen auf meinen Prozess. Ich bin kein gewöhnlicher Gefangener. Ich werde von den anderen ferngehalten, als würde man befürchten, ich könnte einen schlechten Einfluss auf sie haben, ja, sie mit einem tödlichen Virus infizieren.

Mir steht ein Fernsehgerät zur Verfügung. Ich, der ich immer ein Leser war und nie ein großer Fernsehgucker, bin inzwischen geradezu süchtig nach Fernsehbildern geworden. Es kommt mir manchmal so vor, als würde mein Leben dort stattfinden, und zwar auf irre Weise ohne mich selbst.

Cordula, die von einem Boulevardblatt *die Assistentin des Teu-*

fels genannt wurde, hat sämtliche Morde gestanden. Den auf Langeoog und die sechs in Ostfriesland und im Emsland gleich dazu.

Die Nachricht lähmt mich fast. Bin ich wahnsinnig geworden? Was macht dieses verrückte Huhn? Will die liebende Frau mich so herauspauken? Ist dahinter eine Strategie?

Sie nimmt alle Schuld auf sich und entlastet mich in jedem Punkt. Sie habe diese *sexistischen Arschlöcher* einfach töten müssen. Ich sei völlig unschuldig.

Was tust du da, Cordula? Was büßt du da ab? Willst du für meine Sünden ans Kreuz genagelt werden? Ich kann das nicht zulassen! Ich muss meinerseits einfach das bessere, fürs Gericht schlüssigere Geständnis machen.

Sie darf damit nicht durchkommen. Ich würde mich in der Freiheit nicht wohlfühlen, wenn ich wüsste, dass sie tagtäglich für meine Taten büßt und sich dabei vor Liebe nach mir verzehrt. Nein. Mein Geständnis muss niet- und nagelfest sein.

Mein Anwalt heißt Hans-Werner Berendes. Ich habe ihn als Patienten kennengelernt. Er liebt Ostfriesland und war einmal wegen einer Allergie bei mir. Er hat eine Kanzlei in Gelsenkirchen. Ich sah ihn mehrfach bei *Graziella II*. Einmal hätte ich ihn fast angesprochen, um einen Espresso mit ihm zu trinken. Im letzten Moment erst zuckte ich zurück. Schließlich war ich ja nicht als Dr. Sommerfeldt in Gelsenkirchen, sondern als Rudolf Dietzen.

Aber diese Reaktion von mir, dass ich mich fast selbst verraten hätte, zeigt mir, dass ich ihm trauen kann. Er hat etwas an sich, das mir gefällt.

Er wollte meinen Fall zunächst nicht übernehmen. Er sagte, er mache mehr Verkehrsrecht. Das hat mich noch mehr für ihn eingenommen. Er wird mich jedenfalls nicht verraten, und er ist in den ostfriesischen Filz nicht verstrickt.

Er hat mir geraten, zu schweigen und ihn sprechen zu lassen. Aber ich will reden. Ich bitte ihn, mir dabei zu helfen, ein Geständnis abzulegen, das nicht erschüttert werden kann. Das kommt ihm merkwürdig vor.

Am Abend nach dem ersten Prozesstag sitzt meine Therapeutin Bärbel bei Markus Lanz im ZDF. Sie sieht phantastisch aus. Da möchte man doch gleich gerne eine Therapie beginnen.

Aber was sie sagt, zieht mir die Schuhe aus. Sie wisse, dass es gegen alle standespolitischen Grundsätze verstoße, das Vertrauensverhältnis zwischen Klient und Therapeutin sei ein unschätzbar hohes Gut, aber in diesem Fall sei es im Interesse ihres Klienten, wenn sie, sozusagen, um ihn zu retten, Verrat beginge.

Nein, ich sei ganz sicher kein Mörder. Ein Hochstapler sei ich. Ein Blender. Aber eben kein Mörder. Ich könnte so etwas gar nicht. Ich würde das alles nur auf mich nehmen, um eine dritte Person zu schützen, vermutlich meine Frau. In gewisser Weise seien meine Geständnisse auch nur Hochstapelei. Ich sei ja auch kein Arzt gewesen, und trotzdem habe es mir jeder geglaubt. Nun drohe die Gesellschaft wieder auf meine Lügen hereinzufallen und mich als Mörder zu verurteilen. Ich sei einfach nur ein guter Schauspieler. Ein Mensch auf der Suche nach sich selbst.

Den Namen Cordula Baumann erwähnt sie nicht. Stattdessen führt sie aus, es sei ein bekanntes Phänomen: Väter oder Mütter würden sich schuldig bekennen, um ihre Kinder zu schützen. Das Motiv solcher Taten sei meist nicht nur einfach Liebe, sondern auch eine Geringschätzung, ja, manchmal Verachtung der eigenen Person und eine gleichzeitige Überhöhung, ja, Vergötterung des geliebten Partners. Dessen Leben erscheinen einem dann wichtiger als das eigene.

Sie bringt ein paar Beispiele für solche falschen Geständnisse.

Ich höre nur noch ein Rauschen. Zwischen meinen Ohren

wächst ein unglaublicher Lärm an. Ich sehe die Fernsehbilder, höre aber nichts mehr.

Ja, ist denn die ganze Welt verrückt geworden?

Am nächsten Morgen bringt mir ein Schließer, fast stolz, mich als Insassen betreuen zu dürfen, einen Stapel Zeitungen. Ich bin überall auf Seite eins. In einigen Blättern sind auch Fotos von Cordula und von Bärbel, meiner Therapeutin.

In der Neuen Osnabrücker Zeitung fragt die Journalistin Julia Kuhlmann: *Wie sehr muss er diese Frau lieben, um alle Morde zu gestehen?*

Was soll ich jetzt tun? Endlich bekomme ich die bedingungslose Liebe, die ich als Kind nicht kennengelernt habe, und dann soll die Frau, die sie mir gibt, für mich im Gefängnis einsitzen, während meine kalte Mutter ihre Freiheit und das ergaunerte Geld genießt? Das kann nicht sein!

Ich kann doch vor Gericht mit Cordula nicht darum kämpfen, wer hier für die Morde geradestehen darf … Nein, ich denke, es gibt einen anderen Weg. Ich werde ausbrechen, sobald sich mir die erste Gelegenheit bietet. Wenn ich in Freiheit bin, hat Cordula keinen Grund mehr, zu lügen. Sie wird versuchen, sich herauszuwinden, und sie hat echt gute Chancen, die Freiheit zu gewinnen. Ich muss ihr nur den Weg frei machen, alle Möglichkeiten auch wahrzunehmen. Dazu ist es wichtig, dass ich hier verdufte. Solange ich in Untersuchungshaft bin, wird es mir nicht allzu schwerfallen. Ich habe bereits einen Plan …

ENDE

Und es wird weitergehen mit Dr. Bernhard Sommerfeldt:

Klaus-Peter Wolf

TOTENSPIEL
im Hafen

Sommerfeldt räumt auf

Erscheinungstermin: 26. 6. 2019
ISBN 978-3-596-29920-1

Seit mich Kommissarin Ann Kathrin Klaasen in Gelsenkirchen verhaftet hat, geht es mir im Grunde gar nicht schlecht. Die Beamten in der JVA Meppen behandeln mich ausgesprochen höflich, ja, freundlich. Ich bin eine Art Popstar unter den Serienkillern. Ja, ich genieße Starbehandlung.

Das Essen könnte besser sein. Man kann sich im Gefängnis leider nichts vom Pizzaexpress kommen lassen. Kaffee kochen können die überhaupt nicht, und der Tee mag ja hier im Emsland ganz o. k. sein, würde in Ostfriesland aber gegen die Verfassung verstoßen.

Seit ich hier bin, habe ich bereits zweiundvierzig Heiratsanträge erhalten. Sechs aus der Schweiz, vier aus den Niederlanden, drei aus Frankreich, drei aus Polen und sechsundzwanzig aus Deutschland. Die Liebesbriefe zähle ich nicht, nur die Heiratsanträge.

Die Frauen haben Verständnis für mich. Für einige bin ich ein Held, weil ich ein paar miese Schweinehunde aus dem Weg geräumt habe. Die Frauenfeinde hätten es nicht besser verdient.

Es sind sehr hübsche Frauen unter meinen Verehrerinnen. Ja, sie schicken mir Fotos. Manche von ihnen sind richtig gebildet. Die meisten haben Abitur oder gar studiert – falls ihre Angaben stimmen. Ich kann sie ja schlecht überprüfen.

Glaubt es oder glaubt es nicht, ein Schließer hier hat mich gebeten, ein Selfie mit mir machen zu dürfen. Am nächsten Tag brachte er es als Ausdruck mit und bat mich, es zu signieren, weil seine

Frau ein großer Fan von mir sei. Ja, er sagte *Fan*. Ich gab ihm mein erstes Autogramm als Serienkiller.

Eigentlich hatte ich früher mal gehofft, in Zukunft meine Bücher als Schriftsteller signieren zu können, aber das Leben schreibt seine eigenen Geschichten.

Obwohl, auch als Autor mache ich Fortschritte. Ein literarischer Agent hat mich besucht. Zwei große Illustrierte überbieten sich im Streit um die Rechte meiner Tagebücher – wie sie es nennen. Ich habe ihnen gesagt, das sind keine Tagebücher. Es sind Aufzeichnungen. Gedanken. Der Versuch, mich und mein Leben zu verstehen. Er nennt es meine Biographie. Jedenfalls ist es den Illustrierten einen Vorschuss von gut zweihunderttausend Euro wert. Der Agent meint aber, er könne noch mehr herausholen. Ich muss nur seinen Vertrag unterschreiben …

Er will zwanzig Prozent und findet das wenig. Das Problem ist nur, meine literarischen Versuche werden gerade von der Polizei als Beweismittel gegen mich ausgewertet. Sie sind keineswegs bereit, mir die Texte auszuhändigen.

Der Agent will einen Prozess gegen die gesamte Justiz führen, um meine Kladden freizukriegen, und behauptet, das Ganze sei im Grunde schon Teil der Geschichte. Er spricht von einer genialen Marketingstrategie. Von Exklusivinterviews, Büchern und Filmen, einem Rechtepaket, das am Ende eine halbe Million bringen werde. Mindestens. Ich muss nur vorher eben diesen Vertrag unterschreiben.

Mein Anwalt, Hans Werner Berendes, empfiehlt mir immer wieder, ich solle doch den Mund halten und ihn reden lassen, aber das fällt mir sehr schwer. Mein Ziel ist ja gar kein Freispruch, sondern mein Ziel ist, dass Cordula freigesprochen wird.

Ich ziehe alle Schuld auf mich. Und ich bitte ihn, mir dabei zu helfen. Das kommt ihm komisch vor.

Dieser Prozess kann Jahre dauern. So viel Zeit habe ich nicht. Deshalb habe ich darum gebeten, ein Interview geben zu dürfen.

Berendes hat mir trotz seiner Vorbehalte geholfen, das Interview mit Holger Bloem zu organisieren. Es findet unter großem Polizeiaufgebot statt. Diesmal kam er mit einem Kamerateam vom öffentlich-rechtlichen Fernsehen, wie er mehrfach betonte.

Vor laufender Kamera habe ich alles zugegeben. Ich habe Details erzählt. Selbst das Sicherheitspersonal wurde mucksmäuschenstill. Holger Bloem hat meine Erzählung richtig angefasst, das habe ich ihm deutlich angesehen. Eine Tontechnikerin hat geweint.

Meinem Anwalt passte das alles gar nicht, aber er ließ mich machen, funkte mir nicht dazwischen, und das gefiel mir.

Ja, ich habe dieses Interview genossen. Es war geradezu ein Flirren in der Luft. Dieses Wissen: Das hier werden Millionen Menschen sehen …

Eine Maskenbildnerin hat mich vorher geschminkt. Also mein Gesicht abgepudert und meine Haare gekämmt. Ein paar lästige Strähnchen hat sie sogar weggeschnitten. Sie wollte auch meine Augenbrauen färben und meine Lippen, aber das war mir dann doch zu viel.

Ich warte noch bis zur Ausstrahlung meines Geständnisses, und dann werde ich diese gastfreundliche Stätte hier verlassen. Ein paar Leute werden sich vor Angst in die Hose machen, wenn sie hören, dass ich geflohen bin.

Ich krieg euch, alle miteinander! Das Spiel ist noch lange nicht vorbei. Ihr glaubt, ihr habt gewonnen? Ihr habt ja keine Ahnung!